★《レッド・ギター》2019年、110×157mm、水彩紙・シャープペンシル・パステル・色鉛筆

ネコの人気は衰えない。人はネコの気まぐれに弄ばされ、無垢な仕草に癒やされ続けている。ネコは代表的なペットだが、野生をそのまま残している存在でもあるという。その野生によって、人が現代社会の中で失ってしまった感情や感覚を呼び覚ましてくれるのだろう。そう、ネコは野生に彩られた、人間とは全く違う日常を生きているのだ。そんなネコを、森環が持ち前の奇想・幻想を交えながら活写してみせたのが、画集『ネコの日常・非日常』だ。おしゃれしたり学者を気取ったり冒険に出かけたり……かわいいけど奇妙でユニークなネコたちが満載。出版記念の展示も東京や札幌で開催される。マジカルでお茶目なその世界を、そっと覗いてみよう。(沙)

★森環 個展

【東京展】2020年3月10日(火)～18日(水) 会期中無休
場所／東京・表参道 ギャラリーニイク
11:00～19:00(最終日～17:00)
Tel.03-3479-2775 http://www.gallery219.com/

【札幌展】2020年4月13日(月)～26日(日) 会期中無休
場所／札幌・大通 書肆吉成 池内GATE6F店
10:00～20:00(最終日～18:00) Tel.011-200-0098
http://camenosima.com/ikeuchiweb.html

※森環は、2020年2月12日(水)～25日(火)に丸善丸の内本店4Fギャラリーで開催される「Catアートフェスタ2020」の「TH・アートセレクション」のコーナーにも出品。画集「ネコの日常・非日常」も同会場で販売予定!

★森環 画集「ネコの日常・非日常」
2020年2月9日ごろ発売予定!
四六判・ハードカバー・64頁・予価税別2200円
発行:アトリエサード、発売:書苑新社

★森環 画集「愛よりも奇妙」も、好評発売中!!

不思議な力に満ちた小宇宙

ミルヨウコ
MILL Yoko

★ミルヨウコ展「光の庭」
2020年2月25日(火)〜3月1日(日) 会期中無休
11:00〜20:00(最終日〜18:00) 入場無料
場所／東京・四谷三丁目 The Artcomplex Center of Tokyo
Tel.03-3341-3253 http://www.gallerycomplex.com/

★(上)《光の森》500×652mm、油彩・アルキド樹脂絵具
(下)《飛翔への解放》500×652mm、
油彩・アルキド樹脂絵具・モデリングペースト
(左頁上)《水晶世界》652×910mm、
油彩・アルキド樹脂絵具・モデリングペースト

箱庭のような小宇宙の中に、少女はいる。大きな瞳をこちらに向け、何かを訴えかけているように見える。そして少女の周りには、不思議な生命体たち。

　ミルヨウコは、自然に対する脅威や生きにくさを想いつつ、安らかな避難所としてこの「庭」を描いたという。その「庭」ではマジカルな、野生的な力が光を放っている。不思議な生命体が結晶のようなものに封じ込まれているものもあり、それは、ある程度、野生をコントロールしていることの証なのだろうか。いずれにせよ、おそらくこの庭の野生は、決して少女を脅かすことがない。

　観る者に向けられた少女の毅然とした視線は、その「庭」に対する絶対的な信頼感、誇りの高さを物語っているのだろうか。この少女のように「庭」に閉じ籠って、あなただけの野生を育んで、あなただけの小宇宙を形作り、あなただけの何かを生み出す、それも必要なことだと、気づかせる。

　今回のミルヨウコの個展では、油彩画を中心に、鉛筆画なども展示される。不思議な小宇宙に力を授かろう。(沙)

★《羽の解放》、180×140mm、鉛筆・アクリル

言葉で伝えられなかった想いが生む原初的な光景

山中綾子

YAMANAKA Ayako

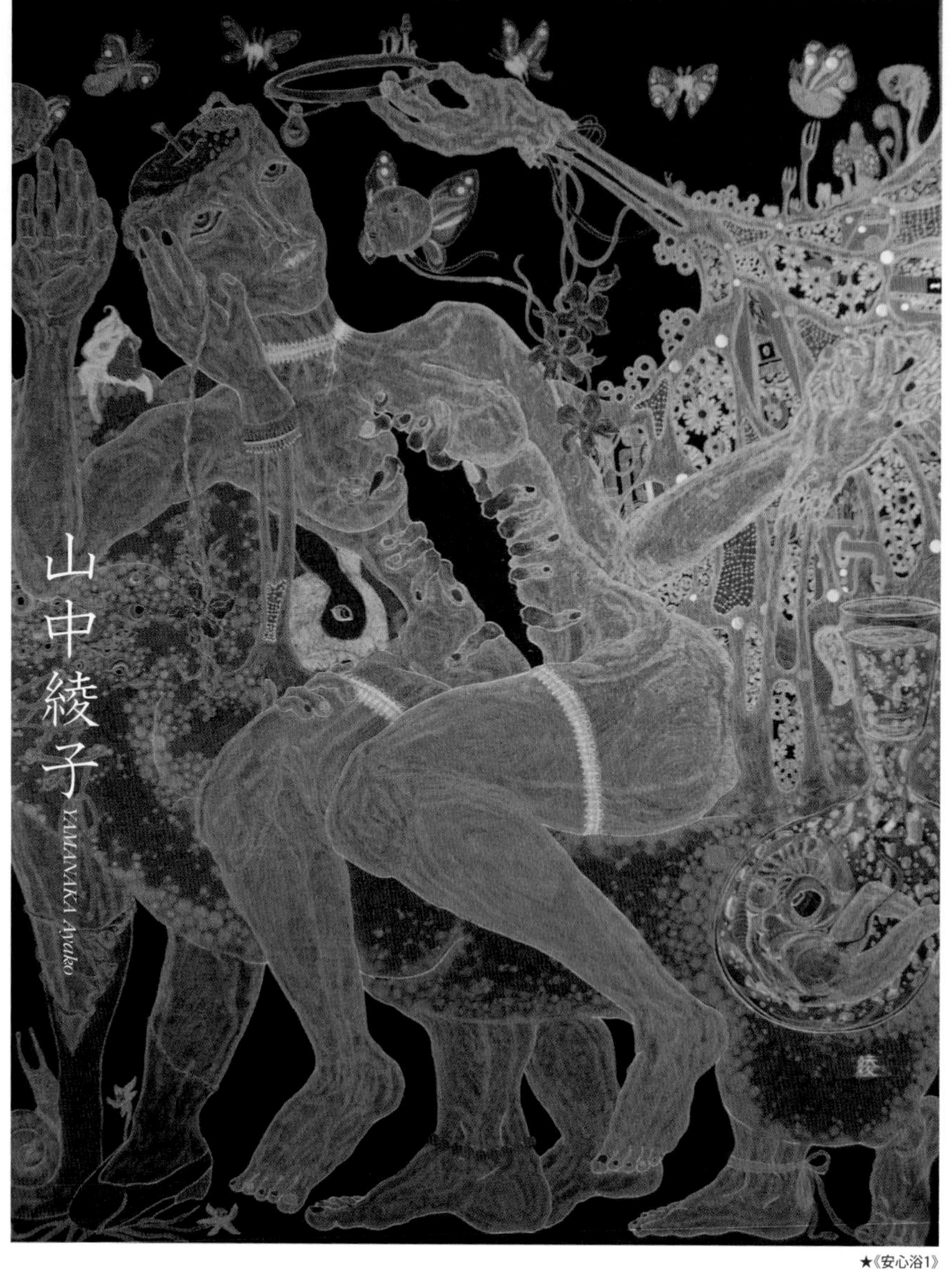

★《安心浴1》

あのときこう言えばよかった…そう思うことはだれでもあるだろう。そうした、あとになって閃いた言葉の返し方のことをイディッシュ語でTREP VERTERというのだそうだ。山中綾子の作品には、そのようなことの繰り返しによって伝えられなかった言葉や想いが、自由に動き回って形となって現れているという。黒い紙の上で、金や銀などさまざまな色の線が絡み合う。

言葉で伝えられなかった想いがそこには反映されているというが、それはつまり、言葉にできない想い、ということでもあろう。もっと原初的な、本能的な感情などがそこには漲っている。その光景は少々グロテスクに感じるかもしれないが、その形ひとつひとつが、山中の記憶や感覚そのものなのだ。

そうした形は、黒い紙の上に描かれて明暗が反転しているようで、しかし赤などの色はそのままで……そうしたことも山中の絵が現実とは違う奇妙な幻想へと誘う要因だろう。山中の思考の底へダイブするような感覚でその作品を体感したい。

（沙）

★山中綾子 個展「TREP VERTER」

2020年3月19日（木）〜29日（日） 火・水休
13:00〜18:30（最終日は〜17:00） 入場無料

場所／東京・曳舟 gallery hydrangea
Tel.03-3611-0336 https://gallery-hydrangea.shopinfo.jp/

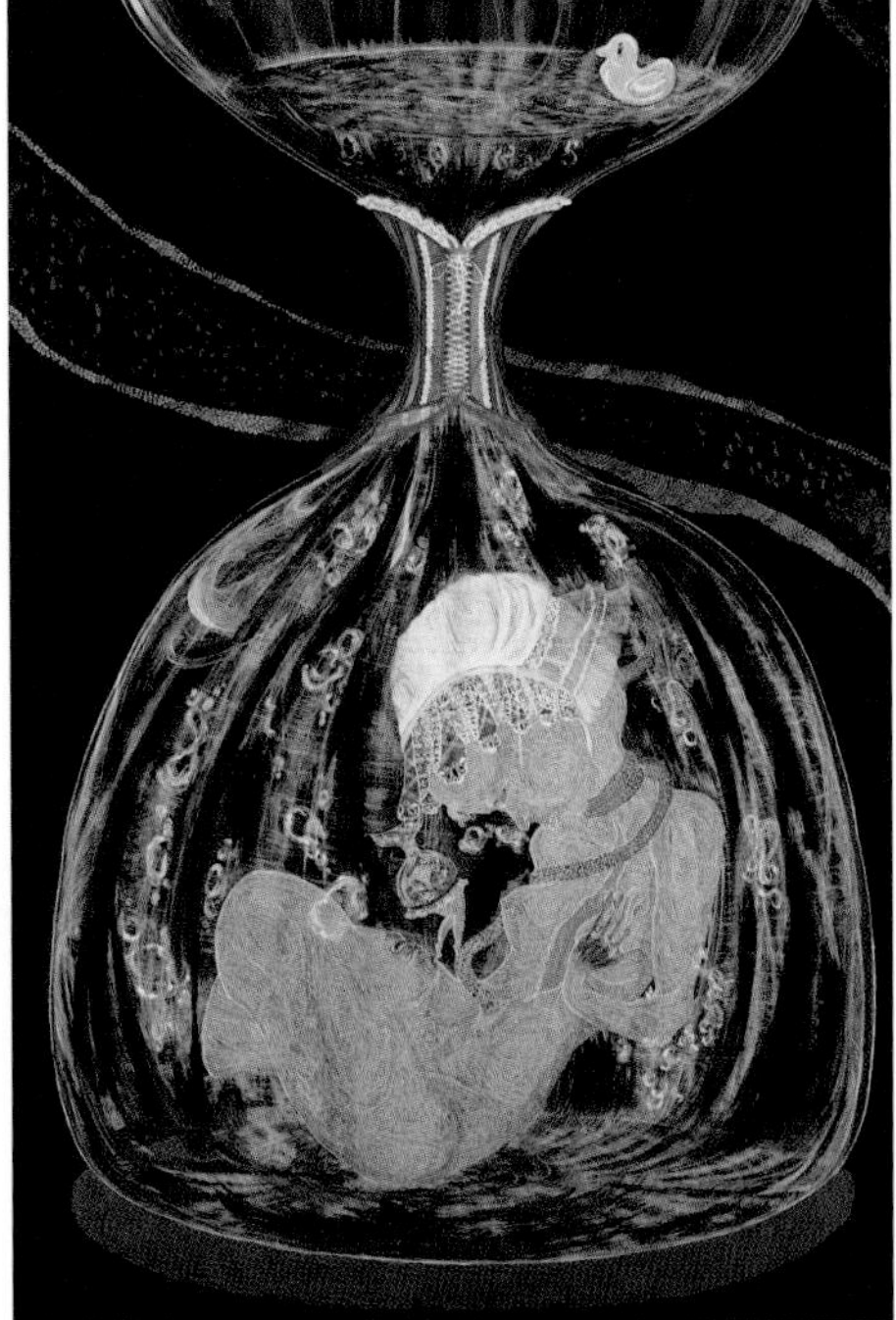

★（上）《素餐の宴2》（下左）《素餐の宴3》（下左）《永劫母胎》

倍加したエロスの幻惑　林良文 *HAYASHI Yoshifumi*

林良文は40年にわたって、非常に濃密なオブセッションに彩られた鉛筆画を描いてきた。しかし昨年開いた個展では、色鮮やかな油彩画も飾られ、観る者を驚かせた。70歳にして突然の変身である。

とはいえ、描かれる内容は変わらず、禁断の光景が展開される。鉛筆画はモノクロであるがゆえに現実のリアルさを異化するが、林の油彩画も、色がついたといってもリアルな色彩とは少々異なり、現実が異化されているという点では鉛筆画と変わっていない。色彩がつくことによって、異化による幻惑が倍加しているくらいだ。

林は、唯物論的な考え方から、芸術も人間の精神を中心に考えるのではなく、物質を重視し科学的に追究されなければならないとする。人の脳の機能をメカニズムによって解明すること

★《ねえ、どこが痛いの?》2019年、51×42cm、油彩

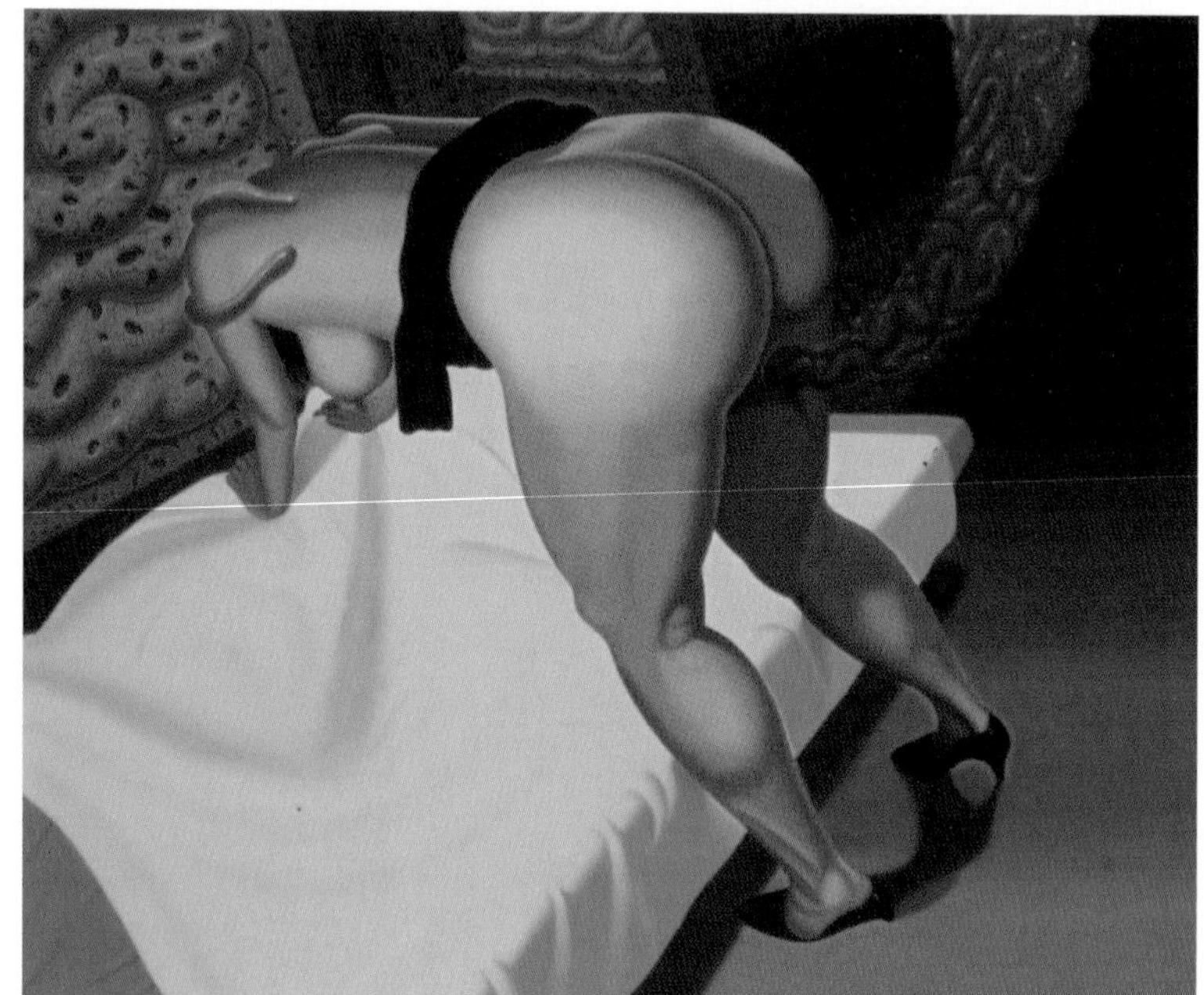

★《赤い女》2019年、51×46cm、油彩

色彩によって

で、人が本来持ち合わせている情動の原理が明らかになる。林の作品は、ある意味、そうした野生的な情動を引き起こす触媒のようなものなのかもしれない。色彩によってより強烈になったその世界を、ぜひあなたの脳で受け止めてみてほしい。(沙)

★《センチメンタルな女》2019年、51×42cm、油彩

★林良文個展「タレス」
2020年3月13日(金)～4月11日(土)
水・日・祝休
13:00～19:00 入場無料
場所／東京・九段下 成山画廊
Tel.03-3264-4871
http://www.gallery-naruyama.com/

★林良文 画・小説「飛翔—ENVOL—」
林良文 画集「構造の原理」
好評発売中!
発行:アトリエサード、発売:書苑新社

★《肉花》2019年、51×42cm、油彩

★《神殿》2019年、51×42cm、油彩

川口瑠利弥
KAWAGUCHI Ruriya

★川口瑠利弥《Where are we going（僕たちはどこへ向かうのか）》2020年、130×162 cm、アクリル・綿布・キャンバス

「メアリーの部屋」とは、1982年に哲学者フランク・ジャクソンが提示した思考実験である。メアリーは白黒の部屋で育ち色を見たことがなく、だけど視覚の神経生理学の知識があって、例えば赤い色がどういう物理的過程を経て認識され「赤い」という言葉が発せられるのか、知っていたとする。ではメアリーが初めて色を見たとき、新しいことを学ぶだろうか──。それは、物理的には説明できない、主観的に体験される感覚（クオリア）が存在するかどうかへの問いでもある。

川口瑠利弥は、不穏な記憶や不安を呼び覚ますような絵を描き、kafkanakoは、自身の家庭環境や病気などの〝傷〟から、命や愛について考えさせる作品を制作している。いずれも、クオリアによって、自身の経験が観る者に新たな感情を喚起させることを願いながら創作し続けている。ゲスト参加する冨岡想、毬谷静、宮本香那もいずれも、隠されていた記憶の底を探るような作品であり、やはりそこにはクオリアに訴えかけるものがあると言えよう。これらの作品を観て、あなたの心の中にどのような感情や記憶が浮かび上がってくるだろうか。（沙）

★宮本香那《肌色》2019年、22.7×15.8cm、アクリル・キャンバス

★川口瑠利弥、kafkanako
「メアリーの部屋」
2020年2月22日（土）～3月13日（金）
日・月・祝日休 入場無料 12:00～19:00
ゲスト作家／冨岡想、毬谷静、宮本香那
場所／東京・日本橋
MASATAKA CONTEMPORARY
Tel.03-3275-1019
http://www.masataka-contemporary.com/

kafkanako

kafkanako

不穏な記憶や傷によって喚起されるもの

★kafkanako《chamber》2019年、27.4×27.4cm、アクリル・パネル

★冨岡想《地獄の扉》2019年、36.5×51.5cm、油彩・パネル

★毬谷静《alter ego》2019年、14.8×21cm、アクリルガッシュ

★シロジクモジホコリ（変形体）
Physarum globuli ferum

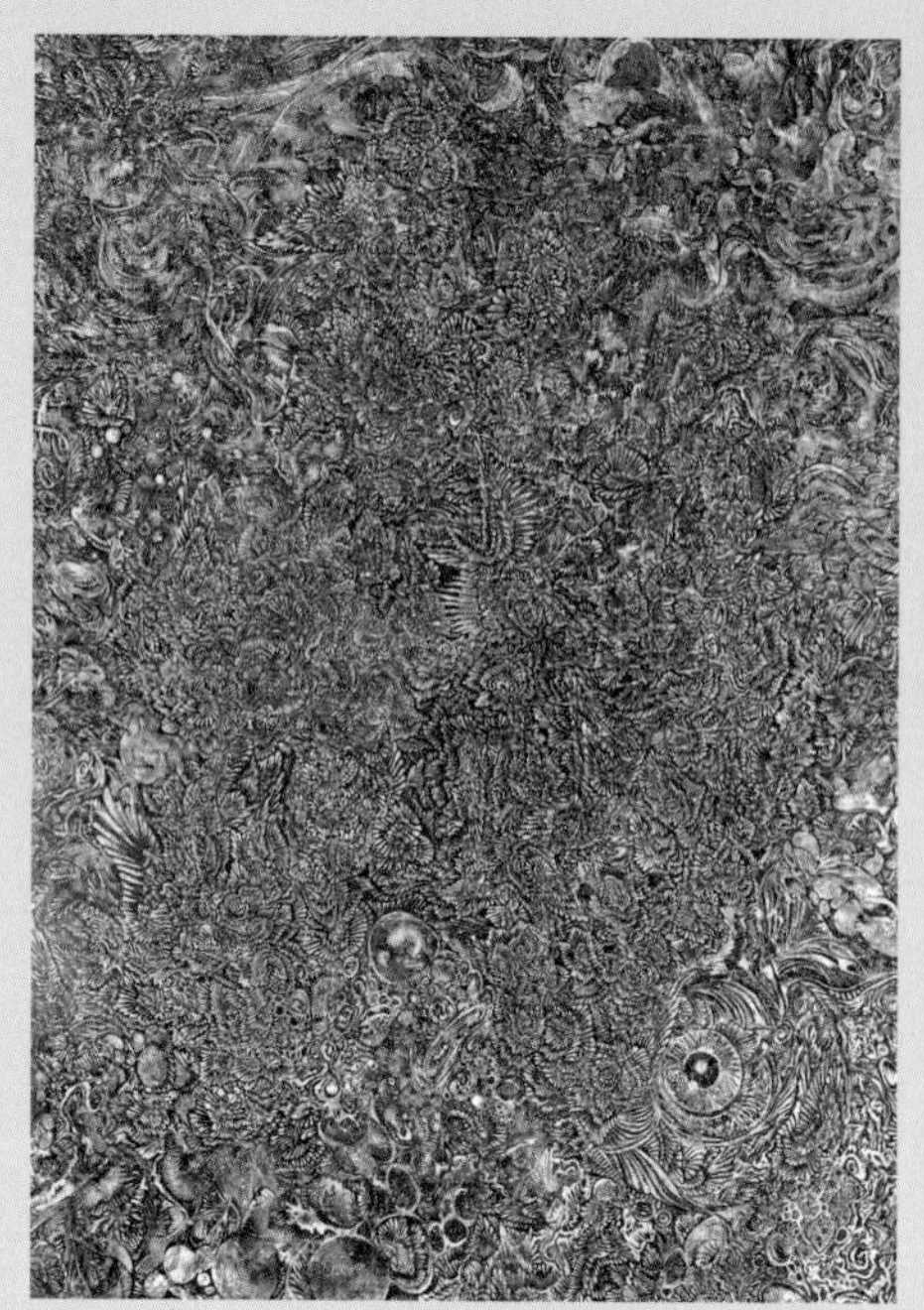

★赤木美奈 連作《粘膜》の1枚

赤木美奈 AKAGI Mina

植物でも動物でもない、粘菌の美しき魅力

●記事☛p.53

★クロアミホコリ *Cribraria atrofusa*

伊東明日香
ITO Asuka

不気味に浮かび上がる「美」

〝死を今世の美しいゴール〟として掲げ、その時に向かって真剣に最後まで生き抜く——死に際に、「あぁ、美しく生きたなぁ」と全身で感じられるために……。伊東明日香が４月に開く個展のテーマに掲げたのは、「死」を意識することで「生」と真剣に向き合い、自分を輝かせること。だが例えば上の作品は、「美しく生を纏う」というタイトルに反して、その顔は不気味だ。顔だけが明るく、しかも天からお迎えが来たかのように上方から光が差しているように見える。それ以外は死の暗い陰の中…。頭に冠した花や蜜蜂はなんの象徴だろう。伊東はこれまでも、理性では制御できない、人の内面のドロッとした感情を描き出してきた。その感情を野生とするなら、花や蜜蜂を纏うことでその野生を表象しているのだろうか。そしてそこに立ち現れた「美」には、背筋が寒くなるほどに凄みがある。(沙)

★伊東明日香個展
「死を意識して、美しく生を纏う。」
2020年4月4日(土)〜25日(土)
日・月・祝日休 入場無料 12:00〜19:00
場所／東京・日本橋
MASATAKA CONTEMPORARY
Tel.03-3275-1019
http://www.masataka-contemporary.com/

★《死を意識して、美しく生を纏う》2019-20年、40×30cm、麻布・鉛筆・銀筆・水彩・墨・アクリル

夢島スイ YUMESHIMA Sui

人も動植物もボーダーレスに生きる世界

★《一角図》2019年、35.5×28cm、油彩

★《Anima mundi -日の女神同一視図-》2019年、115×80cm、油彩（右頁上2点はその部分）
※右頁上の2点と次々頁の上の写真以外は、撮影：田中流（個展「ユニコルニスの園」の展示風景）

★《ユニコルニスの詩》2019年、35.5×28cm、アクリルガッシュ・インク

★《少女の木》2019年、30.5×30.5cm、アクリルガッシュ・ミクストメディア

★《貫かれた胸》2019年、25.4×20.2cm、アクリルガッシュ

夢島スイの作品には奇妙な動植物がよく描かれる。まるで太古へと時間を遡って、魔術的な力に満たされた伝説の光景を目の当たりにしているかのようだ。なかでも一角獣は、よくモチーフにされ、昨年12月にLECURIOにて開催した個展では、その一角獣が展示のテーマになっていた。

LECURIOはアンティークやアートを扱うショップ。この個展ではその店内にひしめいていた物品の多く仕舞われて、壁には貴婦人と一角獣のタペストリーがかけられ、その豪奢な空間に夢島の作品やVimoqueの布物作品が並んだ。そこはまるで、いにしえの時代にタイムスリップしたかのような異空間だった。

夢島がなぜ一角獣に惹かれるのか、今回の個展のパンフにおいて、自

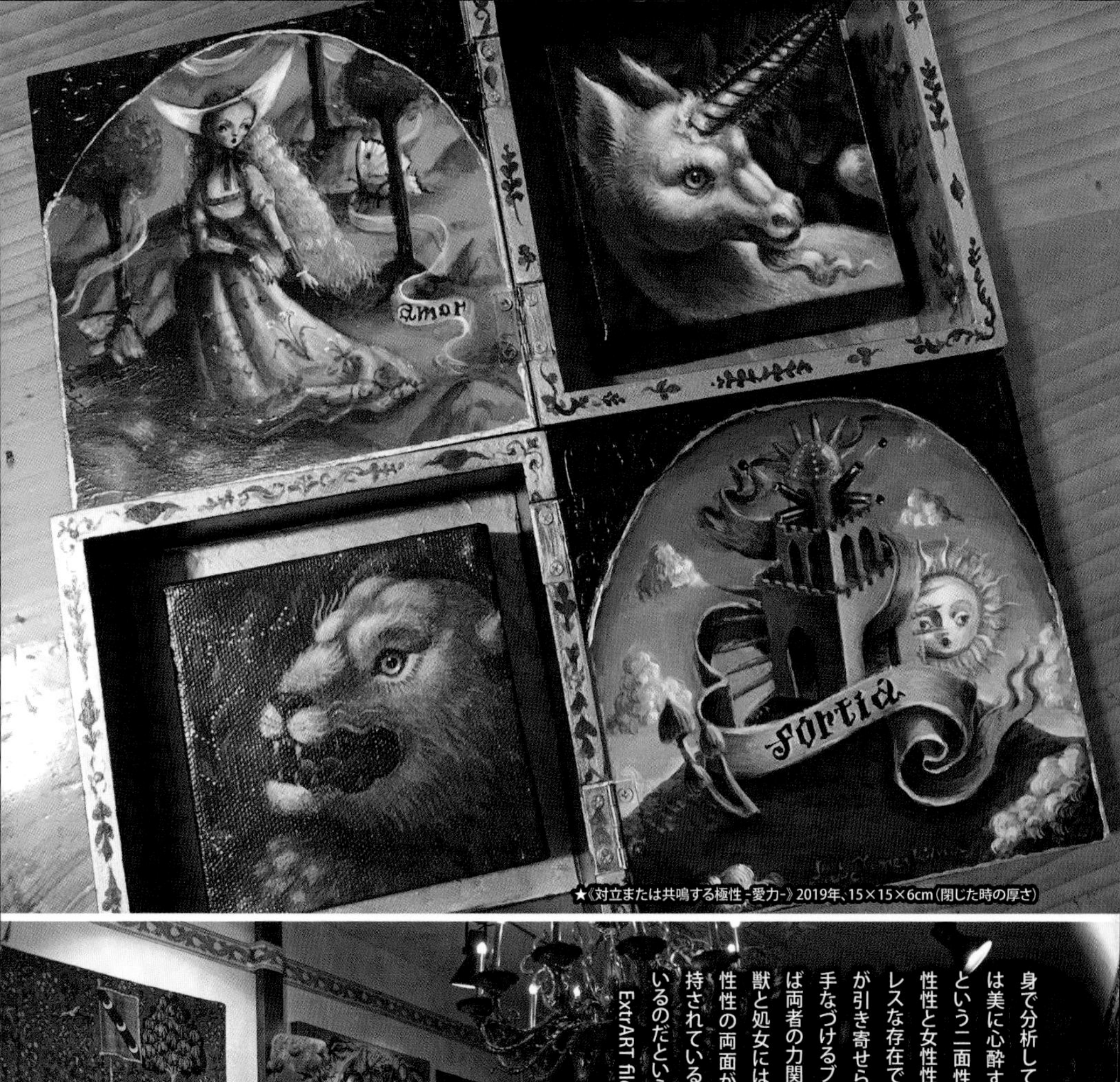

★《対立または共鳴する極性 -愛力-》2019年、15×15×6cm（閉じた時の厚さ）

身で分析している。つまり、一角獣には美に心酔する感受性と猛々しさという二面性があり、ある意味、男性性と女性性の両方を持つボーダーレスな存在であること。一方、一角獣が引き寄せられる処女を、一角獣を手なづけるブリーダーとして考えれば両者の力関係が逆転する――一角獣と処女には、そうした男性性・女性性の両面が最高のバランスで所持されているところに、魅了されているのだという。

ExtrART file.17で紹介した個展のときには、夢島は、人も動植物も、生命すべてがひとつの祖先から進化してきたという考えに共感し制作した作品を展示していた。その、生命を区別しないボーダーレスな考え方は、今回の一角獣においても共通していよう。夢島にとっておそらく、人も特別な存在ではなく、自然の一部だ。自然とひとつになった魔術的な世界において、一角獣は魔力を持つがゆえに象徴的な存在になりうる。その点も、夢島が一角獣を好んで描く理由のひとつなのだろう。（沙）

★展示風景

※夢島スイ個展「ユニコルニスの園」は、2019年12月14日～24日に、東京・高円寺のArt&Antiques LECURIOにて開催された。

四方山幻影話 42

●写真・文:堀江ケニー
モデル:salasa

動物から人へと姿を変えたという民話や怪談は、数多く残されている。あるランキングがあって、日本において、動物から人へ、人から動物へと変身するイメージの強い動物のランキングだ。

やはり一番多いのは、狐。人間に化け、悪さをする話は多いし、しかも化けるのは美しい女、というイメージが強いと思

う。狐の流れで言えば、安倍晴明も、狐と人間の女性とのハーフということだ。狐の次にイメージされるのはタヌキ。こちらも綺麗な女にも化けるが、オッサンにも化けたりして、人を小馬鹿にしてイタズラをするイメージがあると思う。綺麗な女に化け馬糞を食わせるとかね。

鳥もあるよね。鶴の恩返しとか。このパターンは狐にもある。狐狩りから助けられた狐が恩返しをする話。美しい女に変身して助けてくれた男の嫁になり、子供ももうけ幸せに暮らす。だが正体がバレ、姿を消すっていう鉄板の流れのストーリー。

蛇も変身するイメージがあるようで、鳥に次いでランクインだ。蛇が変身というと、やはりこの場合も女性に変身するイメージが自分的には強いなぁ〜。蛇繋がりでいうと化女沼というところがあって、廃墟好きには化女沼レジャーランドっていう遊園地の廃墟が有名なところね。その化女沼の伝説では、その沼にはむかし姫がいて、その姫が蛇の姿をした子供を産んで、ショックで化女沼に身を投げたという。ちょっとこれはイレギュラーだけど、まぁ〜蛇絡みということで。

さらにわりと知られているのが牛ね。人偏に牛と書いて件（くだん）と書く。

これは頭が人間で体が牛のバケモノで小松左京の小説でも知られている。件は災いを予言するだけに生まれて来て、その予言をすると死んでしまうと言われている。

いろいろとあるけど、やはり自分的に一番好きなのは狐です。美しい女に姿を変えるってところが、実にロマンチックで面妖で素敵。狐の嫁入りなんていうのも、狐が姿を変えた女って艶ぽいイメージしか無い。ちょっと雪女の話にもカブる感じですかねぇ〜。

余談だけど、そんな女に化けた狐を祀る神社もある。茨城の、その名も女化稲荷神社だ。

と、いうわけで、今回はそんな狐が女に化けたイメージのカット。でも、狐っていうか、ドラマ「トリック」に出て来そうなシャーマンぽくなっちゃった感は否めないなぁ〜、ははは。

★（上と左）酒井孝彦

★（右2点）檣蜂

これまでの生を振り返り これからの生を望む

「生きるという事を今日までしてきた。ふと振り返ると、それは何だったのか。私はこの地球においてどうだったのか。それを今、まとめてみようかと思った。そんな2人の視点を観てみたくなった」——だからこの2人展を企画したのだという。合成等によって新たな写真表現に挑み続ける酒井孝彦と、イラストやドールのプロデュース、アートディレクションなどで活躍する檣蜂。タイトルのボロメオとは、ラカンが現実界・象徴界・想像界の3つの世界を説明することにも用いたの環のことで、環は3つだと連結しているが、1つでも欠けると分解してしまう。酒井、檣蜂の交わりもそれに似たものだろうか。その交わりから何が生まれるだろう。（沙）

★酒井孝彦・檣蜂二人展「Borromeo」
2020年2月11日（火）～16日（日）入場無料
12：00～19：00（最終日は～17：00）
場所／東京・外苑前 DAZZLE Tel.03-3746-4670
http://gallery-dazzle.com/

カール・フローセス・ストアー

わたしの伊東屋作品（本誌№57で紹介）には米ナンシー・フローセスさんによるタイル絵が使われていた。'04年、それを見るためにナンシーさんがわたしの案内で銀座の伊東屋を訪れたことがあった。見終えて帰ろうとすると彼女は足を止めて振り返った。

「先祖がむかしスィーフリバー（泥棒の谷）で馬具店をやっていましたが、つくれますか?」

突然のリクエストだった。

わたしは「I can」と答えた。

するとその一年後、馬具店内部を示すセピア色の写真が届いた。更にその一年後、店の外観を示すコピーや、馬具のカタログや、馬の写真などが次々と届いた。しかしそのどれを見てもよくわからなかった。仕方なく'08年、現地カリフォルニアへ調査に出かけ、現場で得た資料と体験に基づき、'09年の秋、やっとこの馬具店を完成させることができた。（縮尺1/12）

作品は現在、ナンシーさんのご主人のオフィス（米ミネソタ州）に展示されている。

芳賀一洋（はが・いちよう） http://www.ichiyoh-haga.com/jp/
1948年、東京に生まれる。1996年より作家活動を開始し、以後渋谷パルコ、新宿伊勢丹、銀座伊東屋などでの作品展開催や、各種イベントに参加するなど展示活動多数。著作に写真集「ICHIYOH」（ラトルズ刊）などがある。

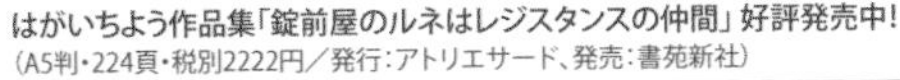

『魔女のアトリエ』　左ページ『食べちゃうぞ』　共に絡繰りオルゴール

ある日、グレッチェンはお母さんから言付かって、森に住むおばあさんの所へお見舞いに行くことになりました。そして、それを聞いた仲良しのウルリカも、一緒について行きました。

途中でお花を摘んで行こうね、ウルリカは言いました。花冠を作ったり、雲を眺めたり、久しぶりに二人きりで過ごせるとうきうきしていたのです。

二人は以前は大の仲良しでした。小さい頃からずっと一緒に遊んできたのですが、最近は、どんどん綺麗になっていくグレッチェンに村の男たちが群がるようになり、二人だけの時間は減っていきました。それがウルリカには気に入らないのでした。

わたしが男だったら良かったのに。ウルリカは時々そう思うのです。

そしてやはり今日も、道すがら出会った優男にグレッチェンを取られてしまい、ひとりだけ置いてきぼりになるのでした。

ウルリカは、深呼吸をしました。

そして覚悟を決め、以前魔女から買った秘薬を一息に飲みほすと、森の近道を走りだしました。先回りをして捕まえたら、もう二度と、大好きなグレッチェンと離れずにすむように。ずっと二人でいられるように。もう誰にもグレッチェンを触れさせないように。

小鳥も鳴かない静かな森を、ウルリカの足音だけが駆け抜けていきました。

辛しみと優しみ〈39〉
人形・文＝与偶
doll & text by Yogu

撮影©サト・ノリユキ / SATOFOTO

たま×最合のぼるによって生み出される禁断のメルヘン!

国内外の名作童話に着想を得た最合のぼるのダークな物語世界と、5人の少女系幻想画家とのコラボレーション企画〈暗黒メルヘン絵本シリーズ〉。その第Ⅰ巻『一本足の道化師』は黒木こずゑがイラストを担当し、好評発売中だ。

第Ⅱ巻では「親指姫」「ヘンゼルとグレーテル」などお馴染みの童話が、最合のぼるの暗黒な筆致により、またまたトンでもないことに。絵を担当するのは、不気味キュートな独自の乙女世界を展開し、高い人気を得ている少女主義的水彩画家のたま。もちろん全点描き下ろしの新作！ 初コラボの2人がどんなメルヘンに仕上げるのか、乞うご期待！ 出版記念の原画展も開催される。

「文章は最合さん、絵は私と役割違えどもゴールは同じ。作家同士として意識を交換しながら二人三脚でひとつの物を作るのってほぼ初めてだから、すごく新鮮でワクワクする！ 展示も楽しみ(^^)」（たまtwitterより）

★たまの作品（上）《Free to hope》2019年、277×202mm、透明水彩絵具・紙
（右頁上）《You're the only witness》2019年、257×364mm、透明水彩絵具・紙
（右頁下）《Phantom of the sleep》2019年、257×364mm、透明水彩絵具・紙
※いずれも「夜間夢飛行」用に描き下ろされた作品。どんな物語から生まれた絵か、本を見てのお楽しみ！

★たま×最合のぼる
暗黒メルヘン絵本シリーズ第2巻
「夜間夢飛行」出版記念原画展 展示室B
2020年3月17日（火）〜4月5日（日） 会期中無休
12:00〜19:00（土・日・祝は〜17:00）
入場料500円（展示室AB共通）
※3/21（土）イベントあり。ジャズピアニストの佐藤真也をゲストミュージシャンに両著者による朗読やトークショーなど。詳細・予約は下記画廊のHPへ！
場所／東京・銀座 ヴァニラ画廊
Tel.03-5568-1233
http://www.vanilla-gallery.com/

★たま（絵）**最合のぼる**（文・写真・構成）
「夜間夢飛行〜暗黒メルヘン絵本シリーズ2」
2020年3月17日発売予定！
B5判カバー装・64頁・予価税別2255円
発行：アトリエサード、発売：書苑新社

★黒木こずゑ（絵）**最合のぼる**（文・写真・構成）
「一本足の道化師〜暗黒メルヘン絵本シリーズ1」
好評発売中！ B5判カバー装・64頁・税別2255円
発行：アトリエサード、発売：書苑新社

可愛さと妖しさ漂う ふたつの個展

日本では2003年に絵本が出版され人気を博した「エミリー・ザ・ストレンジ」。サンフランシスコのアーティスト集団コズミック・デブリが創作したキャラクターで、もともとは1990年代初頭にステッカーのデザインとして誕生したものだ。4匹の黒猫と暮らす、真っ黒なロングヘアに真っ黒なワンピースを着た、色白の13歳の女の子のエミリー。「エミリーは、誰かと同じものなんて欲しがらない…欲しいのは喪失感」。

その オリジナルアートワークやコミックスの原稿、ドローイング、デジタル作品などを一堂に集めた、日本で初めての展覧会がおこなわれる。日本限定グッズも販売予定とのこと。ダークでクールなその世界を、もう一度味わってみよう。

そしてヴァニラ画廊では水溜鳥（みずためどり）の個展も。北海道在住でSNSなどで人気を集め、ゲーム『Fate/Grand Order』などにも参加している人気のイラストレータだ。透明感のある色彩で、だけど妖しさも漂うその世界をじっくり楽しみたい。（沙）

★水溜鳥

★「エミリー・ザ・ストレンジの世界展」より

★「エミリー・ザ・ストレンジの世界展」 展示室A&B
2020年2月11日（火）～3月1日（日）会期中無休 入場料500円

★水溜鳥個展
一水溜鳥画集「まどろみの夢と光の箱庭」刊行記念一 展示室A
2020年3月17日（火）～4月5日（日）会期中無休 入場料500円（AB共通）
※同期間に展示室Bでは、たま×最合のぼる「暗黒メルヘン絵本シリーズ 第2巻 夜間夢飛行」出版記念原画展を開催＝前頁参照

いずれも、場所／東京・銀座 ヴァニラ画廊
12:00～19:00（土・日・祝は～17:00）
Tel.03-5568-1233 http://www.vanilla-gallery.com/

★（左）H.R.ギーガーの作品（右）Paul Toupet の作品

60年代の芸術運動"パニック"に反骨精神を学び、21世紀の若手作家を開拓する「モダン・パニック」日本初上陸!

◉写真・文=ケロッピー前田

★メキシコ全国紙掲載のホドロフスキーのイラスト作品"Fábulas Pánicas"（第11号／1967年8月13日号）

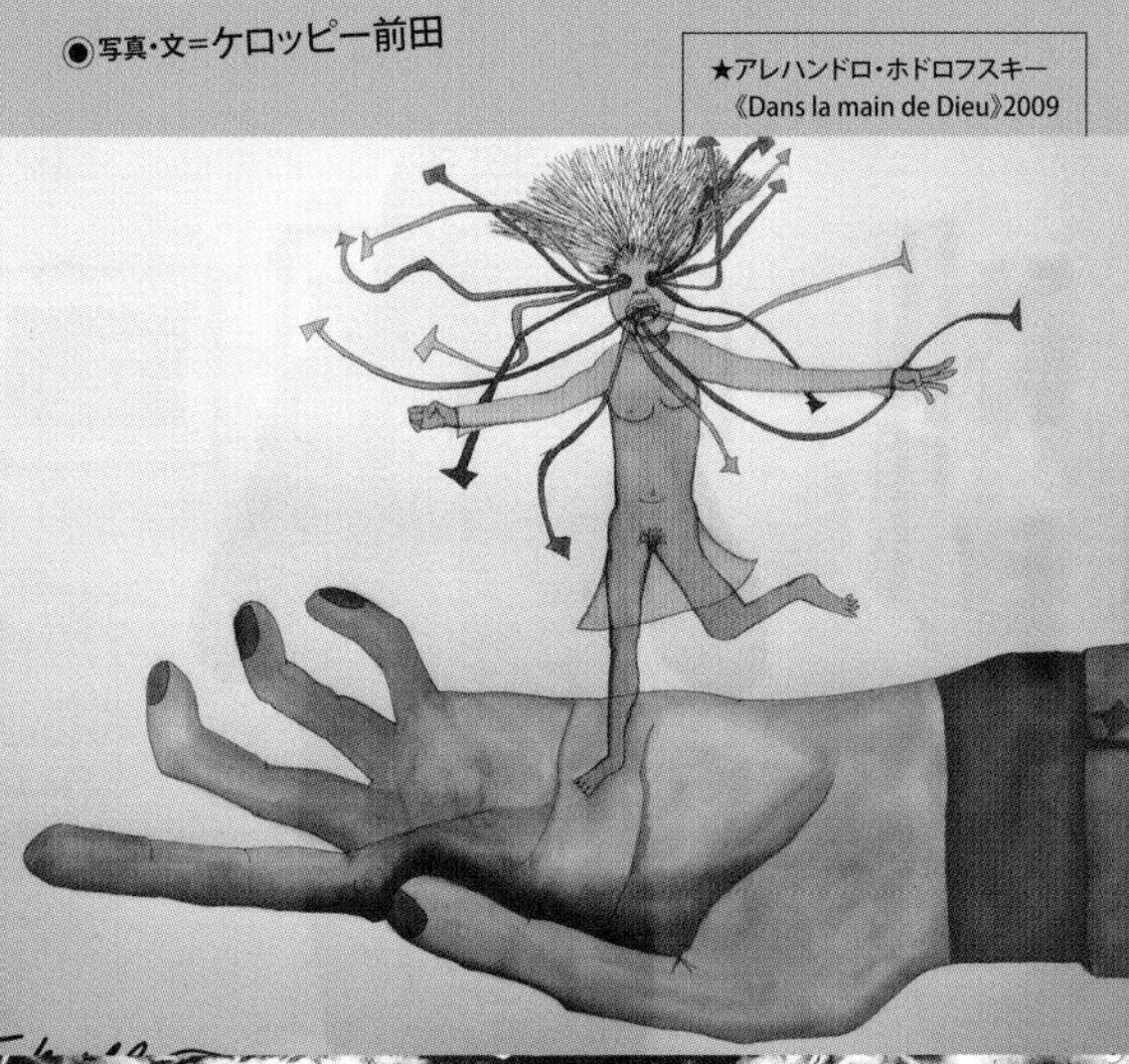

★アレハンドロ・ホドロフスキー《Dans la main de Dieu》2009

★（上）ウィリアム・バロウズ《Untitled》（リトグラフ）2014
（左）ショットガンペインティング、バロウズ《No Trespassing》（リトグラフ）2014

1960年代、フランスのパリでは、カウンターカルチャーが猛威を奮っていた。のちにカルト的な映画監督として名を馳せるアレハンドロ・ホドロフスキーもまた、その街で表現への欲求を爆発させていた。

62年、ホドロフスキー、やはり映画監督や脚本家として活躍するフェルナンド・アラバール、画家のローラン・トポール、この3人がパリで「パニック・ムーブメント」という芸術活動を仕掛けた。

その運動は、映画監督ルイス・ブニュエ

★ラルフ・ステッドマン×ハンター・S・トンプソンの作品

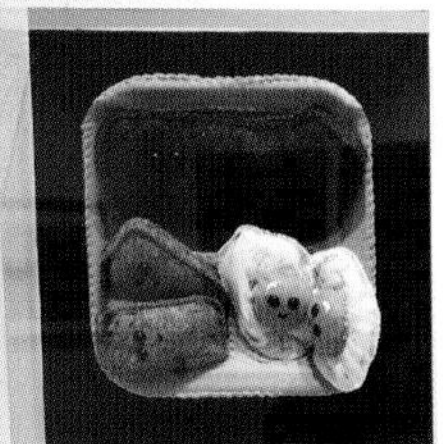

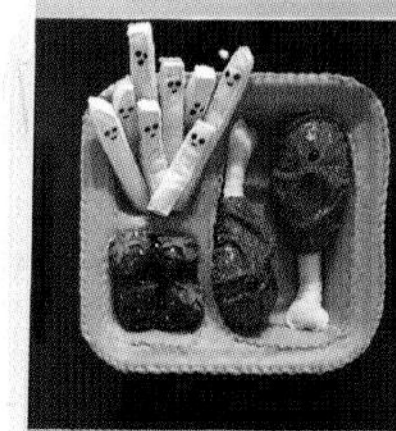

★（右の4点）ルーシー・スパロウ《Final Suppers》2019

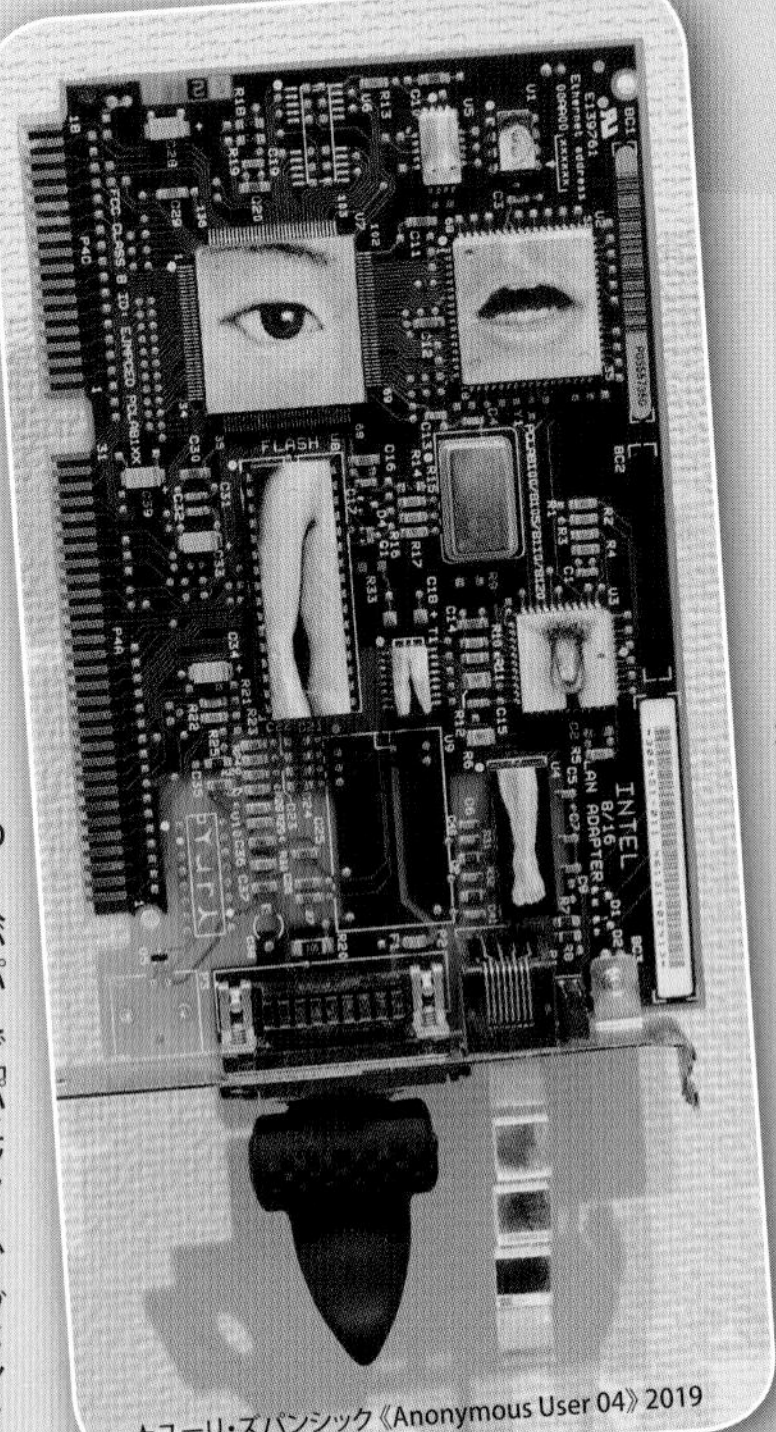

★ユーリ・ズバンシック《Anonymous User 04》2019

★ブライアン・フラウドの作品

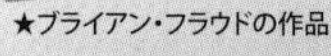

★ロジャー・バレンの作品

★キミー・シミ《Nigiri》

★ホドロフスキーの作品と
キュレーターのジェイムズ・エルフィック

ル（1900-83）や劇作家のアルトナン・アルトー（1896-1948）らに影響されて始められたもので、プロアマ問わず50人以上のアーティストが集められ、集団ハプニングのような壮絶な内容であったという。

そんな「パニック・ムーブメント」の精神を引き継ぎつつ、新旧の作家を取り混ぜた「モダン・パニック」という展覧会が、ロンドンで定期開催されている。そして、今回、「Modern Panic TOKYO」として日本初上陸を果たした。

キュレーターのジェームズ・エルフィックに話を聞いた。

「パニック・ムーブメントという芸術運動に、ホドロフスキーが映画監督となる以前の姿があります。1962年、パリでその運動を始めた3人はのちに非常に影響力を持つ表現者になりました」

ジェームズは、話し慣れた様子で「モダン・パニック」開催への経緯を語り始めた。一言でいえば、すべてはホドロフスキーがきっかけである。

しばらく映画から離れていたホドロフスキーが近年、『リアリティのダンス』(2013)、『エンドレス・ポエトリー』(2016)などを監督して表舞台に返り咲いていることは日本でもよく知られている。そんなホドロフスキー再評価の動きに先駆けるように、2009年、「パニック・エグジビジョン」という展覧会が開催された。

「今回のホドロフスキーの作品は、そのときに発表されたものです。妻パスカル・モンタンドンとの共作で、どれもタロットやサイコマジックに通じるもので、意味を読み取ろうとすると鑑賞者の無意識が反映されてしまう、不思議な効果を持っています。また、最も貴重な作品に、メキシコの全国紙『El Heraldo de Mexico』に連載した『Fabulas Panics』があります」

この展覧会は、11年から『モダン・パニック』と名前を変えて定期開催されている。19年11月初旬のロンドンの展示で第10回目という。

そして、もう一人のカルトスターがウィリアム・バロウズだ。

「1960年代、パリにビートホテルがあったので、バロウズとも接点があったんです。2014年に『インターゾーン』というバロウズの回顧展もやりました。いまでは『モダン・パニック』にはなくてはならない重要作家です」

ビートホテルとは、1957年、ビート作家で知られるアレン・ギンズバーグが泊まった安ホテルで、バロウズも一時期住み着いたことからパリのカルチャーの拠点のひとつとなった。63年にホテルが閉鎖されるまで、ラジカルな表現者たちの根城となった。

もともと、アメリカ人のバロウズがヨーロッパに長期滞在していたのは、デビュー作『ジャンキー』発売の前年（52年）に実弾を用いたウィリアムテルごっこで妻を射殺していたからだ。事故扱いで罪には問われなかったが麻薬中毒者であった彼は当局からマークされ、国外逃亡したのだ。そんな経緯を持つバロウズも晩年には妻殺しをセルフパロディ化するようにショットガンペインティングなどの作品を手がけている。その作品も今回の目玉だ。

「その隣には、作家のハンター・トンプソンの作品があります。これはハンターが写っている写真に、ラルフ・ステッドマンが手書きしたコラボレーションですね」

ハンター・トンプソンは、ジャーナリストでありながら、主観を前面に押し出した体験ルポの手法で知られる。映画化もされた『ラスベガスをやっつけろ』(1971)の挿絵を担当したのが風刺画家のラルフ・ステッドマンだった。

さらに、選りすぐりの作家の作品を見ていこう。

「一番の売れっ子は、フェルトで死刑囚たちの『最後の晩餐』を再現しているルーシー・スパロウです。また、虫眼鏡で電子基板に貼り付けられたエロ絵画を覗くユーリ・ズバンシックも面白い」

ロジャー・バレンは南アフリカ在住でダイ・アントワードのPVを手掛けたことでも知られる。また、有名映画俳優をモチーフにホラー的な絵画を仕上げるブライアン・フラウドも「モダン・パニック」の実力派だ。

最後にジェームズは笑みを浮かべなら、中央の陳列台を指差した。日本でお馴染みの食品サンプルを思わせる作品だ。

「ほら、美味しそうでしょう。これは日本の展示のためにキミー・シミーが制作したグロテスク寿司なんです。今回の日本での展示を非常に喜んでいます。この機会に日本でもグロテスクで反骨精神にあふれたアーティストをみつけたいですね」

歴代のレジェンドたちとまみれながら展覧会を作り上げてきたジェームズの話は尽きない。カウンターカルチャーって、やっぱり面白いのだ。

※「Modern Panic TOKYO」は、2019年11月26日～12月8日に、東京・銀座のヴァニラ画廊で開催された。
キュレーター：James Elphick（Guerrilla Zoo）／協力：Gallery Lucifer

★「犬鳴村」2020年2月7日（金）全国公開！
http://www.inunaki-movie.jp/

清水崇監督による新作ホラー公開！
その世界に浸る展覧会も

日米で大ヒットした映画「呪怨」シリーズなどで知られる清水崇監督の新作が2月に全国公開される。舞台となるのは「旧犬鳴トンネル」。九州に実在する心霊スポットだ。旧犬鳴トンネルやその周辺では、過去にさまざまな事件が起き、SNSなどでは、その周辺を訪れた者による恐怖体験が今も多く書き込まれている。

そのトンネルをめぐる都市伝説を、清水崇が、身も凍る恐怖と戦慄のオリジナルストーリーに仕立て、映画化した。三吉彩花が演じる臨床心理士、森田奏の周りで奇妙な事が起こり始め、謎を突き止めるために、彼女は犬鳴トンネルに向かう…。

また、清水の出身地である前橋文学館では、「犬鳴村」などの映画ゆかりの品々を始め、清水ワールドを存分に味わえる展示が開催中。ぜひ映画と合わせて、どっぷり恐怖の世界に浸りたい。（沙）

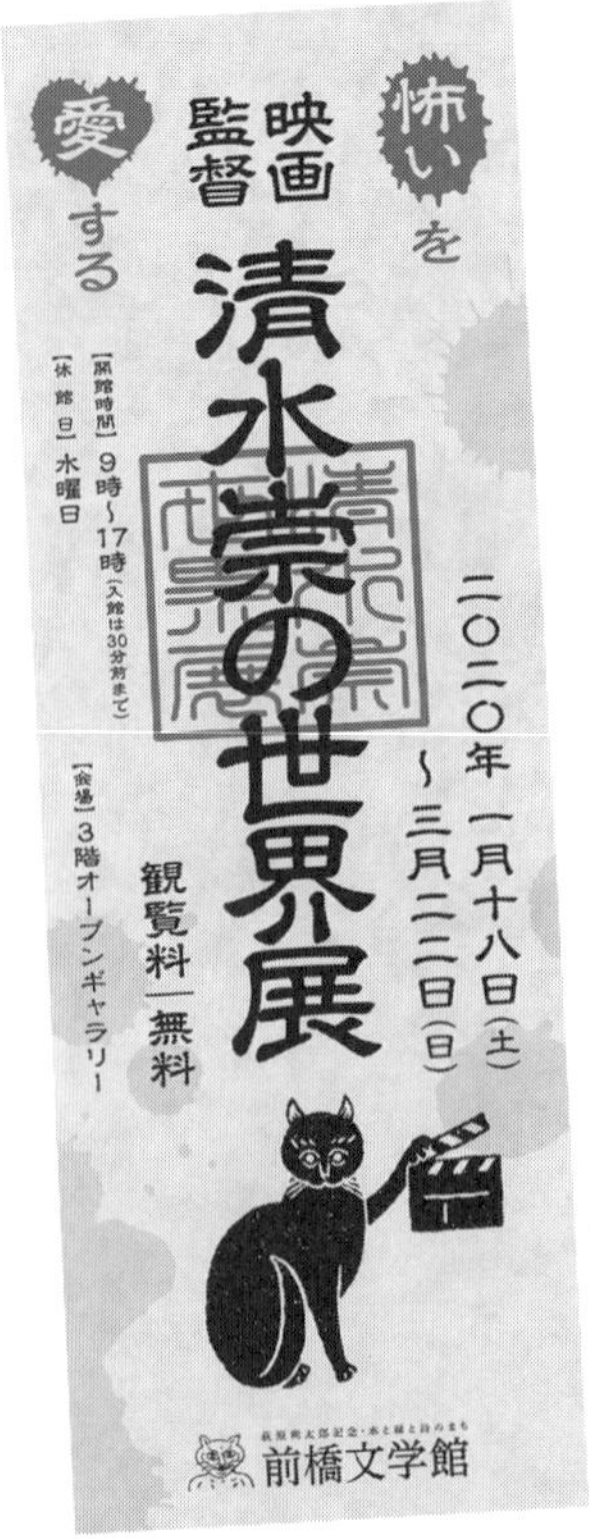

★「怖いを愛する―映画監督・清水崇の世界」
2020年1月18日（土）～3月22日（日）水曜休
9:00～17:00 入場無料
場所／前橋文学館 3階オープンギャラリー Tel.027-235-8011
https://www.maebashibungakukan.jp/

★連携企画として、2月7日（金）まで、前橋シネマハウスで清水崇作品を特集上映中！ 詳細は https://maecine.com/

怖いを愛する
映画監督
清水崇の世界展
二〇二〇年一月十八日(土)～三月二二日(日)
観覧料 無料
【開館時間】9時～17時（入館は30分前まで）
【休館日】水曜日
【会場】3階オープンギャラリー
前橋文学館

★上3点は特別展「先住民の宝」より。（左から順に）銅板紋章 Gerry Marks作（カナダ、ハイダ）／彫像（マレーシア、オラン・アスリ）／舟（台湾、タオ）／いずれも国立民族学博物館蔵

先住民が受け継ぐ宝

先住民と呼ばれる人々は、今も世界70カ国以上の国々で約3億7千万人が生活しているという。そこに受け継がれている伝統には、一朝一夕で生まれたものとは違う奥深さがある。その先住民が大切にしている「宝」を、写真や映像も交えて紹介する展覧会が、国立民族学博物館で開催される。野田サトルの漫画でアニメ化もされた「ゴールデンカムイ」の原画展示もあり、これも見どころだ。（沙）

★特別展「先住民の宝」
2019年3月19日（木）～6月2日（火）
観覧料など詳細は、下記HPを参照のこと
場所／大阪・万博記念公園 国立民族学博物館
Tel.06-6876-2151 http://www.minpaku.ac.jp/

文部科学省では、モザンビークにおける「銃を鍬に」プロジェクトの一環として制作され国立民族学博物館に収蔵された作品が展示中だ。武装解除で回収された銃器でアートを作り、平和を築く試みだが、作品そのものも面白く興味深い。（沙）

★「武器をアートに
――モザンビークにおける平和構築」
2020年1月7日（火）～2月10日（月） 入場無料
土日祝日は休館 10:00～18:00（入館は17:30まで）
場所／東京・虎ノ門 文部科学省エントランス（新庁舎2階）
https://www.mext.go.jp/joho-hiroba/

人の中で蠢き、突き動かすもの

羅入（らじゅ）は高野山真言宗僧侶。墨絵や銅版画、立体造形、インスタレーションなど、さまざまな手法で作品を発表している美術家でもある。その作品は生と死をコンセプトとしながら、人間という存在の根源を探りださんとする。3月に開催される個展では「アニマ」をテーマとした。アニマは、羅入の中に蠢き心臓を動かし息をする。そして肉なる世界を壊せと迫りくるのだという。そこに生まれる深淵の光景を目撃されたい。（沙）

★羅入 個展「蠢くアニマ」 2020年3月6日（金）～14日（土） 月・火・水休 入場無料
場所／東京・京橋 ギャラリー オル・テール 13:00～19:00（最終日～17:00）
Tel.050-1143-6688 http://or-terre.jimdo.com/

昭和テイストがムンムン

★塙興子

★マキエマキ個展
「おんな・色街・泪街
—マキエマキと昭和風俗建築—」
2020年2月6日（木）～24日（月）

★グループ展「百日紅夜市」 2020年3月5日（木）～23日（月）

★巡 個展「ホワイト・ルーム」
2020年3月26日（木）～30日（月）
ゲスト：櫻井園子（キャンドルアーティスト）

★塙興子・マキエマキ・吉岡里奈3人展（仮）
2020年4月9日（木）～27日（月）

いずれも、場所／東京・板橋 カフェ百日紅
15:00～23:00、火・水休 要オーダー Tel.03-3964-7547
https://cafe-hyakujitukou.tumblr.com/

★マキエマキ

自撮り熟女として活躍目覚ましいマキエマキ。カフェ百日紅での半年ぶりの個展は、消えゆく昭和風俗建築とのコラボレーションをテーマに撮影したもの。

マキエマキに塙興子、吉岡里奈が加わって、さらに濃密な昭和テイストで彩られる３人展も４月に開催される。

３月の「百日紅夜市」は、カフェ百日紅おなじみの面々が展示や雑貨販売などをおこなうカオスな企画。妖しいものがいろいろ見つかるかもよ。

一方、巡個展「ホワイト・ルーム」は、いまは解体されてしまった白い部屋そのものと無題無音でセッションをした、セルフ緊縛ポートレイトの記録。無機質な空間にうごめく、身体と縄、そしてキャンドルの光。そこからエロスがほんのりと薫り立つ。（沙）

★巡

大類信が収集してきた禁断のエロスの数々

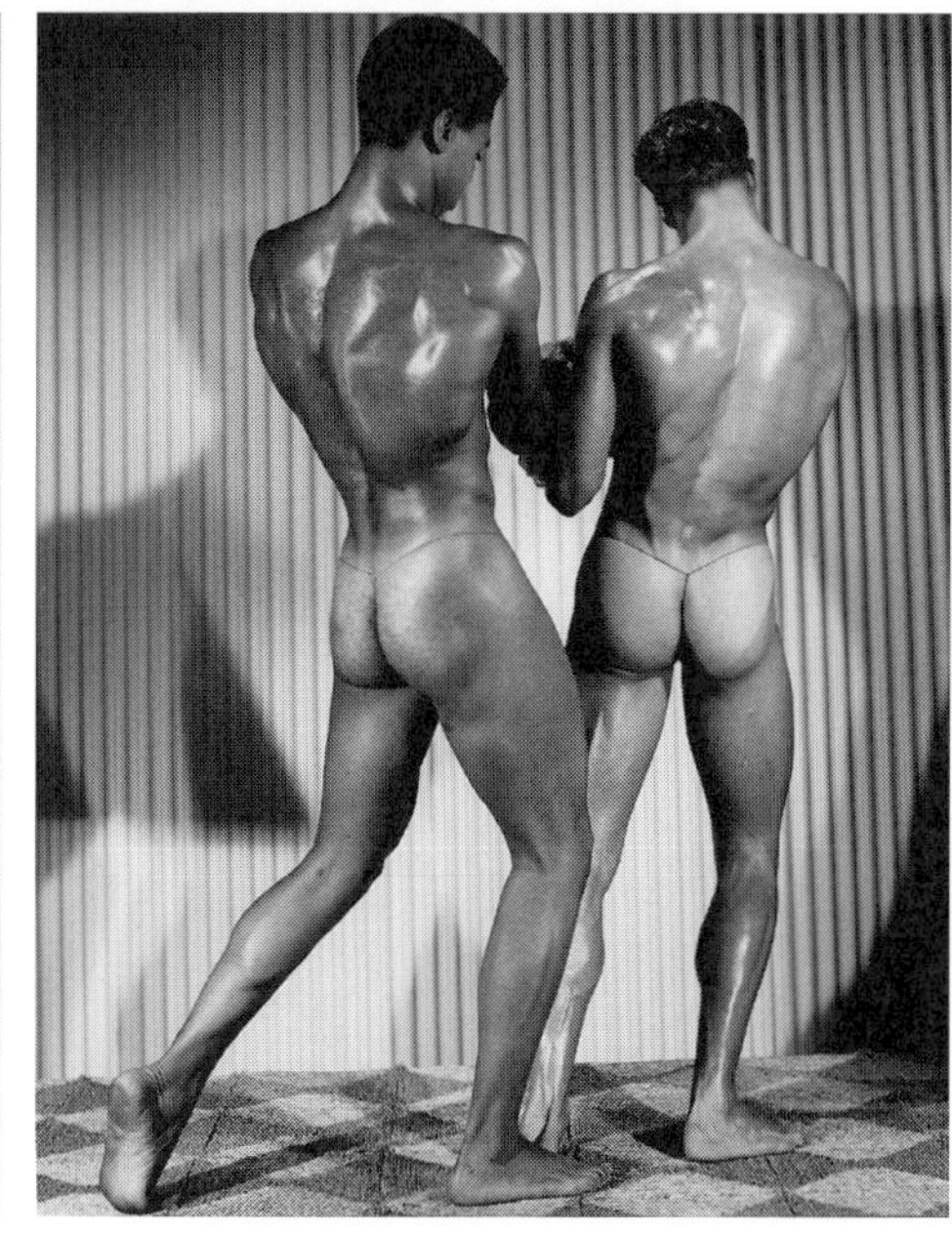

1990年に東京・乃木坂にオープンしたTHE deep。大類信が開いたギャラリー&ナイトクラブで、ボンデージの始祖ジョン・ウイリーを始め、日本未紹介のエロティシズムの美を発掘。94年に渋谷・南平台に移転してからは、カルト・フィルムの上映やアートブックの販売などもおこなった。1998年にパリにTHE deep Parisを開き、2001年にビル建替えで東京のスペースを閉めた後、大類は活動の拠点をパリに移している。

そのTHE deepが紹介してきたアーティストや大類自身のコレクションから、エロスをテーマに選りすぐった展覧会が開催中だ。ジル・ベルケ、ジェラード・マランガ、ヘンリ・マッケローニ、ジョン・ウイリー、ベティ・ペイジ、ピエール・モリニエなどのプリントを中心にそうそうたる作品が並ぶ。いまも色褪せない禁断の美を堪能されたい。(沙)

★「エロスの雫」
2020年1月18日(土)～2月15日(土)
水・日・祝休
13:00～19:00 入場無料
場所/東京・九段下 成山画廊
Tel.03-3264-4871
http://www.gallery-naruyama.com/

〈アジアフォーカス2019〉レポート　●文＝友成純一

国家は牢獄
――国境を超越してみせるアジア映画たち

チャン・リュル、国境を越える

今回のアジアフォーカスで最も注目を集めたのは、チャン・リュル監督の韓国映画「福岡」だろう。タイトルの示す通り、福岡が舞台となっている。いや、舞台でなく、福岡の街並みその物が主人公だと言って良いかもしれない。

韓国のオッサン二人と娘が一人、地元福岡の古本屋のお姉さんも交えた四人が、福岡市の中心部を徘徊する。観光名所でも何でもない、取り立てて見るべきものもないごく当たり前の街並みを、歩き回るだけの話だ。

チャン・リュルという監督を、私は知らなかった。が、今回は映画祭のウェブ等で大きく取り上げられているし、オープニング作品でもあったので、期待した。拍子抜けした。オッサン二人と娘二人が、韓国語と中国語と日本語とを使い分けつつ、しょうもない世間話をしながら、酒を飲んだり飯を食ったりしながら歩き回るばかり。ただただそれだけ、お話らしいお話もないまま、不意に終わってしまう。

敢えて設定っぽいことを抜き出すと、ソウルの場末の古本屋のオヤジが、なぜかそこにしょっちゅうやって来る、若い娘に誘われて、福岡にやって来る。娘は中国東北部で生まれたらしく、北京語を喋るし、日本語も少しは理解できる。福岡に来た口実は、古本屋オヤジの昔の友人が中洲でカウンター・バーを開いており、そこを訪ねることだった。古本屋オヤジと中洲バーのオヤジとは、かつて恋敵だった。その過去を、若い娘がほじくり返す。おかげで二人はまた喧嘩をしたり、互いを理解し合ったり……

天神の裏手に〈入江書店〉という古本屋があるのだが、たまたまそこに入ったら、店の若い女主人が娘に「またいらっしゃったのね」と声を掛ける。誰かと勘違いしたのか、それとも娘の霊が、霊だけがここを訪れていたのか……女主人には霊能力があるらしく、中国語も喋れるというので、娘と仲良くなる。若き女主人と娘の存在が、かつて女を張り合った二人の男心を操り、二人は改めて罵り合ったり理解し合ったりする。そんなちょっとした出来事が、ドラマとしてでなくまさに些細な日常風景として、綴られて行く。

オヤジたちの〝恋〟の行方は。〝霊〟の話はどんな風にオチが付くのか――オチも何もない。娘が不意に、ソウルの今は誰も居ない古本屋に電話を掛けてみる。無人の店内に、電話の呼び出し音が虚しく鳴り続けて……終わり。

「なんじゃ、こりゃ」

私はメリハリの利いたエンタテイメント、大仰に誇張された一大メロドラマとか過激なアクション、戯画化された人間関係とかが大好きなので、こういう鰻の寝床みたいにのんべんだらりと続く話が、大いに苦手で嫌いである。八十分かそこらの映画なのだが、退屈で退屈で実に長く感じた。

あの天神裏手の〈入江書店〉は、私がかつて常連だった古本屋で、かなり色々な本を買ったし、両親が私の不在中に蔵書を全て売り払った先もここだった。他にも、日常的に通る場所が頻りに登場した。こんな風に撮影されてスクリーンに映し出されると、そこの風景が特別な場所に見えて来る。一方、いつも通っているのに全く気付かなかった、見ても目に留めていなかった風景が数々あり、あそこにあんな物があったのかと、驚いたり首を傾げたりもした。それは面白かったが、だからなんだ。退屈に変わりはない。

チャン・リュル作品は今年のアジアフォーカスの目玉で、最新作「福岡」と別に「群山：鵞鳥を咏う」と「豆満江」、「風と砂の女」の三本が上映された。どれも未見だしレアな上映というので、全部見るつもりでいたのだが……オープニングでもう、メゲたね。こんなダラダラした映画を、あと三本も見るのかよ……

見ました。他に見るものもない。この機会を逃したら、残り少ない人生、もう二度と見ることはないだろうし。すでに見ている友人たちの、「他の映画はちゃんとドラマがあります」との勧めに、微かな期待も湧いたし。

どれも同じようなモンだった。が、見ておいて良かったと思う。最新作「福岡」は、今挙げた三本の延長上にあり、他の映画を見ることにより、「福岡」を撮った背景が見えて来たから。映画は詰まらなかった。しかし、見終えたら、語りたくなることがたくさん出て来た。

チャン・リュルは国籍は中国人だが、朝鮮族の出身で、今は韓国で映画を作り続けている。そして日本に強く惹かれている。朝鮮族は北朝鮮の主要民族であり、韓国の主要民である高麗族とはちょいと異なると聞く。出自にそんな複雑な事情があればこそ、チャン・リュルはこんな変な映画を撮っている。

「風と砂の女」（06）は、モンゴルと中国

★チャン・リュル監督（上から）「福岡」2019年／韓国／86分
「風と砂の女」2006年／モンゴル、韓国、フランス／125分
「豆満江」2010年／中国、韓国、フランス／92分
「群山：鵞鳥を咏う」2018年／韓国／121分

の国境にある、砂漠化しかけている僻村の話だ。村人は厳しい環境に耐え切れず、次々に都会へと逃げ出している。主人公は残った数少ない村人と助け合いつつ、砂漠に植物を植え続け、何とかこの地を生き返らせようと頑張っていた。ついに妻も病に罹り、子供と共に村を離れる。男は一人で砂漠村に残り、絶望感から酒を煽って暮らしていた。そこに、ある母と息子が、北朝鮮から逃れて来た。言葉に不自由し、生活習慣も異なる三人、行き場を失ったという点で共通する三人の、奇妙な共同生活が始まる……

「豆満江」（10）は、今度は中国と北朝鮮の国境の話だ。国境の村なので、村民は脱北者を強く警戒している。そこに、北朝鮮の少年が、食料を求めて河を渡り、頻りに出入りするようになった。彼と村の少年の間に友情が目覚めるのだが……哀しい結末が待っている。

「群山：鵞鳥を咏う」（18）は、朝鮮半島の南端にある港町が舞台となる。アマチュア詩人と年上の女とが、ここを訪れる。日本統治時代の街並みが残っており、二人は日本式旅館に宿泊する。ここには妻を亡くした無口なオーナーと、自閉症の娘がいた。お話はない。夫婦でも恋人でもない変な二人が、町の人々に出会いつつ歩き回る様子を、ひたすら追って行く。物語がありそうに見えながら、結局は何もないまま、不意に始まって中途で終わる。登場人物こそ異なれど、本作はそのまま、最新作「福岡」に連なっている。

チャン・リュル作品を見て来て言えることと——朝鮮半島と中国と日本は、互いに睨み合いつつも切っても切れない関係にある。チャン・リュルは国境の町を舞台とすることにより、国境を越えた人間関係を描いて行く。朝鮮族出身の中国人である彼には、当然のテーマであろう。

日本は政治経済的には韓国に繋がりが強いとされるが、在日朝鮮人は北朝鮮と強い結び付きがある。そもそも北朝鮮と韓国は、政治軍事的な理由だけで分断されているわけでなく、歴史的に見ても民族的にいささか異なっているそうである。北朝鮮の問題が大きくクローズアップされている昨今、朝鮮半島の歴史や出来事は以前よりも高い密度で日本の一般市民にも漏れ聞こえるようになって来ており、自ずと関心が高まっている。韓国か北朝鮮かという他人事のような視点でない、朝鮮半島と日本、朝鮮族と日本人の結び付きに、目が向いてしまう。朝鮮族出身の中国人で、韓国で映画を撮っているチャン・リュル作品、自ずと我々の目を引き付ける。

ドラマ性を排除した静謐なチャン・リュルの映像から見えて来るのは、人間の生活は国境などを超越するということ。個人も家族も民族も、国家などに縛られはしない。民族は国家を越えて生きて来たし、これからも生きて行く——それが、淡々とした風景の描写から、しみじみと伝わって来る。退屈しながらも、一本、また一本と見続けるうちに、心が洗われる気持ちになる。不思議な作品群である。

私の父は日本人なのだが、中国東北部＝旧満州で生まれ育ち、敗戦で日本に引き揚げて来た。熊本人の血を引いているのだが、食べ物の趣味、味覚は完全に中国人だった。「俺には、故郷がない……なくなっちゃたんだよ」が、口癖だった。父のあの言葉の意味を、チャン・リュルが正確に伝えてくれている気がする。

国家という牢獄

国家は暴力装置であり、桎梏でしかない。国境という壁を乗り越えよう——それ

★（上から）プッティポン・アルンペン監督「マンタレイ」
2018年／タイ、フランス、中国／105分
イン・リャン監督「自由行」
2018年／台湾、香港、シンガポール、マレーシア／108分

が、今年のアジアフォーカス全体を通じてのテーマだったように思える。今回の上映作品のどれも多かれ少なかれ、このテーマで通底していた。例えば——

「マンタレイ」はミャンマーのロヒンギャ問題に深く踏み込んでいる。監督はバンコク出身のプッティポン・アルンペン。

舞台は、川向こうがミャンマーだという、国境のタイの村。金髪の漁師が森に分け入ると、瀕死の男が茂みに絡まっていた。漁師は女房がいたのだが、海軍兵士と駆け落ちしてしまい、今は一人で暮らしていた。男を介抱し、何があったのか問い掛けるが、何も喋ろうとしない。名さえ言わないので、漁師は男を〝トンチャイ〟と名付けた。孤独な者同士、一緒に農作業や漁をするうちに、次第に心が通うようになった。ある晩、漁師が海に転落して行方不明になってしまう。トンチャンは仕方なく小屋と仕事を引き継ぎ、一人で暮らし始める。

そこに、駆け落ちしたはずの女房が帰って来た。彼女は彼女で行くところがないし、そもそも彼女の小屋でもあった。見ず知らずの男女二人の、奇妙な共同生活が始まる。二人は平穏で落ち着いた暮らしを続けるのだが、そこに漁師が生きて戻って来る。平和な暮らしが、何とも危うい〝三すくみ〟の状態に変わって行く……川向こうから、不思議な光に包まれた幽霊のような連中が姿を見せ、三人の周囲に出没……三すくみに終止符を打とうとでも言うように。

国境で瀕死の状態にあった男はロヒンギャの難民で、タイに逃れて来たのだ。が、映画はそんな背景を全く語らない。男と金髪の漁師と、後半に登場する女房と、三人の生活。漁をしたり農作業をしたり、食事したり近隣の住人と会話したりを、淡々とカメラで追って行く。そんな地味な生活描写がいつしか、御伽噺のように淡いファンタジーに変質して行く。そしてラスト、悪霊のように怪しい光をまとった兵士たちが姿を見せる。

国境も民族も関係なく地に足を付けていた人々の暮らしが、いつしか足元の大地を奪われ、宙に揺らぎ始める——〈マンタレイ〉とは、浮遊して揺らぐ人々の姿を言っているのだろう。

上海のイン・リャン監督「自由行」は、中国本土と香港と台湾の関係を扱っており、今起きている香港のあの出来事を予見した作品である。

映画監督のヤンは、五年前に製作した作品が〝反政府的〟とされたため、夫と幼い息子と共に香港に逃れていた。問題視されたのは〈雨傘運動〉をテーマにした映画で、これが台湾の高雄の映画祭で上映されることになり、ヤンはゲストとして招待される。これを機にヤンの夫は中国本土の四川で暮らすヤンの母親に連絡を取り、台湾で皆んなが落ち合う計画を立てた。ヤンは家族連れの〈個人自由旅行〉という形で、母は本土からの〈団体旅行〉に参加して、台湾を訪れるのである。

一家は台湾で無事に再会を果たす。母は団体旅行で台湾を巡り、ヤンたちはタクシーでその後を追う。行く先々で、政治問題を離れた家族の触れ合いがある。しかしヤンの今の暮らしを考えると、政治的な事態を考えないわけに行かない。団体旅行のツアー・ガイドも事情を承知しており、これを機に母が〝亡命〟することを何より警戒していた。

母はガンを患っており、すぐにも手術が必要な状態だった。ヤンたちが思い切って本土の四川に帰るか、逆に母を病気を口実にいったん台湾に引き止め、折を見て香港に移住させるか——ヤンたちを理解しており、優しく労わりつつも、故郷四川での暮らしに拘る母の姿勢が、印象的である。

香港と中国、そして台湾の関係が、香港の今の騒動の背景が、本作では家族の交流を通じて繊細に描かれている。

フィリピンであって フィリピンでない、ミンダナオ

フィリピン映画が三本上映されたが、いずれもミンダナオ絡みだったのが面白い。

三十年近く前だが、フィリピンを訪れた時、私が最も関心を抱いたのは、フィリピン南端のミンダナオだった。フィリピンの国教はキリスト教カトリックだが、ミンダナオには国家が成立する以前からイスラム教徒がたくさんいるために、宗教紛争が絶えず、頻繁にテロが起きていた。モスレムを弾圧するために、フィリピン政府は武力を投じて来た。危険地域とされ、三十年前には一般旅行客がミンダナオに入るのは難しかったし、実際に危険だったようである。

ミンダナオに行けなかった代わりに、インドネシアのスラウェシ島に行った。ミンダナオとスラウェシとは、ほとんど接し合っている。フィリピンとインドネシアという具合に国を分けて考えるから、遠く感ずるが、どちらもモスレムがたくさん住んでお

★（上から）ブリランテ・メンドーサ、ラヴ・ディアス、キドラット・タヒミック監督
「それぞれの道のり」2018年／フィリピン／117分
ブリランテ・メンドーサ監督「アルファ 殺しの権利」2018年／フィリピン／94分
ジョー・バクス監督「マルカド、月を喰らうもの」2018年／フィリピン／90分

り（スラウェシはスラウェシで、モスレムとキリスト教徒の紛争が頻繁に）、地続きと言って良いくらい近いのだ。ミンダナオを訪れたことはないのだが、私にはえらく身近な地域となっている。

そのミンダナオの絡んだ映画が三本、見ないわけには行かなかった。

「それぞれの道のり」は、フィリピン映画界を代表する三人の監督によるオムニバス・ドキュメンタリーである。まず、ラヴ・ディアス監督のエピソードは、ドキュメンタリー的手法によるドラマで、三人の鉱山労働者が一緒に帰郷しようとする話。三人仲良く帰途に着いたのだが、密林の奥深くに迷い込むうちに互いに疑心暗鬼に駆られ、ついには殺し合いになってしまう。結局、故郷に帰り着いたのは……。続くブリランテ・メンドーサ監督のエピソードは、政府の政策で大企業に土地を奪われたミンダナオの農民たちが、土地の返還を訴え、ミンダナオの郷里から首都マニラまで徒歩でデモ行進をする。メンドーサはデモ隊と共に歩き、通り過ぎる村々の住人の反応や警察の対応をカメラで追い続ける。彼らの要求は一部、受け入れられるのだが、デモのリーダーたちを待ち受けている運命は案の定……。

キッドラット・タヒミック監督の最後のエピソードは、フィリピンはルソン島の北端に出稼ぎに来ていたお父さんが、車を運転して故郷ミンダナオの家族の元に帰るまでの、道中の出来事を描く。通り過ぎる村々には、それぞれ独自の祭りがあり、風習があり、お父さんの故郷への旅はフィリピン土着文化の発見の旅でもあった。

メンドーサ監督は社会派エンタティメントの雄として国際的に知られているが、新作「アルファ 殺しの権利」はまさに彼ならではの作品だった。ミンダナオの、麻薬取引とそれを取り締まる警察の実態を、実際の警察官を動員しての生々しい映像で描いている。

麻薬捜査の敏腕刑事は、麻薬組織の内部に密告屋を抱き込んでいる。彼の情報で的確に重要取引を押さえ込み、摘発に成功する。証拠をすべて押収する前に、敏腕刑事は多額の現金とブツを、密告屋と仕組んで自分のものとして隠匿してしまう。彼は優秀な警官であるばかりでなく、良き父で良き夫、仲間にも評判が良く皆に愛されている。その同じ顔で、押収したブツで私腹を肥やす。映画は淡々と、そして克明に、その手口を描いて行く。どんなご立派な組織であっても、それが権力と結び付いた人間の営みである以上、腐敗からは逃れ得ない。腐敗を無くそうする試みが、新たな腐敗のタネを産む。関西電力と地元有力者の結び付きのように……どの国のどんな組織でも……

ミンダナオ出身のジョー・バクス監督「マルカド、月を喰らうもの」は、同じく麻薬取引を始めとする犯罪組織の活動を描きながら、エンタティメント大作「アルファ」と正反対の個人映画だった。異なったやり方で、フィリピンの現実を生々しく描いている。

二〇一一年に、フィリピン南部を巨大台風センドンが襲い、数千人が亡くなるという大変な被害が出た。舞台は台風の直後の、破壊された街だ。生き残った人々は、同じ台風の被災者に襲い掛かり、救援物資を巡る激しい争奪戦が展開した。生きるためには、もはや犯罪も正義もなかった。主人公の娘は、祖母の入院費のため、麻薬の運び屋になる。手間賃だけでは足りず、横流しをする。組織にばれ、追われる立場に追い込まれた。

彼女には同性の恋人がおり、二人で子供を持って育てたいと願っている。そのために、彼女をそれこそ恋人のように大切にしてくれ、かつ神の道を目指す青年から、精液をもらいたい……台風と洪水に破壊された街での麻薬密売のリアルな話は、次第に同性愛も絡んだ三角関係の恋愛話、人工授精の話へと逸脱してゆく。並行して、リアルな実写シーンが、次第に人形アニメによる象徴的なシーンに変貌して行く。生々しく悲惨な現実が、シュールなファンタジー世界に昇華されて行く。ファンタスティックな夢の世界で、彼女を最後に待ち受けているのは、人工授精に見せ掛けた臓器売買という残虐な現実だった。この現実にあり得ないような酷い出来事は、しかしフィリピンでは日常茶飯事……

◉他の上映作品は、次号の巻末連載枠で紹介予定！

※アジアフォーカス・福岡国際映画祭2019は、2019年9月13日～19日に、キャナルシティ博多をメイン会場に開催された。

陰翳逍遥《第37回》

志賀信夫

表現の不自由を抱えて

二〇一九年は表現の不自由展が話題になった。実はこれは、二〇一五年の東京・江古田のギャラリー古藤（ふるとう）で行われた展覧会「表現の不自由展」を元にしており、それを愛知トリエンナーレに移して、津田大介のプロデュースにより行われたものだ。そのため、『表現の不自由展・その後』という題名だった。

筆者は、江古田の展覧会の時に、以前から記事を書いていた美術家大浦信行が参加し、また問題となっている「平和の少女像」（慰安婦像）も展示されるため、主催の岡本有佳に取材して、本誌№62に記事を書いた。表現の自由は、大浦作品、ろくでなし子や会田誠の作品などでも問題になり、さらに慰安婦問題や南京虐殺をふまえた在特会やネトウヨによるヘイトスピーチ、ヘイトクライムも含めて、顕在化してきた。

そしてあいちトリエンナーレで表現の不自由展が開催されるということには、驚いた。これまであいちトリエンナーレはダンス作品も多く、毎回取材し、アート展示も回って本誌に記事を書いてきたが、今回はダンス作品がきわめて少なく逡巡していた。また、これまでは繊維街など町屋の改築前の建築を生かして、現地活用型展示を行ってきたが、街の変遷でそれが徐々になくなったことも一因だった。

今回のキュレーター、津田大介には、アートフェア東京で会い、アートに熱心なサポーターであるという認識だった。ところが開催されると、名古屋の川村たかし市長の発言により、一気に問題化し、脅迫などで中止に追い込まれた。だが、その決定に対し多くの人々が異議を唱えたことで、調停により再開された。

問題になったのは、韓国の作家キム・ウンソンとキム・ソギョンがつくった慰安婦像、そして大浦信行による天皇のコラージュである。大浦作品は、実に三〇年以上前に遡る。コラージュ作品『遠近を抱えて』は、一九八六年に富山県立近代美術館の「富山の美術'86」展で展示された際、買い上げ作品にも関わらず、右派議員と右翼の抗議で問題になり、作品の売却と図録の焼却が行われた。その後二〇年以上経過して、二〇〇九年に、渡辺真也が企画した展覧会「アトミック・サンシャインの中へ in 沖縄」でこの作品が沖縄県立博物館に展示される際にも、問題になった。大浦自身は、この作品は一種の自画像であり、この時代に生きる人間として切り離せない天皇を取りあげたと述べてきた。

その後、大浦信行がこの焼却される図録を映像にしたが、その映像が今回の展覧会で問題になった。「天皇の姿が燃やされる」ことを問題にしたものだった。

それを聞いて本当に呆れた。天皇は戦後、人間宣言をしており、もちろん神でもない。皇紀二六〇〇年以上という天皇史も、神話に基づく虚偽で、明治時代に国民支配のために創られたというのが、ごく普通の認識である。その「天皇を汚す」というのは、戦前に国民を支配し、無実の人々を獄中に入れた「不敬罪」の思想であり、戦後はその法律も思想も完全に否定されている。ところがいつの間にか、それを是とする思想が蘇っている。これは、天皇を残し、戦争責任を問わなかったことが原因だが、それはGHQ、すなわち米国の意向によるもので、日本を支配するために選んだ道だった。

「不敬罪」的発言をするのは右翼やネトウヨ、保守派だが、日本国憲法を米国の押しつけというなら、天皇を残したのも米国の押しつけである。そして右派は右翼勢力の大半が日米協定（安保条約）とそれによる米軍駐留を是認し、米国の属国化を推進し、日本の独立を阻んでいる。もし本当に愛国心を語るなら、この事実に目を向けるべきだ。中国、ロシア、北朝鮮が攻めてくるといった脅しで防衛予算を増大させてきたのは、日本と米国の軍需産業のためであり、政治家や官僚が私腹を肥やすためだ。民族意識を高めて紛争や戦争を起こす点に常にその思惑があったことは、歴史が証明している。つまり、今回の表現を不自由にする根源は、一部の保守勢力が金銭のために行っていることで、それにネトウヨや大衆が乗せられているにすぎない。

なお、二〇二〇年の「ひろしまトリエンナーレ」のプレイベントとして尾道市百島（ももしま）の「アートスペース百島」で開催された「百代の過客」展でも大浦の作品が展示された（一〇月五日〜一一月一五日）。そして抗議はあったが無事展示され、助成金も既に交付されていたため、取り消されなかった。

この事件が投げかけたものは何だろうか。表現の自由。アートと社会。天皇制。ヘイトクライム。政治家の不当介入。ネトウヨ、SNS。アートの価値、政治参加とプロパガンダ。文化と助成金。さまざまある。

ヘイトスピーチも表現の自由だとする意見があるが、それは違う。相手に危害を加えると脅す、生活している場から出て行けと脅すなどの行為は、脅迫を含む犯罪行為であり、人種などによる差別行為とともに国際的に犯罪とみなされている。この明らかな犯罪行為を表現の自由という名前

★（左）大浦信行『遠近を抱えてVII』
（右）キム・ソギョン＆キム・ウンソン『平和の少女像』

で許容することは間違いである。ヘイトスピーチはヘイトクライム、犯罪として認識されているのだ。

　今回問題になった慰安婦像については、繰り返す必要もない。慰安婦、南京虐殺、徴用工問題いずれも、国家同士の賠償が済んだとしても、個人の賠償請求は認められる。それは刑事裁判と民事裁判に近い。刑事事件で不起訴となっても、民事で賠償請求を行える。世界的に、過去の戦争犯罪についても同様であり、ナチスドイツの例でもわかる。在特会などは、人類最大の罪とされるホロコーストまでなかったこととして、保守勢力の利益のために歴史をねじ曲げ、相手を「捏造」「ファンタジー」といったレッテル張りで攻撃するが、実際は自身の側が捏造でファンタジーであることに気づいており、意図的に行っている。その攻撃が今回、あいちトリエンナーレを混乱に陥れた。名古屋市長河村たけしは、責任者の一人だったため、責任逃れで不当に介入した。この罪は大きい。県知事の大村秀章はその理不尽さに気づき、方向転換を図った。中止は政治的圧力と、それをきっかけにした脅迫行為によるもので、行政的にもきわめて不当なことである。だから再開が決定されたと考えられる。

★山崎春美の『bobok』を含むインスタレーション

★会田誠『会田家に告ぐ』1983、再制作2019

　そしてさらなる罪が文化庁による補助金取り消しである。展覧会企画者、主催者には何ら問題がなく、川村市長と脅迫者による犯罪的ともいえる行為ゆえの中止に対して、全体の補助金を打ち切るというのは、明らかに不当な政治的介入である。

　先般、ヘイト防止条例が川崎市で可決されたが、前述のように、ヘイト行為まで表現の自由といえないのは明らかだ。ヘイト行為は相手の自由と尊厳を侵害し、民族、国籍、出自、障害など当人の責任に依らない点を攻撃する。それを暴力的な音声で相手にぶつける行為は、警察が即座に取り締まるべき犯罪だ。それが取り締まられないのも自民党、保守勢力と警察の関係による。彼らはそうして犯罪を助長し、攻撃される人の自由と尊厳を奪っているのだ。

　表現の不自由展は、このような問題を露呈させることに大いに役立った。その意味でも、津田大介がこれをプロデュースしたことは、評価していい。

　さらにそれを受けて、吉祥寺の小さなギャラリー、ナベサンで「不自由の不自由展　吉祥寺トリエンターレ二〇一九」が行われた。木村哲雄が企画し、渡辺ナオ、牧田恵美、山崎春美らが参加したが、常に表現の自由問題で規制を受けてきた、会田誠は『会田家に告ぐ』を展示した。これは高校時代の学園祭で展示して撤去されたものだという。彼は十代から五十代の現在に至るまで、規制する社会と闘ってきたのだ（一一月一八日〜三〇日）。

　私たちは、常識として「表現の自由」を認識している。それを政治や権力が不当に侵すことは許されない。「表現の自由」の名で行われるヘイトなどの犯罪行為も許してはならない。

セカンドレイプ

　伊藤詩織さんの勝訴判決が出た。元々、レイプという刑事事件であるはずが、安倍首相の意向で当時の刑事部長中村格が、逮捕を差し止めたとされる。加害者の山口敬之は、安倍首相の伝記などを執筆している御用記者だった。伊藤詩織さんが著書『ブラックボックス』で顛末を書くと、山口は雑誌『月刊Hanada』で反論。この編集長花田紀凱は『マルコポーロ』誌編集長時代に、あろうことか「ホロコーストなかった論」を掲載し、ユダヤ人団体を含めた大きな抗議のなかで辞任し、雑誌も廃刊に追い込まれた人物である。これはすでに「トンデモ論」であり、ナチス復活論学者たちによるものだとされていたが、センセーショナリズムで雑誌を売るために取り上げたのだ。

　花田は元々、『週刊文春』が右傾化する道を敷いた編集者だ。その後、前述の問題を経て、朝日新聞社、角川書店などで多くの雑誌を担当したが、いずれもふるわず、西

★伊藤詩織『ブラックボックス』（文藝春秋）

原理恵子には「雑誌つぶし屋」と呼ばれた。その後、ヘイト系右派雑誌『WiLL』の編集長だったが、分裂して自ら『月刊Hanada』を立ち上げた。両誌ともに内容はいずれも反韓反中、安倍自民党擁護という御用雑誌なのだが、右傾化する高齢者も含めて読者を増やし、書店でコーナーを占める。まったく似たようなデザインで書店に平積みされていることを見れば、『WiLL』から『Hanada』の分派活動も戦略的なものであることがわかる。社内吊りで『週刊文春』と『週刊新潮』が似たような色とデザインで並んで見せるように、同様の目立つ色と文字を並べて、二誌で空間を占めることが、目立つ広告効果になるのだ。なお、花田は『WiLL』時代には、土井たか子を在日とする虚偽情報を掲載して、裁判で敗訴している。

この花田の変遷を見れば、ヘイト雑誌の類が「売らんかな」で発行されていることがよくわかる。それは『ガロ』で知られた良心的な青林堂をヘイト系出版社にした現在の代表蟹江幹彦が、自ら「カネのため」と述べていることと同様である。「読者のニーズ」といいつつ、読者を煽り、ヘイトという犯罪行為に荷担していることを、関わる人々は認識すべきだ。出版物の発行部数も書店の数も往時の三分の一になった現在だからこそ、売るために何を選ぶかは大きな問題だろう。

そして『月刊Hanada』誌は、以前から山口敬之の反論や、「文芸評論家」小川榮太郎によるセカンドレイプ的文章を掲載し、詩織さんに対する攻撃を行い続けている。小川は『新潮45』ではLGBT差別発言の杉田水脈議員を擁護し、雑誌を廃刊に追い込んだが、怪しいマルチ商法の代表も務めていた人物。今回の判決後の会見や取材でも、同様の行為を続けており、小川とこの雑誌は明らかにセカンドレイプ行為に荷担している。メディアに携わるものは考えるべき問題だ。

神保町の夜—スピノール夜学講座

伴田良輔は『独身者の機械』（一九八八年）でデビューし多くの著作、そして写真家として『BREASTS』『HIPS』などの写真集を刊行し、さらに美術家有月（うづき）として、当初の版画から墨による絵画、そしてそれを使った服など、実に多彩に活躍している。

★スピノール夜学講座「谷川渥の美学講座」

その伴田は、東京神田神保町に以前からスピンギャラリーを持っているが、二〇一九年、ギャラリー・スピノールとして、新たに夜学講座を始めた。そこでは谷川渥の美学講座を筆頭に、宗近真一郎の詩人との対話、佐々木亜希子の活弁講座など、これまでに十以上の講座が行われている。筆者も舞踏対話の講師と人形講座のナビゲーターとして参加している。

神保町には六〇年代末からの美術専門学校の美学校、あるいは規模の大きいアテネフランセや、いまはなき文化学院などがさまざまな講座や講義を行ってきたが、十五人限定の小さな講座に時に二〇人以上が集まり、濃い時間を共有することは意味がある。また一桁の場合もあるが、それだけ講師と緊密な時間を過ごすことができる。

先日行った舞踏講座では、舞踏家が外で踊りたいということで、会場下の小さな十字路で踊った。音楽が大きすぎて一部、問題になったが、幼稚園の声や除夜の鐘が規制されるような時代に、たまたま遭遇した人たちからは、非常にいい時間という声もあった。時にはチェロの稽古の音が聞こえる神保町の小さな路地の講座を、一度ぜひ体験してほしい。

木と人—含真治の彫刻

神保町の新しいアートギャラリー&レジオンは、建築家の三上紀子が二〇一八年に開いた。三上は公共建築などを手がけるなかで、その空間に合う美術作品をといった注文をたびたび受けた。そのなかで建築と美術作品との関係に眼を向け、そこからギャラリーを開くに至ったのだ。そして今回、含（ごん）真治の印象的な木彫作品を展示した（一二月一七〜二五日）。

一九四六年生まれの含が育ったのは、長野県大町市という信州の街だが、周囲は自然が豊か。しょっちゅう森の中にいた。松本深志高校という受験校から早稲田大学の政経学部に入ったが、なじめず、一九七二年

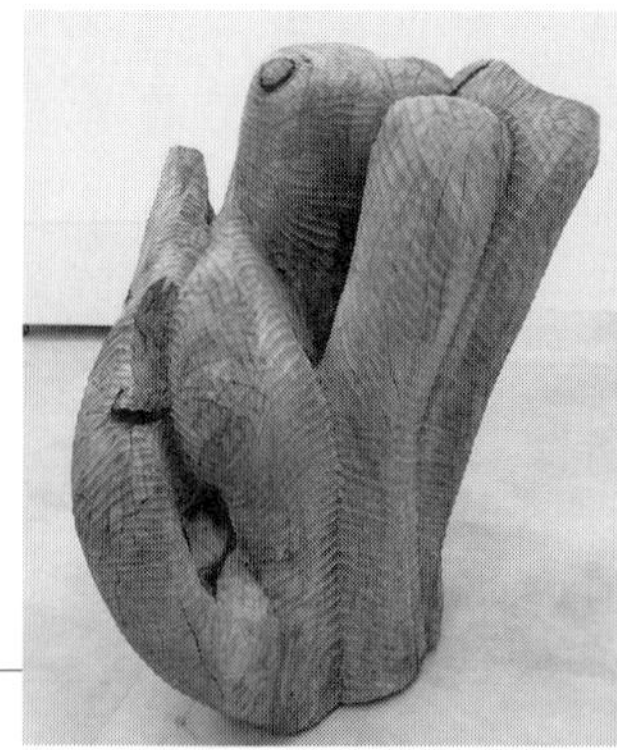
★含真治『八海山幻想』

に美学校に行った。当時つき合っていた今の妻が、中村宏の教場に通っていたからだ。デザインで食えるようにと思って入った小畠廣志の教場で、木彫の基礎をみっちり二年間学び、卒業後、あの松澤宥の美学校信州教場で教えて、木彫作家になった。

　具象で身体などをつくり二科会に出していたが、自分のイメージで形をつくることをやめて、八四年頃から抽象彫刻へ。チェーンソーのみで作品を作り出す。チェーンソーの限られた動きにより自然に作品ができると考えたからだ。だが、再び鑿の力に立ち戻る。小信の優れた鑿で作品と向き合う。その形は、木の中のねじれを表現したいからだという。木はまっすぐに成長するのではなく、微妙にねじれながら延びている。それゆえに風が吹いても倒れない。それに気づいたときに、螺旋を描く作品が生まれた。

　含は材料となる木を自分の周囲に見つける。今回、展示された『八海山幻想』は、自分の家に生えた巨木の三メートル上にあった枝分かれする部分で、もう一つはその下の部分。他の作品で使った桜の木材は、切り倒した人が持ち込む。桜の精やたたりを気にして持ってくるらしい。そして宅地造成などから出る廃材。含はそれを彫刻にして命を与える。そこから、それぞれの木に対する想いが生まれた。木のもつ物語とともに、含の作品はある。

鉄と人――藤井健仁の彫刻

　藤井健仁の作品は、川崎市岡本太郎美術館にいた仲野泰生らが二〇一七年に開いた、京都のギャラリー京都場での展覧会をきっかけに、本誌の姉妹誌「ExtrART file.19」で取り上げた。名古屋を拠点としている金属彫刻の作家だが、今回、日本橋の髙島屋の美術画廊Xで個展を行った（二〇一九年一二月一八日～二〇二〇年一月六日）。

　鉄の彫刻というと、具象、抽象ともに赤錆の生えたものをイメージするかもしれない。だが、藤井は違う。金属のメタリックな感触を強く感じ、ステンレスやジュラルミンに似た印象を抱く。だが、これが鉄の本来の姿である。それが形を与えられて、磨かれ、強さとともに形の意味と繊細な感覚が伝わってくる。

　鉄も生きている。酸化して錆びてくる。その朽ちていく感じを生かす美術家も多い。だが、藤井は鉄が鉄らしくあり、生まれたときの鉄、そして磨かれて輝く鉄に美を見いだしている。それはいわば乙女、処女、あるいはそこから磨かれて美女となる鉄の美であろう。それをとどめるために努力し、独自の鉄の美学を完成させている。

　鉄というと手間と時間がかかるという印象があるだろう。だが、藤井はそれとは真逆の発想の作品をつくっている。それが『2hours Object』のシリーズだ。タイトルどおり、二時間でできる作品という。いずれも三〇センチ以内の小品ではあるが、その造作は見事で、黒く塗られているが、しっかり鉄の重みも見せる。そして、「まさかこれが二時間で」と思わせる。それだけ彼の技術が優れているということだ。

　大きな作品でも一メートル程までだが、そのモチーフとフォルムは独特。風に煽られセーラー服を翻す少女、その顔はとても奇妙だ。ほかの人体造形の顔も一度平面として抽象化され、それを立体に移したようだ。

　これまでの作品には政治家や偉人たちの顔を鉄で作った「鉄面皮」シリーズもある。それを見ると、具象の描写力も相当高いことがわかる。社会風刺的なテーマは、ジャーナリストである兄譲りとも聞くが、現在の人体たちにも、どこか風刺の匂いがほのかに漂っている。鉄による美学を追求しながらも、そこに社会に対する視線が入り込むからこそ、藤井健仁の作品は独特の強度を見せるのだ。

★藤井健仁『転校生／突風』2019

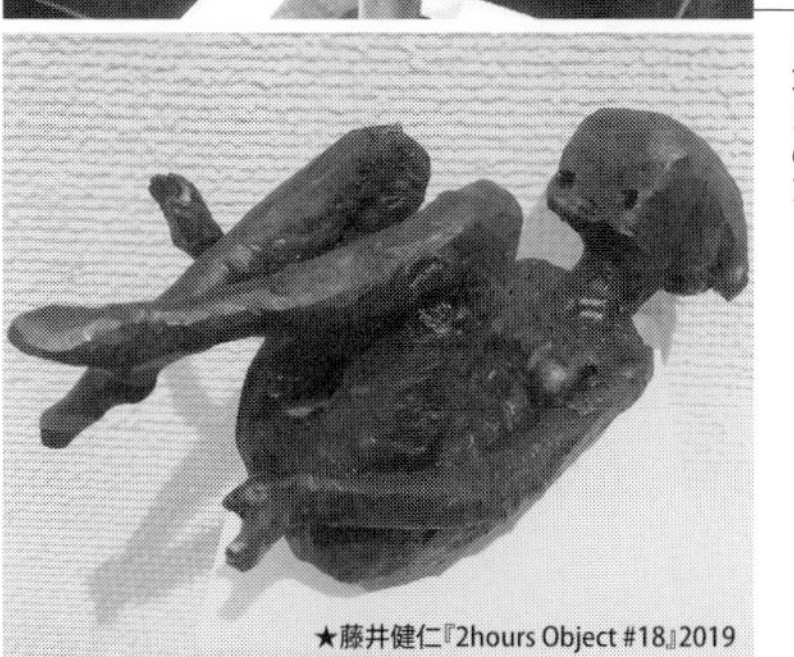
★藤井健仁『2hours Object #18』2019

吾輩は猫である……なんて作品を挙げるまでもなく
作家などにネコ好きが多いのはよく知られている。
つい何年か前、ペット数でネコが犬を上回ったそうだが、
いろんな要因はあるだろうが、ネコは家畜化したとはいえ、
野生の習性をだいぶ残しているそうで、
そのことが理由のひとつになっているのかもしれない。

あの気まぐれ。あのわがまま。
人間にはないものが、逆にわれわれを癒やす。

野生の動物や植物はしばしば人間を脅かし、
そうしたものをコントロール下に置くことが
いわば文明のように思われ、
そうでないものは未開とされたりもした。
だが、レヴィ＝ストロースが
「野生の思考」で記したような価値観の転換が
いまなお必要だろう。
というか、ネコを愛でることは、
野生への価値観の転換を欲しているからこそ、
なのかもしれない。

というわけで、
野生からわれわれは何を学び、何を表現の糧にし、
どういう物語を紡ぎ出してきたか、
見てみたいと思う。

023　立体画家 はが いちようの世界27～カール・フローセス・ストアー●はが いちよう

026　辛しみと優しみ39●人形・文＝与偶

022　TH RECOMMENDATION

60年代の芸術運動“パニック”に反骨精神を学び、21世紀の若手作家を開拓する「モダン・パニック」日本初上陸！
●写真・文＝ケロッピー前田

〈アジアフォーカス2019〉レポート～国家は牢獄――国境を超越してみせるアジア映画たち●友成純一

たま×最合のぼる「夜間夢飛行」出版記念原画展～たま×最合のぼるによって生み出される禁断のメルヘン！

酒井孝彦・橦蜂二人展「Borromeo」～これまでの生を振り返り、これからの生を望む

「エミリー・ザ・ストレンジの世界展」／水溜鳥個展～可愛さと妖しさ漂う、ふたつの個展

「犬鳴村」／「怖いを愛する―映画監督・清水崇の世界」～清水崇監督による新作ホラー公開！その世界に浸る展覧会も

「先住民の宝」／「武器をアートに――モザンビークにおける平和構築」

羅入個展「蠢くアニマ」～人の中で蠢き、突き動かすもの

マキエマキ個展／巡個展「ホワイト・ルーム」他

「エロスの雫」～大類信が収集してきた禁断のエロスの数々

陰翳逍遥37～表現の不自由を抱えて、セカンドレイプ、神保町の夜―スピノール夜学講座、木と人―含真治の彫刻、
鉄と人―藤井健仁の彫刻●志賀信夫

152　TH FLEA MARKET

カノウナ・メ～可能な限り、この眼で探求いたします／第38回 象・別訳な現実●加納星也

パリは映画の宝島〈カルト編・5〉／《ホラー女王スザンナ》5 スサンナ～もう一人のホラー女優●友成純一

よりぬき［中国語圏］映画日記／エクソダスの時代の故郷～『ザ・レセプショニスト』『熱帯雨』『自画像：47KMの窓』●小林美恵子

中華圏小説の蠱惑的世界／中国SFを知るための最新参考書はこれだ！●立原透耶

ダンス評［2019年10月～12月］／現代を撃つ舞踊～ケイ・タケイ、東雲舞踏、川本裕子、ティーラワット・ムンウィライ●志賀信夫

「コミック・アニメ・ゲーム」×ステージ評／イノサン、四十七大戦、信長の野望、さらざんまい●高浩美

最近、バロウズ研究にハマってます（続編）～「カットアップ」の音響作品と「第3の心」●ケロッピー前田

「天才は狂気なり」という学説を唱え、犯罪人類学を創始した奇矯な精神病理学者 チェーザレ・ロンブローゾの思想とその系譜〈35〉●村上裕徳

山野浩一とその時代（10）／高橋和巳VS大久保そりや●岡和田晃

弦巻稲荷日記／歴史を題材にしたフィクションの真実と、そこに込められたメッセージ●いわためぐみ

文学フリマ●猿川西瓜・笠井咲希・松島梨恵

オペラなどイラストレビュー●三五千波

TH特選品レビュー

表紙＝森環《ネコ温泉》

All pages designed by ST

CONTENTS

002 森環〜ネコが生きる違う日常を垣間見てみる
004 ミルヨウコ〜不思議な力に満ちた小宇宙
006 山中綾子〜言葉で伝えられなかった想いが生む原初的な光景
008 林良文〜色彩によって倍加したエロスの幻惑
010 川口瑠利弥・kafkanako〜不穏な記憶や傷によって喚起されるもの
013 伊東明日香〜不気味に浮かび上がる「美」
014 蓼島スイ〜人も動植物も、ボーダーレスに生きる世界

089 ケロッピー前田インタビュー〜野生を取り戻してテクノロジーを乗りこなせ
〜身体改造の目指すもの●インタビュアー＝浦野玲子
096 『クレイジージャーニー』を振り返る●ケロッピー前田

012・053 粘菌という、小さな大宇宙を描く●赤木美奈
001 三浦悦子の世界〈15〉[無題]
018 四方山幻影話42●堀江ケニー
022 こやまけんいち絵本館39●こやまけんいち

048 密林の〝パラダイス〟〜管理された野生●仁木稔
056 ぼくたちのなかのどうぶつ〜ぼくたちは多様性の中に生きている●本橋牛乳
064 「野生」のイマジネーション〜西欧近代とシュルレアリスムの「アフリカ」●梟木

066 名前のない犬は野生の存在か？〜映画『ホワイト・ドッグ』●松本寛大
068 〝人豚〟の変身譚〜親近感と忌避感のせめぎ合いの狭間で●待兼音二郎
070 日本の物語を賑わす、八化けタヌキの百面相●日原雄一
073 牧神考〜淫蕩な神への幻想●志賀信夫

078 人魚姫、アバター、もののけ姫の結婚〜古今東西の異類婚姻譚から考える野生の思考●浦野玲子
082 死に至る植物の話●べんいせい
086 野蛮の証明〜新宿駅首吊り自殺案件考●釣崎清隆

105 神のいない世界で〜映画『ZOO』解読●高槻真樹
108 恐れと憧れがせめぎ合うスクリーンの変身人間たち●浅尾典彦
113 キム・ギヨンが描く〝オス〟と〝メス〟〜人間は獣、いや虫けら●友成純一

142 野生との連帯と裏切り〜大江健三郎の「野生」への嗅覚●梟木
144 誰がゾウたちを殺したの?〜「ゾウのはな子」の贈り主が戦中に書いた小説●宮野由梨香
148 けものフレンド・オブ・ア・フレンド〜動物フォークロア今昔●阿澄森羅

097 《コミック》DARK ALICE 32. リン●eat
120 〈写と真実5〉自分の中の海原●写真・文＝タイナカジュンペイ
124 《小説》ダークサイド通信no.1「奇妙な果実」●最合のぼる
088 一コマ漫画●岸田尚

130 Review
金井美恵子「兎」●さえ
服部文祥「息子と狩猟に」●梟木
河崎秋子「肉弾」●岡和田晃
大島弓子「全て緑になる日まで」●三浦沙良
谷岡ヤスジ「のんびり物語」●日原雄一
ダナ・ハラフェイ「伴侶種宣言」●渡邊利道
「対訳 ワーズワス詩集」●市川純　ほか

密林の〝パラダイス〟——管理された野生

◉文=仁木稔

★ヴェルナー・ヘルツォーク監督
『アギーレ・神の怒り』

一五六〇年、スペイン治下の南米ペルーから、黄金郷（エル・ドラード）遠征隊がアマゾナス低地へ向けて出発した。この遠征の悲惨極まりない顛末は、ヴェルナー・ヘルツォーク監督の『アギーレ・神の怒り』(一九七二年)で広く知られるところである。

甲冑に身を固め、大砲を引きずる征服者（コンキスタドール）たちが闘う相手は、敵意に満ちた野生だ。世界最大の規模と生物多様性を誇るアマゾナスの密林は、同時に熾烈な生存競争の場である。高温多湿が昆虫と微生物の繁殖を促し、植物は病虫害から身を守る戦略として有毒物質を進化させてきた。人間が毒抜きなしで口にできる植物性食物は、果物以外はごくわずかだ。鳥や獣は日中、巧みに身を隠し、不慣れな者は探し出すこともできない。暑熱と降りしきる雨、鬱蒼たる植物と泥濘に加え、飢えが一行を苦しめる。

襲い掛かってくる先住民も、野生の一部として描かれる。彼らの村は二ヵ所しか登場しない。どちらも吹けば飛ぶような掘っ立て小屋が点在するだけで、しかも一方は無人だ。弓矢を手にした裸の野蛮人たちは、森の奥から湧き出すように出現する。

映画は、隊の一員である聖職者カルバハルの語りで進行する。しかし史実では、カルバハルはこの遠征ではなく、一五四二年に行われたアマゾナス探検隊の参加者だった。その報告書の内容は、映画に加味されている。本人も語り手として配置されたのは、そのついでだろう。

カルバハルの報告書「アマゾン川の発見」(岩波書店『大航海時代叢書　征服者と新世界』所収)に記されたアマゾナスの風景のうち、ヘルツォークが採用していないものが一つある。アマゾン川の両岸を埋め尽くす先住民の村々だ。

川を下るほど人口は増え、多数の村が一人の首長によって統治される部族国家が幾つも形成されていた。彼らは大きな家や幅広い道路、釉の掛かった美しい陶器を作り、遠くアンデスの諸部族と交易して金銀製品を入手していた。下流域に差し掛かる頃、探検隊は女戦士（アマゾン）に指揮された一団と交戦した。捕虜にした男を尋問したところ、川から数日離れた内陸にある女戦士の国（アマゾナス）についての情報を得た。そこは乾燥して冷涼な土地で、女たちは毛織の衣を纏っている。家々は石で造られ、金銀の財宝で溢れているという。

女人国であることとアマゾン下流域からの距離を除けば、どう考えても一行の出発点であるインカ帝国のことだが、欲に目が眩んだスペイン人たちは、まさに自分たちが探し求める黄金郷（エル・ドラード）だと確信した。

この情報を基に派遣されたのが、アギーレが参加したエル・ドラード遠征隊だったのである。それから数十年、西洋人のアマゾナス進出は上流域と下流域に限られていた。次にアマゾン下りが報告されたのは一六三九年のことである。報告者のアクーニャ神父もまた、アマゾン中流域で豊かな部族国家を幾つも目撃していた。

カルバハルとアクーニャの報告は、近現代の学者たちから永らく無視されてきた。とりわけ前者が眉唾なせいでもあるが、何より根底にあったのは、この地は石器時代のまま時を止めており、強大な部族国家など存在したはずがないという信念である。専門家たちのこの信念は、ヘルツォークが描いたアマゾナスにも如実に反映されている。

このアマゾナス観は、必ずしも人種的あるいは民族的偏見に基づいてはいない。猛々しいまでに生命力溢れる世界は、実は非常に脆弱な土壌に支えられたものなのだ。枝や葉が落ちても微生物が直ちに分解してしまうため、腐植土層が形成されない。木々はわずかな養分を素早く吸収すべく、根を地中深くに下ろすのではなく、浅く広く伸ばす。お蔭で伐採は容易い。剝き出しになった地面は激しい雨に晒され、わずかな養分も洗い流されてしまう。強烈な日差しが、地表をコンクリートのように固める。露出した面積が大きいほど森林再生は難しく、大規模な伐採の跡は文字どおり草も生えない不毛の地となる。

十九世紀、二十世紀の民族学者が記録した、先住民の伝統的な生業は農耕と狩猟採集だった。狩猟採集のみは稀で、ほとんどの部族は多かれ少なかれ農耕に依存していた。小さな空き地を切り拓き、伐採した木々を焼き払う焼畑農耕だ。主要な作物は現地語でマニオクと呼ばれる有毒根茎で、手間を掛けて処理しないと命にかかわる。日本では、タピオカの原料であるキャッサバとして知られる。三年ほどで土地が痩せて育たなくなるため、また新たな畑を開墾しなければならない。土地を巡って部族同士、あるいは同族の村落同士で、血で血を洗う闘争が繰り広げられてきた。

前世紀の終わりまでに先住民の文化は崩壊が進み、暴力の応酬は下火になった。同時期、先進国では環境保護思想が広がり、アマゾナス先住民はそのアイコンに祭り上げられた。悠久の太古から森と共生する素朴な民、という物語(ロマン)である。三年で放棄される焼畑は、数年も経てば森に戻る。数年から十年単位で村ごと移動するので、食料となる動植物を取り尽くすこともない。狂暴な人々という悪評は、偏見に基づく中傷だとして否定された。

とはいえ、原始のままの未開人という先住民観は変わっていない。彼らが石器時代から進歩しようとしても、苛酷で危うい環境がそれを許すはずがないからだ。いったいどうやって、カルバハルが報告したような大規模社会を支え得るというのか。

答えは黒い土(テラ・プレータ)と果樹にある、と見る研究者たちがいる。ポルトガル語で黒い土を意味するテラ・プレータは多量に木炭を含み、アマゾナス本来の土壌である赤土とはっきり見分けが付く。木炭には無機および有機栄養素が吸着しており、高い生産性を半恒久的に維持する。ある試算によればアマゾナスの全土壌の一〇パーセントを占めており、アマゾン中流域に集中する。カルバハルらの報告にあった人口稠密地帯である。

木炭に吸着した栄養素は、一緒に混ぜ込まれた残飯や排泄物に由来すると考えられている。明らかに意図的な土壌改良であり、埋まっていた土器の欠片から推定するに、千年以上も連綿と続けられていた営みである。テラ・プレータなら集約的な農耕が可能で、多くの人間を養える。

しかしせっかくの黒い土も、剝き出しのまま激しい雨に打たれれば、たちまち洗い流されてしまう。この問題を解決するのが、多種多様な果樹だ。マニオクのような一年生作物だけでなく果樹も一緒に植え付けることで、表土の流出を最小限に抑えることができる。実が生るまで数年掛かるが、その十倍から二十倍の期間、続けて収穫可能だ。現在のアマゾナスに果樹が多いのは、過去の農耕の痕跡だとする研究者もいる――アマゾナスの密林は決して原生林などではなく、人の手によって作られたものだと。

　こうした見方に立てば、カルバハルらの報告も信頼に足るものとなる。女戦士については、近現代の先住民に、男性が長髪を高く結い上げ性器が目立たない下帯を着用する部族がいることから、そのような人々を見間違えたのだろうと考えられている。当時の西洋では、中世以来の女人国伝説と黄金郷伝説とが結合し、新たな幻想となって人口に膾炙しつつあった。願望が誤認をもたらしたのである。

　ところで先述したように、アマゾナスの伝統的な生業とされてきた焼畑は、三年ごとに新たに開墾しなければならない。アマゾナスの樹木は伐採が容易だとも述べたが、それは鉄の道具を使った場合である。先住民が使用する鉄器は、すべて西洋人から入手したものだ。それ以前は、木を伐るには石斧しかなかった。アマゾナスの平均的なサイズである直径一・二メートルの木を一本、石斧で伐り倒すには百十五時間かかる。平均サイズの焼畑を切り拓くのにかかるのは、一日八時間で百五十三日間だ。鉄斧ならわずか八日で終わる。

　根元の樹皮を剝いで枯死させれば労力はだいぶ節約できるが、それでも石斧だけで三年ごとに開墾するのは非効率すぎる。マニオクを主要作物とする焼畑農耕が、鉄器導入前から行われていたとは考えられない。せいぜい二百年程度の伝統である。

　アマゾン本流の中流から下流域は、もともと地味が比較的肥えている。石斧で少しずつ切り拓いた畑で果樹を中心に栽培する一方、地道に土壌改良を続けた結果、部族国家群が栄えるまでに至ったのだろう。だがそれらの国々は、十六、七世紀のわずかな期間で完全に崩壊した。原因は西洋人による奴隷狩りと、彼らが持ち込んだ疫病だ。

　生き残ったわずかな人々は、森の奥深くへと散り散りに逃げた。広大だが、痩せて耕作には向かない土地である。居場所を突き止められないためにも、彼らは漂泊の狩猟採集民として生きていくしかなかった。祖先が築いた高度な文化をすっかり忘れた頃、砂金やゴムを求めて入り込んできた西洋人と接触して鉄器を入手した。焼畑というかたちで農耕が再開され、爆発的に人口が増加した。絶え間ない土地獲得戦争の始まりである。

　しかも環境に優しい焼畑農耕という従来の説も、現在では否定されている。伐り倒した木を焼いた灰は肥料になると考えられていたが、実際には養分のほとんどは煙と一緒に失われるのだ。木炭にして黒い土(テラ・プレータ)作りに利用する方法は忘れられてしまった。放棄された畑は数年で森に戻るものの、完全な回復には百年はかかると見積もられている。鉄製の斧や鉈の破壊力はチェーンソーやブルドーザーに比べれば微々たるものだが、数百年も続けていけば環境に深刻なダメージを与えるだろう。

　また幾つもの調査が、彼らが動物を乱獲しないのは、単に弓矢が銃弾よりも殺傷力が低いからに過ぎないことを示している。土

★ポール・ゴーガン《われわれはどこから来たのか われわれは何者か われわれはどこへ行くのか》1897-1898年

★アンリ・ルソー《異国風景—原始林の猿》1910年

地を巡る争いは、狩場の確保も目的だった。

さてここで、アマゾナスとも熱帯雨林とも一見無関係な、語源学（エティモロジー）の話をしよう。BC四〇一年、ソクラテスの弟子クセノポンは、ペルシアで起きた反乱に傭兵として参加した。その体験を記した『アナバシス』には、宮殿付属の施設である野獣に満ちた大きなパラデイソスについての言及がある。パラデイソス、すなわち古代ペルシア語のパリダイザは、王族専用の狩猟園である。原義は（粘土などで作られた）壁に囲まれた場所といった意味で、壁で囲った広大な土地に野獣を放ち、狩を楽しむものだった。ギリシア語となったパラデイソスは遊楽園、庭園を意味するようになり、ギリシア語聖書においては楽園もしくは天国を指した。英語のパラダイスである。

したがって楽園（パラダイス）／天国とは、壁に囲まれた園なのである。緑豊かなエデンの園もまたパラダイスだ。創世記に壁の有無は言及されていないものの、周囲の野生のままの環境とは明確に区別された場所であり、アダムはその管理人だった。楽園（パラダイス）とは、手つかずの野生には存在し得ない。野生を破壊して造られた完全に人工の環境でもない。管理された野生なのである。原語のパリダイザからしてが、壁に囲まれた園内にいるのは野生の獣だが、王族の楽しみで殺されるために捕獲されてきたものだった。

この管理された野生（パラダイス）の思想は中世イスラム世界に受け継がれ、壁に囲まれ水と緑に溢れた空間である中庭として表現された。イベリア半島を経て西洋に伝わり、修道院の中庭となって現れる。

文明が野生を征服し支配しつつあるかに見えた近代、西洋人は手つかずの無垢の野生こそがパラダイスだと考えるようになった。ポール・ゴーガン（一八四八～一九〇三）はパラダイスを求めてはるばるタヒチへ渡ったが、目にしたのは破壊された野生だった。パリに戻ることもできず、ゴーガンが現実に目を瞑って幻のパラダイスを描いていた頃、アンリ・ルソーは同じく幻のパラダイスを、パリの植物園と動物園で管理される野生に見出していた。

手つかずの野生はあまりにも敵対的で、文明はそれを征服し支配しようとしてきた。しかしできたのは無惨な破壊か、壁で囲った空間内での限定的な管理だけだ。

カルバハルらが見た部族国家は、野生そのものの管理に成功していたように思われる。狩猟と漁労にどれほど依存していたのかは不明だが、亀の養殖が大規模に行われており、主要な蛋白源となっていた。管理された野生――パラダイスが実現されていたのかもしれない。

管理と共生の違いを厳密に定義するつもりはないが、少なくともアマゾナスの先住民が人間と野生を峻別してきたことは、過去の記録から明らかである。彼らにとって体毛の濃さは、獣への近接度の指標だった。そのため首から下の毛はすべて抜くか剃るかした。もともと体毛が薄いとはいえ、かなりの苦痛を伴ったはずである。髪も各部族独自の形に結うか刈るかし、髭は生やすとしても丁寧に整えた。その上で専用の果汁を使って顔や身体に模様を描いたが、これも人間と動物を区別するためだった。

近現代の先住民も、同じ目的で脱毛とボディペインティングをしていた。部族によっては眉や睫毛まで抜いた。野生を管理する知識と技術を奪われ忘れても、自らの肉体から野生を削ぎ落とすことは忘れなかったのだ。その文化さえも、今や失われつつある。

アマゾナスの密林は原生林ではなく、先住民の文化は石器時代以来、不変だったのではない。森は住民の連綿とした営みによって姿を変えた人工の景観であり、その文化が破壊され退行した結果が、民族学者たちが見た伝統文化である。西洋人の侵入さえなければ、いつか野生を収奪し破壊するのではなく管理する文明が、密林に誕生していたかもしれない。しかしそれは幻で終わり、今後も実現することはないだろう。

▼文献案内

『1491 アメリカ大陸をめぐる新発見』チャールズ・C・マン、布施由紀子・訳、NHK出版、二〇〇七年（原書は二〇〇五年）＝南米だけでなく北米先住民についても論じられている。

『アマゾン 民族・征服・環境の歴史』ジョン・ヘミング、国本伊代／国本和孝・訳、東洋書林、二〇一〇年（原書は二〇〇八年）

※近現代のアマゾナス先住民文化について網羅した邦文文献は少ない上に、いずれも現在は入手困難。

密やかに、太古の昔より鼓動してきた、珍奇な生物が近年注目を集めている。実はここだけの話、その生物の話題はまさに今、黄金の最盛期の真っ只中なのだ。

その名は、変形菌「Slime mold」。直訳して「粘菌」と称される。

「粘膜」（カラー12頁参照）は、ちょうど2年前、彼らの生涯における生活史の波紋を描いた連作のひとつ。

粘菌という、小さな大宇宙を描く

◉文＝赤木美奈

粘菌は、現在「アメーボゾア（Amoebozoa）」という系統に分類されており、アメーバのなかまになっているが、科学の発展の中であちこちの分類に引越しを余儀なくされ、長らく一般に誤解されがちだった。そのあたりを、少し科学的な方面から簡単に解説しよう。

人類が発見した生物には「属名」と「種名」が与えられる。これが和名と違って、正式に呼ばれる学名になる。

「神が作りリンネが分けられた」と言われる分類学の父カール・フォン・リンネ（1707-1778）であっても、「菌類は混沌だ」と頭を抱えた。当時、「動く生き物は動物」「動かない生き物は植物」なのが妥当とされ、動かない粘菌は「植物」と分類する記録が残っている。

しかし、20世紀になってロバート・ホイッタカー（1920-1980）が「五界説」を提唱。ここから菌類が分類され始め、植物だと思われていた粘菌たちが、多核単細胞生物として扱われだす。

華やかな時代の到来!

図版の美術的要素でも評価の高いエルンスト・ヘッケル（1834-1919）が、19世紀に三界説「原生生物界」を発表し、さらにドイツの菌学者ド・バリー（1831-1888）が1859年に「この生物は菌ではない」ことを、進化した当時最先端の技術と共に発表する。そしてようやく1998年に、「粘菌は菌類でも植物でもなければ、動くが動物でもない」として真核生物 Amoebozoa に分類を移されたのである。

なお、こうした研究は日本へも伝来し、日本での呼び名を考えなければならなくなる。そこで、日本の科学者である田中延次郎（1864-1905）が造語したのが「変形体」であった。

粘菌が、まるで流浪の移民のように、あちこちへと旅していることはわかった。

では、その生態は?

彼らは一生の間に大きな変態を遂げる。ひとつは「変形体」で、そして条件が満たされると非常に小さな「子実体」となる。同じ形をとどめることなく、たったひとつの細胞が蠢き続ける様は、まるで永遠に繰り広げられる舞踏会のよう。これは、中にある核のみが増殖するからこそ成せる技。一子相伝だ。

動物的な要素のある動くアメーバから、植物的な見た目のキノコのような姿へ。その二面性がこの生物の「個性」である。

子実体とは、細胞の中の食胞を隅々まで大掃除し、不純物を自ら排除、綺麗さっぱり切り捨て て、大切なオンリーワンの細胞も「名誉の死」を遂げ、即身仏の如く一寸足りとて動かなくなったものだ。図鑑や写真、そして野山で見る美しい姿は、全てこのように逞しき計算によって出来上がったものなのだ。

ある日突然身体が別の己へと変化していく……それは、思春期における第二次性徴への戸惑いのように、未知で不思議な現象だろう。だが彼らは、人類が存在する遥か昔から、誰のためでも、誰に知られるでもなく、その潜在能力をひたすら磨いてきたに違いない。

子実体は、ある時はスポーク構造、またある時はハニカム状、キャンディ、枝垂れ柳、泡沫などの形態を呈し、正多面体に透明な突起を宿して粉砂糖のような胞子を纏うものもいる。次頁に写真があるタマツノ（タマサンゴ）ホコリ（学名

***Ceratiomyxa porioides*（Alb. & Schwein.）**がそれだ。これまで原生粘菌と言われてきたが、近年、広義の変形菌とされている。

また、肋と呼ばれる子嚢壁が空洞になる種類や、その仲間でクロアミホコリ ***Cribraria atrofusa***（カラー12頁参照）のように、子嚢に王冠を宿すような籠状の姿で、見事な美しい金属光沢を持つものも数多く存在する。

他には屈曲子嚢体のヘビヌカホコリ ***Hemitrichia seapra***（左頁の写真）は、変形体がそのまま脈拍を止めてポージングしてるかのような姿が印象的だ。

顕微鏡で見て、細毛体の形に棘が無いものを、トゲナシヘビヌカホコリ ***Hemitrichia serpula var.tubiglabra*** といって別種の扱いにする研究者もいる。変形菌について、私達が聞かれる度に「顕微鏡で見ないとハッキリ判別出来ない」と酸っぱく答えるのは、見た目は似ていても中身の胞子や細毛体を調べると異なることが多いからだ。拡大すると表面にイボやトゲがあったり、螺旋のようにとぐろを巻いていたり、千差万別。彼らはこれらを器用に弾き飛ばし、より遠くに放出していく。

私が「粘膜」を制作した時に参照した、希少種メダマホコリ ***Colloderma oculatum*** は、透明なゼリィ状の外壁の中に、細毛体を、子嚢の底から糸を手繰り寄せて器用に癒着。乾くと暗銀に変貌する。光輝燦然、麗日のゆりかごは、青がかった黒い胞子塊となるのだ。艶々とした眼球のように地獄の釜から覗き仰ぐ姿は、なんだか芥川龍之介「蜘蛛の糸」を彷彿とさせる。

このように粘菌は、自然というキャンバスに描かれた一粒の点描のようなものだ。森という展示会場の中で、0・01㎜〜0・02㎜という途方に暮れるサイズの胞子によって生み出され、八百万の神の血が通う作品群が、「別に見ても見なくても良いよ、好きでやってるのさ」と言わんばかりに繁栄している。

最初にヒトが壁に自分達の暮らしを石器で刻んだ時、壺に複雑な文様を描いた時、それが後世に伝えられ、暴かれ、奉られることを予想したり望んだりしただろうか？　否。彼らは「やりたいからやった」「綺麗だと感じるものをこさえた」と答えるだろう。

芸術って、難しく捉えられがち。でも、果たして本来そういうものなのかな？と時折疑問に感じる。いても立ってもいられない、ただこの美を誰かに伝えたい、己の手で宿してみたい——そういう純粋な思いで生み出されたものこそ、道端の朽ちかけた地蔵のように虚が実に宿り、「本物」になるのではないか。

其の大に外無く、其の小に内無し。シュレディンガーの猫は、何処から来たのか。

★タマツノ（タマサンゴ）ホコリ
***Ceratiomyxa porioides* (Alb. & Schwein.)**

★ヘビヌカホコリ
Hemitrichia serpula var.tubiglabra

誰も知らないからこそ知りたくなる。魅力的なものは常に謎めいている。ベックリンの絵画「死の島」とて、真昼の太陽が燦燦と降り注ぎ常夏の木々が茂っていては台無しだろう。

幻視神秘性というものは、我々の意識下に強く働きかけるほどの表現でなければ。一見なんじゃこりゃ、と酷評されても、数年後には悪も善とされ、黒は白へとなるやもしれん。時代という通り雨が、向こうを霞ませているだけに過ぎないのだ。

深淵を覗く時、深淵もまた、私達を覗こうと、呑み込もうと息を潜めている。

余り解明されていないものに私は強く惹かれ、取り憑かれたように骨を削り、貝を炙砕き、白い白い白い液体を抽出する。

真の闇には、更なる闇を。

黒く塗り潰したキャンバスを前に、片手は顕微鏡や標本に置き、片手は練りに練った白墨を軸先に宿して描く。ポ…タッ。カッ…ツゥー。…シトシト……。まるで、自分が地球の原始に足を踏み入れたかのような、時空を超えて漂い、清廉と慟哭が入り交じる心境に陥る。

そのトリップは、かの革命家・孫文とも親交があり「歩く百科事典辞典」と評された南方熊楠御大のように、生命の理（ことわり）のヒントを追究された方が讃えた広大無辺の穴蔵にも似ているのかもしれない。熊楠は、各々の闇に光を求め、「無尽無究の大宇宙のまだ大宇宙を包蔵する大宇宙」で、「一粒の雨滴に映る満点の星を凝視めるように、生命の原初形態である一菌一苔の胞子の虹光にこそ、万有（まんだら）がある」と信じて突き進んだ。

今年もまた、彼のことをテーマに、大阪・乙画廊で個展を開催する。といっても、私は熊楠みたいになりたいのではない。とんでもないことだ。苦行のような生活で研究を進め、失意も多く、安寧を灯すことなく、ひっそりと「紫の花」を浮かべて死んでいった巨智を崇拝し、アニミズムからの祈祷、私の宗教として描いているに過ぎぬ（現代日本では何を信仰しても石打ち獄門はないだろうと踏んでいる）。

粘菌、地衣、茸、隠花植物、水性動物、そして民俗学に古典。日本屈指の生態学者が追い掛け続けた終焉なき混沌、不可能図形ペンローズの階段を昇り続け、その先に例え何があろうが栓なかろうが、野垂れ死にしようが、それも良い――表現方法は、難解で新機軸かもしれないけれど。

★赤木美奈……1993年6月14日、愛媛県生まれ。南方熊楠と同じく「学校嫌いの勉強好き」で、画家の祖父の影響もあり自宅で独学の絵を描き出す。10代に日本各地を放浪した後、21歳で乙画廊にてデビュー。2020年11月に、乙画廊にて個展を予定している。

ぼくたちのなかのどうぶつ
——ぼくたちは多様性の中に生きている

◉文＝本橋牛乳

1

ダナ・ハラウェイの『伴侶種宣言』を読み始めて、最初に引用されていたのが、リン・マーギュリスという生物学者の学説だった。「細胞内共生説」についてである。

これは、原生生物から動物や植物までの真核生物において、ミトコンドリアは元々別の、酸素呼吸を行う細菌だったものが、細胞内に共生したものだという説だ。葉緑体も同様で、シアノバクテリア（昔でいう藍藻）がやはり共生したもの。いずれも独自のDNAを持っている。ミトコンドリアの共生説ということでは、『パラサイト・イブ』という小説があったっけ。

ハラウェイにとって、人と犬の関係もまた、共生説の関係にあるという。犬は人のパートナーとして進化してきた、と。

同時にミクロレベルでは、多くの種の異なる生物の間で、ウイルスを通じて遺伝子交換が行われており、人と犬の間でもそうした交換がある、と。

2

マーギュリスには『五つの王国』という本がある。生物の分類と、「細菌」「原生生物」「菌類」「植物」「動物」の5つの王国に分けて、解説した本だ。おそらく、今の40代以上であれば、キノコは植物だけど光合成しない、と学校で習ったと思う。でも、そもそもキノコは植物ではなく菌類。「界」、英語でkingdomというレベルで異なっている。

マーギュリスの分類では、植物というのは、維管束植物、すなわちコケ以上の植物しか含まれない。ワカメもクロレラもミドリムシもゾウリムシも原生生物に含まれる。もっとも、原生生物という分類には、その他大勢というニュアンスもある。ゾウリムシは原生動物って習ったかもしれないけど、マーギュリスによると動物はニハイチュウ以上の多細胞生物のみとしている。

もっとも、5つの界に最初に分類したのは、ロバート・ホイッタカーで、マーギュリスはそれを修正したということなのだけど。

そして、最近では、細菌は真性細菌と古細菌の2つの界に分けられるようになってきた。古細菌は、大腸菌とか枯草菌のような真性細菌とは遺伝子の構造などが大きく違っていて、人を含む真核生物はどちらかというと古細菌に近い。細菌が進化して、やがて人になった、というわけではなく、細菌は細菌で勝手に進化したということになる。

古細菌は温泉とかかわりと極端な環境に住む種類が多いが、そうした中にあって、メタン菌は腸内細菌として身近な存在だったりもする。

3

「ナショナルジオグラフィック」を読んでいたら、トラの記事があった。アジアにいる野生のトラの頭数よりも、米国で飼育されているトラの頭数の方が多いそうだ。前者は約３０００頭なのに対し、後者は約５０００頭。トラはもはや、ペットの方が多いということか。品種改良されて、ミニトラのようなものができたりするかもしれない。って、それじゃトラネコかよ、とつっこまれそうだな。かつて、インドネシアのバリ島に生息していた亜種のバリトラは、けっこう小さかったらしいけど。

トラはさておき、犬の場合はもうちょっと謎が多い。オオカミが家畜化したものだと思われているが、とはいえ、人がオオカミを飼いならしたわけではないという説がある。むしろオオカミが人に寄ってきて、一緒に暮らすようになったらしい。それが、４万年前から２万年前までの間の出来事。そうして、もっとも古い家畜だということになるのだが、ハラウェイは犬を家畜ではなく伴侶種だという。一緒に暮らすようになっただけであって、家畜ではない、と。

もっとも、犬については、複雑な気持ちがある。いくら、オオカミから進化したとはいえ、末裔がチワワでは、何かちがうんじゃないか、と思わずにいられない。愛玩犬が、伴侶種なのかどうか。

まあ、オオカミといっても、絶滅したニホンオオカミはほとんど犬と変わらなかったのではないか、とも言われているが。

その点、猫においては大きさはあまり変化してない。祖先はリビアヤマネコ。家畜というにしては、人の思い通りにならないから、家畜ではないという意見もある。伴侶種なのかどうか。

トラの話は、実は特別な話ではない。生物種にとって家畜になることで繁栄する、というのはあたりまえの話でもある。牛や鶏や豚はどれほど個体数が多いのか。とはいえ、食用の家畜が幸福だとも思えないが。

4

生物、という定義の中に、ウイルスは含まれない、とされている。タンパク質と核酸（ＤＮＡないしＲＮＡ）で構成されているウイルスは、それだけでは増殖できていないから、ある面では結晶化するただの物質でしかない、ともいえる。それでも、生物学における研究対象なのだが。

最初の生物は真性細菌ないし古細菌に分類されるものだろう。あるいは、その先祖ともいえる別の界の細菌、だろうか。

ウイルスは単純な構造であるにもかかわらず、生物の祖先ではなさそうだ。

では何なのか。生物の断片、という見方もできる。あるいは、生物が退化してできた存在、なのかもしれない。

退化というのもまた、合理的な進化だ。例えば、動物の消化器に住む寄生虫には、消化器官がない。すでに消化されたものの中に住んでいるのだから、不要というわけだ。回虫の身体には胃はなくていきなり腸、そして生殖器が大部分。あたりまえだけど、寄生していないと生きることができない。

同じようにウイルスもまた、細胞に寄生しないと生きられなくなった生物なのではないか、そういう見方もできるということだ。その意味では、寄生しているときのウイルスはまぎれもなく生物である、といえるのではないか、という考え方もある。

あるいは、生物の核酸の一部が外に出たもの、という見方もできる。それとは逆にウイルスの核酸が他の生物の遺伝子に組みこまれているところも多い。

核酸の一部が出ていく、というのは、真性細菌などの原核生物にとっては日常茶飯事だ。原生生物以上の生物、いわゆる真核生物であれば、核酸は細胞核にあり、そこで必要な遺伝子を活発化させている。一方、原核生物には、核はなく、メインのＤＮＡの他に、プラスミドとよばれるＤＮＡも持っていたりする。このＤＮＡは、細菌の種類を越えて交換しやすくなっている。

腸管出血性大腸菌、いわゆるＯ－１５７は、元々の大腸菌が、他の細菌から、ベロ毒素をつくり遺伝子を持つＤＮＡをもらい、変化したものだ。大腸菌は一般的には無害だが、他の細菌から毒素をつくる遺伝子をもらうことで、Ｏ－１５７になったという。

真核生物の場合、この遺伝子となるＤＮＡは、ウイルスを介して運ばれる。それがウイルスベクターとよばれるもの。

ウイルスが細胞に感染すると、細胞のもつＤＮＡをふやすしくみをつかって、自身のＤＮＡを大量にコピーし、タンパク質の殻をつくってたくさんのウイルスになる。このときに、ウイルスのＤＮＡだけがタンパク質の殻に入るわけではなく、宿主のＤＮ

Aも入る。

ところで、ウイルスとしては、「生物」として増殖することができればいいわけで、そのまま細胞のDNAに組みこまれたままでも、細胞が勝手に増殖してくる。なにも、細胞を壊すことはない。

こうして、ある細胞のDNAが他の細胞のDNAに組みこまれることもある。

除草剤耐性を持った遺伝子組み換え植物の、その除草剤耐性遺伝子がウイルスによって他の植物に運ばれることで、除草剤耐性を持つ雑草ができたりもする。

インフルエンザウイルスが、鳥と豚と人の間で感染しまくり、DNAをシャッフルしているかもしれない。

ハラウェイは『伴侶種宣言』において、マーギュリスの細胞内共生説に続き、犬との間のウイルスベクターによるDNAの交換が起きているエロチックな可能性を示す。

ぼくはぼくであると同時に、他の生物と混ざり合っているのかもしれない。ぼくには境界はないのかもしれない。ハラウェイは犬という伴侶との間で、1つの生物として境界がないことを示唆する。

5

さて、では、ミトコンドリアは寄生している、というよりも共生している別種の生物なのだろうか。

あるいは、葉緑体は。

そうではない、というのが一般的な見方かもしれない。もっとも、それにどれほどの意味があるのか。その考え方の拡張をしていく。

ぼくたちの体内には、多様な腸内細菌がいる。古細菌のメタン菌も含めて。DNAの情報としては、全体で人間の10倍ほどになる。これは、皮膚の常在菌なども含めて、だけど。

ぼくたちは、腸内細菌がいなければ、十分に影響を吸収できない。抗生物質を服用し、腸内細菌を殺してしまうと、お腹の調子が悪くなる、そんな経験をしたことがある人は多いと思う。

それこそ、動物ごとにさまざまな腸内細菌がいて、生態系をつくっている。やっかいなことに、個々の腸内細菌を単離して培養することは難しい。互いに協力しあって生きているものもいる。何より、腸内に細菌がいて、動物の身体は正常に機能する。

人の場合はまだ、腸内細菌が不可分であることはわかりにくいかもしれない。しかし、牛やシロアリが腸内にセルロースを分解する細菌を飼っているとしたら、その細菌がいなくなってしまえば、牛は牛ではなくなるし、シロアリはシロアリでなくなる。

腸内だけではない。発光細菌を身体に宿している発光生物は、チョウチンアンコウなど、少なくない。光るというその生物を特徴づける機能が、別の種類の生物に依存しているということだ。

あるいは、サンゴと共生する褐虫藻もまた、サンゴにとって不可欠な生物だ。多少なりともサンゴに影響を供給している。褐虫藻と共生する生物はサンゴだけではなく、シャコガイやある種のウミウシも含まれる。それはある部分で、動物に対して植物的な生活を提供する。

地衣植物もまた、菌類と藻類の共生であるが、その共生体そのものが、1つの生物種のように扱われている。

共生をもう少し延長しよう。ハキリアリは巣に葉っぱを運んで、菌類を栽培している。それがアリの餌となる。

さて、ここでぼくは考えてしまう。ぼくたちは、家畜との共生体なのだろうか。

ハラウェイは、犬を伴侶種だとした。では、人によって家畜化され品種改良されてきた鶏や豚や牛はどうなのだろうか。

6

生田武志の『いのちへの礼儀』では、前編、とりわけ日本における家畜との関係が語られる。それは、簡単に言えば、工場と化していく畜産業の話だ。

牛や豚や鶏は、個体数という点でいえば、野生だった過去と比較して、圧倒的に繁栄した時代を迎えている。けれどもそれは、「絶滅より悪い運命」にある。

ブロイラーは、生まれてから一度も空を見ることも土を踏むこともなく、生後50日から55日で食肉になるという。鶏の寿命から考えると、人間でいえば3歳か4歳ぐらいの年齢だろうか。牛も豚も同じようなものだ。あるいは、毎日卵を産むように改良された鶏、妊娠・出産を繰り返し、乳を出し続ける牛。仮にこれを人間にあてはめたら、その残酷さがわかるというものだ。

　また、生田は日本の畜産業において、とりわけ家畜が劣悪な環境に置かれていると指摘する。こうした状況に対し、動物が置かれた環境の改善を、動物たちの権利として求める、アニマルライツなどの運動が紹介される。衛生的でストレスのない環境で飼育し、苦痛を与えないで屠殺するべきだ、と。

　それはまあ、その通りだろう。無用な苦痛や恐怖を与えるべきではない。

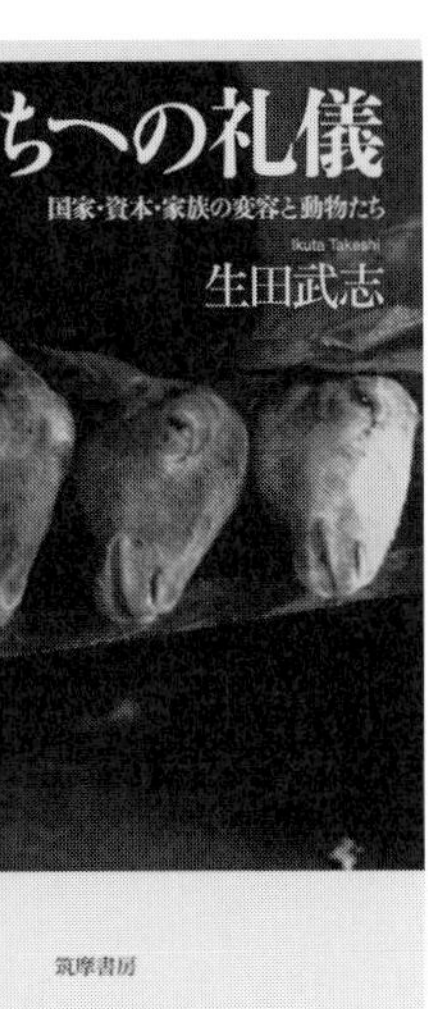

★生田武志『いのちへの礼儀』（筑摩書房）

その先に、そもそも畜産を否定する、ベジタリアン、あるいはヴィーガンがいる。人は肉や魚を食べなくても生きていける。

　いや、でも本当にそうなのだろうか。人とは肉を食べる存在であると、そういうことにはならないのか。97歳の瀬戸内寂聴のように、肉を食べることが健康で長生きの秘訣である、と語ることは、その人の本質的なことではないのか。

7

　そもそも、人は人の都合で、さまざまな生物に対して品種改良を行ってきた。

　家畜化された動物は、多少なりとも人の都合で野生の姿から変わってきている。

　鶏の白色レグホン、牛のホルスタイン、豚のヨークシャーなどなど。脊椎動物にとどまらない。カイコはその成虫が、飛ぶことはおろか、餌を食べることすらない。あとは卵を産むだけの存在だ。野生では生きることができない。

　犬ですら、同様だ。ただユニークな姿だけがもとめられるブルドッグは、呼吸困難に陥る鼻をしている。ダックスフンドは腰に負担をかけて生きている。

　水元公園の水産試験場跡地では、たくさんの金魚が飼育されている。もともとあった水産試験場では、さまざまな金魚の品種が飼育管理されていた。

　しかし、水産試験場がなくなることで、江戸錦など昔ながらの金魚の品種が失われかねなかった。そのため、ボランティアが金魚の飼育をしている。

　けれども、丸々とした江戸錦をふくむ、琉金のような太った金魚は、生まれたときはフナの幼魚と同じ姿をしている。ただそのあと、背骨が発達しないだけだ。目の下に水膨れを持つ水泡眼、どこを見ているのかわからない頂点眼など。けれども、それらは奇形の緋鮒ゆえに、大切にされている。

　どうしても好きになれないものに、競馬がある。血統が管理され、調教されたサラブレッドによる競走だ。いわゆる名馬は、たくさん知られ、そのあるものは種馬となっている。その祖先はわずか3頭の馬に遡ることができるという。

　品種改良によって、走る精密機械となったサラブレッドもまた、奇形なのではないか。アクシデントにより、骨折などけがをしてしまった競走馬は、薬殺される運命にある。こうした状況に動物を置くことは虐待ではないのか。そうした懸念は否定できない。

　実験動物にいたっては、均質なデータをとるために、遺伝的な均質さが求められてきた。

　ハラウェイは、純血種の犬の持つ障害について語っている。しかし、例えば実験用につくりだされたヌードマウスは、ほうっておいてもすぐにガンになるような、弱い免疫系しか持たない動物だ。

実験動物が、しばしば残酷な環境で実験に供されていることは、よく知られている。それに対する批判に応えるように、例えば化粧品においては、動物実験を行っていないことが表記されるようになった。動物実験を伴う研究論文の査読にあたっては、動物実験の必要性、少なくとも必要最低限の数で実験を行うべきだということが、指摘されるようになってきた。

それでも、ここでは、その是非を問うことは目的ではない。

8

食肉の是非を語るにあたって、幼くして殺される家畜が、幼くして殺されるという理由だけで、とりわけ悪い運命にあるわけではない。野生の動物のほとんどは、幼い時代に命を失っている。

例えば猪は毎年平均4・5頭の子どもを産む。寿命はだいたい10年。その間、生まれた子どもがすべて大人になるようだったら、世界は猪であふれてしまうが、そんなことはない。

平均寿命は1年程度、ほとんどは子どものときに死んでしまう。それでも、一般的な動物としては、生き残る方だ。

自然における残酷さに対し、人は子どものときの死亡率が極めて低い。そうした残酷さから離れたところにいる。いや、そうした残酷さから離れていったというべきだろう。

9

人というのは、さまざまな生物種の中でも、極めて異様なポジションを持っている。高い雑食性と適応性があり、地球上のあらゆるところで生活している。多様な衣服と多様な住まい、たくさんの交通手段を持つことで、人はサイボーグとなっていったともいえるだろう。

そうした人にとって、家畜との共生は、それそのものが、人という生物のひとつの姿ではないか、ともいえるのではないか。腸内細菌と牛や豚とでは、何が違うのか。

ある種の人にとっては、畜産を行い、肉を食べることが、その人であるということではないか。あるいは、犬とともに生きることが、その人であるのではないか。そうした文脈において、ざっくりとした共生の姿として、ある人はそうであるのだと思う。

だからといって、それが正しいとか間違っているということでもない。少なくとも、人が人である部分においては、命が失われる痛みくらいは共有すべきなのではないか。そして、それがその人の姿であったとしても、もう肉食は持続可能ではないのかもしれない、とも思う。

人は地球において、破壊的な存在でもある。膨大な種類の生物を絶滅に追い込んだが、それは近代だけではなく、人がアフリカから世界各地に拡大する中で起きていることだ。そして、単に捕食によって絶滅させるだけではなく、地球環境そのものを変化させてしまうことによって、より大規模な絶滅を引き起こしている。その最たるものが、気候変動だ。わずか200年の間に、数億年分の化石燃料を燃やして、地球の大気の組成を変化させてしまっている。

人は人自身を加速度的に家畜化させてきた。それは、サイボーグ化と平行していることなのかもしれない。まったく別のことであるにもかかわらず。

畜産業はどんどん工場化していく。さらに情報化も進む。和牛については、1頭ごとに管理され、高級和牛にいたっては、ブロックチェーンを使ってトレーサビリティまで管理されているという。店頭で販売されているお肉について、どこで育てられたどんな牛なのかわかるということだ。もちろん、血統もそこには含まれる。

けれども、人もまた、情報化されている。クレジットの履歴、スマートフォンのGPS、いたるところに配置された防犯カメラ、ネットのログ、それらはすべて管理の対象となる。同時に、こうした情報を売り渡すことが、便利な生活にもつながっている。人の多くは、プライバシーを売り渡して生きている。

10

犬を伴侶種だとしよう。日本において、犬を飼う人の多くは、犬を家族だと思っているという。家族というのは、自分のアイデンティティが延長されたその中にある他者として認識されないものだ。最近は、犬は屋内で飼うものであり、犬小屋で飼うということはほとんどない。「クレヨンしんちゃん」におけるシロは例外的な存在になっている。

人はしばしば、途上国の飢えた子どもの食費よりも飼っている犬の高級な食費を優先させる。家族だからだ。

けれども、家族というところに落とし込まれやすいのは、共生している動物だからなのかもしれない。

11

肉食が、人にとって持続可能ではなかったとしたら、肉食はやめるべきなのか。おそらく、そうだろう。そのとき、白色レグホンやホルスタインはどこに行くのだろうか。それはもはや、子孫を残すことのない、残すことそのものが自然から排除されていくものになるのかもしれない。太った金魚がそうであるように。

太った金魚と同じように、白色レグホンやホルスタインは、希少性という価値において、生き残るのだろうか。

絶滅に向かう野生動物の遺伝子を残すために、動物園は種の保存に取り組んでいる。いわゆるズーストック計画だ。

けれども、そもそも動物園という存在が、動物を檻に閉じ込めておくことが、動物にとって不合理ではないのか。動物園はどうしても好きになれない場所でもある。

そうであるにもかかわらず、その動物園が、種の保存に取り組む、取り組まざるを得ないという、そうした転倒を、どうとらえればいいのだろうか。

野生よりも多い飼育されている虎の数を、どう考えればいいのだろうか。

12

そうした文脈のはるか彼方で、ぼくたちの中に動物がある。

13

ぼくたちにとって、図像、表象、シンボル、キャラクター、そうしたさまざまな形で、実在の動物と多少なりとも切り離された動物は、身近なものだ。

例えば、干支に動物をあてはめている。元々は、中国で暦を表すために用いられていた干支だが、このうちの十二支に後に動物があてはめられたわけだが、今では、その動物が生まれ年に対応した個人のキャラクターにも紐づけされるようになっている。

アメリカ先住民のトーテムは、どうなんだろう。

そんなことでなくても、自分を動物に例えることはよくある。ネコだったりクマだったり兎だったり。

14

ぼくたちは、しばしば、擬人化されたような動物の姿を、物語の中に見ることがある。

例えば、だれがつくったのかよくわからない「イソップ童話」がある。ウサギとカメにキツネとカラス。

「桃太郎」では、イヌとサルとキジが主人公を助ける。「かちかちやま」ではタヌキがおばあさんを殺し、ウサギが代理で復讐する。

「鳥獣戯画」では、さまざまな動物が知性を持った生き物として生き生きと描かれている。

動物が擬人化されたものは、現代にいたるまで、事例にことかかない。幼児向けのアニメ「しまじろう」ではトラやウサギのこどもたちが主人公だ。

あるいは「アフリカのサラリーマン」はどうだろう。

「しろくまカフェ」もある。

動物たちが主人公のたくさんの絵本がある。

人は人の姿を動物に重ねあわせようとする。一様ではない人の姿は、その本質は、他の動物の姿を借りて、その寓意によって表されるものなのだろうか。

15

あるいは、ぼくたちはしばしば動物になろうとする。

プロレスラーのタイガーマスク。

あるいは、バニーガール。

ネコのように恋人に甘え、イヌのように従順になる。

トラやライオンの名前をつけたプロ野球チーム。

人である、というだけでは、不十分なのだろうか。

16

川原泉に「ブレーメンII」という作品がある。

ブレーメンといえば、「ブレーメンの音楽隊」だ。年老いた、ニワトリ、イヌ、ネコ、ロバが、人間の下を抜け出して自立する、そんな素敵な話だった。グリム童話だ。不要になった家畜は捨てられる、というか殺処分される運命にある。でも、彼らはその運命にさからい、自立して生きていく。

「ブレーメンII」の舞台は宇宙だ。遠い未来、動物は人間並みの知性を持つようになる。けれども、それは人間に使われる、労働者として知性を与えられたということだ。ブレーメンIIは、宇宙貨物船。船長（女性である）など一部を除くクルーは、ウサギやゴリラやカンガルーなどだ。そして、途中のさまざまな寄港地でトラブルに遭遇し、解決していく。

★川原泉『ブレーメンII』（白泉社文庫）

これだけ書くと、なかなかメルヘンっぽいSFだといえる。川原泉の絵のタッチも含め、ほのぼのとした話ではあるけれど。

船長は動物たちを人間と同じように、公平に扱う。けれども、社会はそうなっていない。動物たちには従順さが求められ、実際に、従順なところを持った、「いい人」たちだ。「悪人」はおらず、互いに尊重しあい、助け合っている。そうした設定が、人間に劣後する立場に置かれる動物たちの痛みでもある。それでも、ブレーメンIIにおいては、船長は平等に扱う。

終盤のエピソードでは、動物には基本的な人権が保証されていないことまで明らかにされるが、だからこそ船長はそうした社会と戦おうとする。

とはいえ、「ブレーメンII」では、「ブレーメンの音楽隊」とは異なり、不要になった動物たちではない。すでに船長の仲間である。その意味では、自主的に人間社会から出ていったわけではない。

その上でなお、なぜブレーメンなのか、そのことが問われる。それは、なぜ動物なのか、ということでもある。

「ブレーメンの音楽隊」は動物たちが自立する、自分を取り戻す話である。その意味で素敵な話だ。では「ブレーメンII」はどうなのか。立場的に、時に物理的に弱い動物たちだが、人格としてはブレーメンIIにおいては尊重されているし、その外の世界で人間並みの自立を果たすには外の社会が強固すぎる。ブレーメンIIの乗組員は音楽隊のような動物だけで成り立っているわけではない。むしろ、なぜ動物なのか、そのことを通じて、自分を取り戻す話なのではないか。そう考えることはできないだろうか。

なぜ、動物たちに人格を与えた物語が書かれるのだろうか。そもそも、動物は、生態的地位に対応する特徴を持っている。トラやウサギやゴリラやカンガルーなど。種として生きていくための戦略が織り込まれている。そして、動物に人格を与えて書かれた物語では、しばしば動物の特徴がその人格に反映されている。そして、ぼくたちは自分の人格をこうした動物にあてはめようとする。自分の本質が、どのような動物で表現されるのか。

17

ぼくは、ジェンダー（社会的性）がセックス（生物学的性）あるいはセクシュアリティ（性的指向）と不可分だという立場をとらない。また、ジェンダーが男女の2つしかないという立場もとらない。

ジェンダーが男性と女性の2つだとしたとき、社会的性差として定義づけられたジェンダーにおいては、ただ身体の構造に応じて、社会が個人にあてはめようとしたものだ。それはかつての女性解放運動や、あるいは家父長制批判という文脈においては、有効だった。しかし、こうして定義されたジェンダーは、セクシュアリティとは関係ないものだった。

一方、セクシュアリティには、多様性がある。そして近年は、セックスそのものもまた、多様性があるとされるようになってきた。そこでは、もちろん生まれながらにして両性具有という人もいるだろうが、そもそも人によってホルモンバランスに差があるということもあるだろう。そして、FTMやMTFのような性転換した身体もまた、多様性の中にある。

こうしたものに対応したジェンダーを考えたときに、男性と女性という2つだけでは不足する。そこで明らかになることとは、ジェンダーは社会が個人にあてはめるものではないのではないか、ということだ。なぜなら、現在の社会は2種類のジェンダーしか用意していないからだ。

クイア理論がもたらしたものは、ジェンダーもまた多様であるということ、そしてジェンダーを自分自身に取り戻すということだった。

そこではあらためて、自分とは誰なのか、それを考え、取り戻すことになる。

18

けれども、そもそも、自分とは誰なのか、それを考えるときに、セックスやセクシュアリティだけで決まるものだろうか。そうしたものと切り離された自分という存在の部分もあるのではないか。だとしたら、ジェンダーがセックスやセクシュアリティと不可分である、ということはないのではないか。

そして、そのように拡張されたジェンダーにおいて、自分が誰なのかを表現するときに、ぼくたちは動物を使ってきたのではないだろうか。自分はトラであり、あるいはウサギであり、またはキツネである、というように。セクシュアリティの表現でイヌやネコが使われるように。

動物の名称を仮置きした、拡張されたジェンダーの表現を通じて、多少なりとも多様なジェンダーを説明することができる、という文脈において、ぼくたちは、物語の中の動物に人格を与え、あるいは動物の姿になり、動物の名前を借りるのではないか。

だとしたら、「ブレーメンの音楽隊」が素敵なのは、動物が自立するからではなく、そのジェンダーを持つ者が自立するからなのではないか。

19

「ブレーメンII」はどうだろうか。そこにあるのは、気弱な善人として描かれる、多様な動物たちであり、その多様性の中に自分を反映させることができる、そうした意味で、動物に人格を与えて描かれた物語である。同時に、そうした人格が、船長という人間が自分自身であるために、動物と共存するという物語でもある。

一方、そもそも人は動物と共存してきた。そうした関係性を、未来において再構築してみせた物語でもある。その意味では、「ブレーメンII」に登場する動物たちは、伴侶でもある。

20

ぼくたちは動物を含めた、多様な生物と共生しているし、ある者は伴侶であり、またある者は遠く離れた関係にある。ぼくたちは、他の生物の生命を奪うことなしには生きていけないが、また別の生物の生命と共生することなしにも生きてはいけない。

ぼくたちの遺伝子の中に、すでに他の生物が組みこまれているし、ぼくたちのエコシステムの中にも他の生物が組みこまれている。

ぼくたち自身の多様性の中に、動物の名前を借りたジェンダーがあるし、ぼくたちはそれをしばしば語ろうとする。

そうした文脈において、ぼくたちの中に動物がいる。

「野生」のイマジネーション
——西欧近代とシュルレアリスムの「アフリカ」

◉文＝梟木

レーモン・ルーセルやミシェル・レリス、アンドレ・ブルトンといったシュルレアリスムの系譜に属する作家たちにとって、アフリカとはいかなるイマジネーションを喚起するものだったのか。この問いに答えるためにはまず「アフリカ」が、西欧の人々から歴史的にどのように眼差されてきたかを知らねばなるまい。

古代ギリシアの歴史家であるヘロドトスは『歴史』の中で、北西アフリカのナイル川より西側の地域を「リビュア」と呼び、「犬頭人」や「無頭人」など多くの民族がひしめいて暮らす野蛮な土地として描いた。この認識は中世を経てルネサンスの時代に入っても変わることはなく、キリスト教徒以外を「野蛮人」とする近代ヨーロッパの伝統的な「野蛮」観が、アフリカへの無理解をさらに深いものにしていく。その結果として起きたのが、一四四四年にアフリカとポルトガルの間で開始された黒人奴隷貿易であり、アフリカ人にヨーロッパの文明や文化を強要する植民地主義（〝黒いヨーロッパ人〟）であったことは、言うまでもないだろう。辺境の地で自らの文明をもつことなく暮らす、半裸の「無知」で「野蛮」で「怠惰」な人々……。一九世紀までのヨーロッパにおける「アフリカ」観は、概ねそのような誤解と偏見に満ちたものだったといっていい。

それと比べると「アフリカ」を欺瞞に満ちた西欧の文明に対する「逆ユートピア」として照射したサド侯爵（邦訳『食人国旅行記』）や、アフリカのものを含めた原始美術の中に「魔術的芸術」の起源を見ようとしたブルトンの態度は、芸術家としてまだ「まし」なほうだったといえるのかもしれない。

しかしながらピカソやブラック、あるいはブルトンの著作を通してアフリカ芸術が純心、素朴なものとして理解されることを、今日のアフリカの芸術家は喜ばしく思っていない。またサドのようにヨーロッパ文化人の視点から一方的に自らより「劣っている」とされる世界の文化や風習を批評する方法も、サイードによる「オリエンタリズム」の概念が普及した今日では、いささか問題の残るものではあろう。本稿の執筆にあたって大いに参照させていただいた『「野蛮」の発見／西欧近代のみたアフリカ』（一九九〇年、講談社現代新書）の著者である岡倉登志いわく——「西欧近代社会は、別の世界（非ヨーロッパ世界）の独自文化（文明）を否定し、ヨーロッパ近代文化（文明）以外を野蛮あるいは未開とすることによって成り立ってきた」。

それではヨーロッパの作家や芸術家は、いかにして「アフリカ」という他者と誠実に向き合い、作品化することができるのか。

ルーセルの『アフリカの印象』（一九一〇年）を読んで驚くのは、タイトルに反したその「印象」のあまりのアフリカ的でなさ、だ。アフリカのある小国（ポニュケレ国）に漂着したヨーロッパ客船のメンバーがそこで現地の一大驚異を目の当たりにするという、言ってしまえばただそれだけの物語。だが黒人たちのリーダーが語るポニュケレ国の歴史や聖別式の出し物からは、それまで西欧人が好んで描いてきた「アフリカ」のイメージ（野蛮な部族、無教養な為政者、貧困、アフリカゾウ……）が周到に排除されており、読者はあらゆる手がかりを失った状態で、熱帯にある辺境国の奇妙

★レーモン・ルーセル『アフリカの印象』（平凡社ライブラリー）

なお祭り騒ぎを見ることになる。それどころか――これは物語を第二部に相当する場面まで読み進めたところで、ようやくわかってくるのだが――「肺臓のレールを辿る奴隷の彫像」やら「大みみずが奏でる舞曲」やら「同時に四つの歌をうたう歌手」やらの奇想を群衆の前で喜々として披露しているのは、ほかでもない漂着したヨーロッパ人たちなのだ。驚くべきことに、ルーセルの小説はアフリカを舞台としていながら、じつは「アフリカ」の側から眼差されるヨーロッパ世界こそが見世物にされている！

なぜルーセルに、このような芸当が可能だったのか。平凡社ライブラリー版の解説やルーセル自身による解題（『私はいかにして或る種の本を書いたか』）を参考にするなら、この小説がもっぱら空想的なイメージではなく、音韻による〝言葉遊び〟によって成立させられていたという点は重要だろう。前述の「レールをなす肺臓」もまた「嘲笑されるいくじなし」からの音韻的変換によって生まれたというが、そもそも『アフリカの印象』というタイトル自体、アフリカとはまったく無関係な語彙からの作者による意図された読み替えであった可能性が高いという。

そればかりではない。ルーセルは一人で世界一周旅行を企てるほどの旅行好きだったが、その体験を小説の素材にすることはついになかった。そう、ルーセルは一度もアフリカに足を踏み入れることなく（ヨーロッパ文化人の視点から「アフリカ」を眺めることなく）、アフリカ世界からヨーロッパを批評するような物語を書いてしまったのだ。

ところでヨーロッパには、ルーセルの『アフリカの印象』に影響され、それに導かれるようにして現実のアフリカへと旅立ってしまった作家が存在する。シュルレアリスムの詩人、ミシェル・レリスである。もとよりランボーやルーセルの熱烈な支持者でもあったレリスは一九二〇年代の間にブルトンによるシュルレアリスムグループへの急速な接近と離脱を経て、一九三一年に日記係（書記兼文書係）としてダカール＝ジブチ、アフリカ横断調査団へと加わることになる。そこでの三年にわたる発掘と調査の日々をフランスへの帰国後、調査団による正式な活動記録として纏め上げて発表したのが、邦訳で一〇〇〇ページにも及ぶレリスによる大著『幻のアフリカ』（一九三四年）だ。

その書物が「公的」な役割を期待されていたにも関わらず、あまりに私的な性格を帯びすぎていたこと――エロティックな夢や妄想の告白が随所に挿入され、公の調査記録としての体裁をほとんどなしていないこと――の問題については、今は措く。重要なのは、いかにレリスが西欧文明によって培われてきた「アフリカ」という幻想に裏切られ、幻滅へと追い立てられていったかだ。調査滞在中、レリスは何度も西欧人による植民地主義の横暴によってアフリカの無垢な「野生」（という幻想）が踏みにじられていく場面を目の当たりにし、そのたびに調査団としての任務や「アフリカ」に対する疑念を深くしていく。そしてエチオピアでの長い滞在の終わり、レリスはいよいよ「アフリカ」との決別を表明する、決定的な一文をノートへと書きつけるに至る。

> エキゾティックな幻影はもう終わりだ。カルカッタに行きたい気もなく、黒人の女に対する欲望もない。（略）僕に憑いていたあの幻想、あのまやかしのどれ一つもはやない。

かくしてレリスは、西欧文明が欺瞞的に作り上げてきた「アフリカ」という幻の前に敗北する。だがそれは、意味のない敗北だったのか。少なくとも筆者には、レリスの『幻のアフリカ』こそがフィールドの観察者と観察される現地民という民族学的な立場の偏差さえ自覚しながら、もっとも誠実にアフリカの姿を写し出そうとしたものだったと、思えてならない。

★ミシェル・レリス『幻のアフリカ』（平凡社ライブラリー）

名前のない犬は野生の存在か？
——映画『ホワイト・ドッグ』

◉文＝松本寛大

オーストラリアの砂漠の寒い夜、先住民は野生のディンゴを抱いて寝たという。この半ば伝説めいたエピソードは、有史以前の人と犬の関わりを思わせる。

世界でもっとも古い家畜がイヌだ。いつ家畜化がおこなわれたのかについてはさまざまな説があるが、ともあれ石器時代のどこかで野生犬は現在の犬（イエイヌ）の先祖となった。

飼い主のもとから逃げ出し、あるいは捨てられて人の手を離れた犬はしばしば野生化し、時に人間の生活圏を脅かして社会問題となる。とはいえそれら野犬は厳密には野生動物とはいえない。人の手を離れて野生化した犬は狼の群れとは異なる習性を示すことが知られている。人と犬の関係はあまりに深く、長い。

だからだろう、犬を扱った創作物は無数にある。犬を見つめることが人間社会問題を見つめることにもつながるからだ。

これから紹介する『ホワイト・ドッグ』は、飼い主を失ってなおその命令に従って人を襲う犬の映画だ。

『ホワイト・ドッグ』は一九八二年の作品で、のちに記すが事情があってアメリカでは未公開。日本では『ホワイト・ドッグ 魔犬』のタイトルでビデオが発売されたのち、一部の劇場で限定的に公開された。顔を歪め、口の周りを血に染めた白い犬の写真と真っ赤な文字で『魔犬』と書かれたジャケットがビデオショップのホラーコーナーに置かれているのは、一見すると犬が人を食い殺すだけの安い映画に思えるが、実はそうした単純さとは無縁の作品だ。

あらすじは以下の通りだ。売れない女優ジュリーは夜に自動車を運転していて白いシェパード犬にぶつけてしまい、あわてて獣医のもとに運ぶ。飼い主が見つからないため仕方なく自宅に保護した犬が暴漢を撃退した事件を契機にジュリーは犬と心を通わせるのだが、犬が撮影所で女優を襲い、ひどいケガを負わせてしまう。ジュリーの恋人が言う。「あれはアタックドッグ（攻撃犬）だ。人間を攻撃するように調教されている」と。しかも、黒人を襲うように調教された犬なのだ。ジュリーは誤った調教を正して欲しいと、調教師をたずねる。調教師を演じるのはアフリカン・アメリカンのポール・ウィンフィールド。人種差別主義者によって調教された犬の再調教は可能なのだろうか。

監督のサミュエル・フラーは事件記者を経て映画の世界へ入った人物で、第二次世界大戦ではアメリカ陸軍第一歩兵師団の一員として過酷な経験をした。「わたしが映画キャメラを使って初めて撮影した映像は、一九四五年にファルケナウ強制収容所を解放した際の記録であった」と、フラーは自伝で語っている。

代表作は従軍経験をもとに撮った『最前線物語』だろう。フラーは社会の理不尽さに対する怒りを失わず映画を撮り続け、その姿勢と手腕は極めて高く評価されている。本作『ホワイト・ドッグ』もテンポの良い語り口とシャープな映像、強烈な暴力描写で観客のエモーションに強く訴えかける優れた映画に仕上がっている。

この映画の背景は決して単純なものではない。

原作はロマン・ギャリ（ロマン・ガリーと表記される場合もある）の『白い犬』。ロマン・ギャリは旧ロシア帝国領に生まれ、フランスでの空軍兵生活を経て外交官となった。フランス総領事としてアメリカに長く滞在し、女優ジーン・セバーグと出会い、結婚する。

『哀しみよこんにちは』『勝手にしやがれ』で知られるジーン・セバーグは黒人解放運動にたずさわっていた。ロマン・ギャリ自身は運動にのめりこむジーン・セバーグに複雑な思いを抱いていたようだ。

ジーン・セバーグはアメリカ連邦捜査局によって尾行や盗聴をされていた。急進的黒人解放組織ブラックパンサー党と関わりを持っていた彼女が妊娠したとき、「白人の女優が黒人の子をはらんだ」と書き立てられたのはFBIが手を回していたかららしい（実際に生まれた子は白人の特徴を持っていた。子供はすぐに亡くなってしまう）。彼女は一九七九年に薬物により自殺。ロマン・ギャリは彼女を破滅させたのはFBIだと抗議したというが、彼もまた一九八〇年に拳銃自殺した。

原作の『白い犬』は私小説的側面を持った作品だ。サミュエル・フラーは原作から犬のエピソードだけを抜き出し、独自のタイトな作品にまとめてみせた。

「ホワイト・ドッグ」とは、アメリカ南部で警察官が黒人を統制するために仕込んだシェパードのことだ。映画本編では、もともとは農場で逃亡奴隷を追い立てるために犬を使っていたという形で言及されている。たとえばジョージア州のブルドッグが「プランテーション・ドッグ」と呼ばれているのは奴隷の虐待に用いられていたという過去があるからだ。

★『ホワイト・ドッグ 魔犬』DVD

映画の中盤、教会でなんの罪もない黒人が犬に襲われる。アッシジの聖フランチェスコのステンドグラスが画面に映る。町に狼があらわれた際、狼には人を襲わないようにとさとし、代わりに町の人々には飢えた狼に食事を与えるようにと伝えたという伝説で有名な聖人だ。共同脚本家は紋切り型の演出だと難色を示したが、フラーは教会での惨劇にこだわった。フラーはインタビューで「それ以外のどこでもありえない。教会は彼の家であり、クラブであり、友達や女の子に会ったり、結婚したりするところだ。（中略）そこで彼らは、自分たちの叫びを、嘆きを歌ってきた」と演出意図を語っている。

教会で死体を前にした調教師（繰り返すが演じているポール・ウィンフィールドはアフリカン・アメリカンだ）が涙を流す姿に、エンニオ・モリコーネの感傷的な音楽が重なる。衝撃を受け、もう調教など無理だ、犬を殺すべきだと言うヒロインに調教師が叫ぶ。「あの犬は我々にとって唯一の武器だ。もし治せれば／だが失敗してもやめない。次の犬に向かう」

この闘いに勝算があるのかはわからない。だが闘いつづけるしかない。

それまでも主人公の行動の背景に経済格差や人種の違いといった遠因を描いてきたフラーだが、『ホワイト・ドッグ』は掛け値なしの問題作だった。撮影時には全国有色人種地位向上教会（NAACP）の調査が入り、試写会すらおこなわれていない段階で『ホワイト・ドッグ』は人種差別的映画だとの記事が雑誌に掲載された。そうした内容ではまったくないことはここまで見てきた通りだが、結果的になんらかの火種をはらんでしまうことを懸念したパラマウントは公開中止の決定を下した。けっきょくこの事件をきっかけにして、ハリウッドに失望したフラーは次作の撮影のためフランスに渡ることになった。

映画の終わり近くになって、でっぷりと太り、チェックのシャツとカーディガンに身を包んだ白人男性がヒロインの前に姿を見せる。このにこやかな老紳士は幼い孫娘ふたりを連れている。孫娘が言う。「わたしの犬は？」

犬を返してもらおうとやって来たもとの飼い主を、ヒロインはあしざまにののしる。このあとの展開は映画を見て確かめてほしい。

ここではレイシストの孫娘が犬の名を口にしない点に着目したい。

実は、この犬は全編を通じて一度も名前を呼ばれない。原作『白い犬』ではバーチカという名前があったし、映画のストーリー展開上、ヒロインが犬にあらためて命名をしてもまったくおかしくはない。むしろそのほうが自然だ。

エンドクレジットには、HANS／FOLSOM／SON／BUSTER／DUKEの名が見える。劇中の犬は場面に応じてこの五匹の犬が演じ分けたものだ。名前のある犬たちが劇中の「犬」を演じるとき、名前は剥ぎ取られる。フラーのインタビューや自伝でもその意図は明らかにされていないが、「凶暴化した固有の犬」を描いた映画、あるいは「ヒロインと彼女の飼い犬の悲劇的なドラマ」という印象を観客に与えてしまうことを避けるためだろう。

野犬は家畜化されてイエイヌになった。人間社会に組み込まれた（命名された）犬が、名前を失ったとしても野生動物になるわけではない。野生動物は飼い主の命令に従って肌の色を認識して襲いかかったりはしない。犬は哀しいことに最後まで犬なのだ。

名前を剥ぎ取られ、矛盾をはらんだ存在として観客の前に姿をあらわす白い犬は、憎悪と争いと罪を作り出さざるを得ない人間というものを問い返す。

■参考
『映画は戦場だ！』サミュエル・フラー／吉村和明・北村陽子訳（筑摩書房）
『サミュエル・フラー自伝 わたしはいかに書き、闘い、映画をつくってきたか』サミュエル・フラー／遠山純生訳（boid）

〝人豚〟の変身譚
――親近感と忌避感のせめぎ合いの狭間で

◉文＝待兼音二郎

映画『猿の惑星』で人間が猿にされる処置の場面は幼心が深くえぐられるまでにショッキングなものであったが、このような人獣合一化のシーンには獣姦という人倫のタブーの侵犯を想起させることもあってか、心のより深い領域を慄然とさせるところがある。

狐の嫁入り、蛤女房、『雨月物語』の「蛇性の淫」など動物が野性を秘めつつ人の姿となる民話や説話は数々あるが、たいていは化ける動物が人間とはかけ離れていることから、あくまで空想上の存在として脳内で消化されるのが通例だ。

しかしかりに類人猿が人に化け、半人半獣の形態や元の野獣の姿へと自在に行き来しうるとしたらどうだろうか？　それこそ鳥肌が立つような恐怖感や生理的な嫌悪感を伴いかねない。そして四足獣ではありながら、類人猿の場合と同等なまでに我々の心をざわつかせるのが豚の変身譚である。豚は体毛が薄くてまるまると肥えており、身近な家畜のなかでもとりわけ人間との近しさを感じさせるいっぽうで、人糞をも厭わずむさぼる食欲の持ち主でもある。現在でも発展途上国の農村で用を足そうとすると豚が鼻面を尻にすりつけてくることがあるそうだ。これなどは見方によってはひどくエロティックな場面で、食糞をせがむ豚を性奴隷になぞらえる連想すらそそりかねない。

★小林泰三「人獣細工」（角川ホラー文庫）

そして豚便所というものが歴史上に実在した。これは古代より中国、朝鮮半島、沖縄、奄美諸島にかけて広くみられ、豚小屋の上に便所を設けて人糞を飼料の足しにしたものである。そうして肥やし育てた豚をまた人間が食するわけで、それがまた豚への親近感と忌避感を相乗的に増幅することにもなった。

この豚便所が生みだしたのが、豚が人の姿になって求愛に訪れるという民話だ。豚はその家の人々の排泄のようすを日々見上げて育つのであり、そうして娘や若君の秘所の成熟に見惚れて恋心を募らせた豚が人の姿で現れるというのだ。中国六朝時代の怪異説話集『捜神記』に加えて、沖縄や奄美の民話にこの種の豚の変身譚が散見されるいっぽうで、日本本土の民話に豚の妖怪や婚姻譚がほとんど出てこないのは、豚の身近さの違いによるものと思われる。

いっぽう豚への忌避感を強烈に印象づけるのが、『史記』の「呂后本紀」にある戚夫人のエピソードだ。漢の高祖劉邦の寵愛を受けた戚夫人が後に皇太后となった呂雉に憎まれて両手両脚を切断され、目や喉も潰されて厠に放り込まれ、人彘（人豚）と呼ばれたというあの有名な逸話のことだ。豚便所の知識を得た上で顧みたなら、それがどれほどの屈辱であったのかがいっそう痛切に感じられることであろう。

この人彘の逸話を巧みに換骨奪胎して近未来が舞台の短篇小説に仕立てたのが、小林泰三の「人獣細工」だ。生まれつき病弱で、臓器移植の専門医である父から豚の臓器を次々に移植されることで生き延びてきた〝パッチワークガール〟がモノローグで綴る物語である。父親による臓器移植が娘への愛ゆえではなく興味本位の実験だったとしたら? 人彘という言葉の許しがたさが別の側面から浮き彫りになるラストの告白は、実に衝撃的だ。

いっぽう豚はコミカルな擬人化がよく似合う動物でもある。ジョージ秋山の漫画『ラブリン・モンロー』は、第二次世界大戦中のヨーロッパをモデルにした背景世界で少女ラブリン・モンローが娼婦となって生きる日々を描いた作品。ヒロインが豚の姿でありながら実にセクシーで、作者お得意の江戸時代の年増女そのままのような色気を匂い立たせる。動物擬人化の漫画は数あれども、豚でなければここまで色っぽい女には描けなかったはずだ。

けれども現実の豚は、好色さと狡猾さの象徴であるかのような切れ長の眼をした気色悪い動物でもある。豚は汗腺を持たないことから〝泥浴〟で体温を下げる習性があり、泥場がなければ自分たちの糞尿のなかを転げまわりもする。

★ジョージ・オーウェル「動物農場〔新訳版〕」(ハヤカワepi文庫)

★ジョージ秋山「ラブリン・モンロー」(講談社ヤングマガジンコミックス)

それがまた嫌悪感をかき立てることにもなりうるのである。

そんな豚の憎たらしさの側面を人物造型に巧みに生かしたのがジョージ・オーウェルの『動物農場』だ。農園の動物たちを労働者に、農園主の人間を資本家になぞらえたこの寓話小説では、労働者革命に成功した動物たちの間にもやがて支配・被支配の関係が生まれ、独裁者による恐怖政治が苛烈さを極めていくさまが描かれる。革命によって成立した動物農場でリーダー層となるのが知能の高い豚たちなのだが、理論派で理想主義的なスノーボールと狡猾で権力欲の強いナポレオンとの対立が明らかにトロツキーとスターリンとのそれを連想させるように書かれており、ナポレオンの独裁下で肥え太る取り巻きの豚たちの生きざまが、いかにも豚らしい憎々しさで描かれている。

そう、ヨーロッパでも中世都市では豚は野菜屑や人糞を食べる掃除屋として放し飼いにされており、豚便所こそなかったものの、穢らしい獣として蔑視する意識には中華圏と共通のものがあったのである。

ガルシア＝マルケスの『百年の孤独』では、何代にもわたって婚姻関係を結んできた両家の間に〝豚のしっぽ〟を持った子が生まれることが恐れられている。マコンドの村を拓いたホセ・アルカディオ・ブエンディアとその妻ウルスラの伯父と伯母の間に生まれた男子はそのせいで一生筒型をしただぶだぶのズボンを履きとおし、四二歳で童貞のまま死んだという。ウルスラはその再現を恐れて新婚当初頑なに奇妙な貞操ズボンを夜ごと履きつづける。血縁の近い者同士の性交渉を豚との獣姦に重ねる潜在意識がそこにほの見える。

ということは、豚への忌避感の一端をなしているのは、きっと獣姦の想像の生々しさでもあるに違いない。獣姦によってもしも人が豚の性質を帯びるとしたら……という空想のうすら怖ろしさ。それは獣姦の相手が冒頭であげた類人猿であっても同じなのだろう。しかし我々は、人から猿とあだ名されてもまだ笑ってはいられるが、人から豚と呼ばれる屈辱には耐えられない。人豚という呼び名は『史記』の戚夫人のエピソードにあるような人間の尊厳を完全に奪われた境遇をも含意しうるからだ。

ことほどさように豚をめぐる物語は怖ろしく、そしてどこか蠱惑的だ。

日本の物語を賑わす、八化けタヌキの百面相

◉文＝日原雄一

うちの庭でタヌキをみた。もう二年ほど前ですか。神奈川は高津、多摩川の近くに居をかまえてもう四年になるが、そのときが最初で最後である。アパートの二階から隣の家の庭に目をやると、そこにのそのそ歩いてた。

はい。実際には隣ん家の庭なんですが、勝手に自分の庭のつもりでいる。庭には梅の木も生えていて、春には花が見事なのだ。タヌキはその梅の木を、ジッ……と見つめていた。猫はあんな大きくないし、犬ならひとりで歩かないだろう。何より、あのぎらぎらした眼光はタヌキのものだろう。

タンタンたぬきの金の目玉、闇の底でギイラギラ……というのは、北杜夫が唸る浪曲「タンタンたぬき」の一節。お楽しみレコード「おしゃべりと沈黙」で聴ける。このLPを編んだのは遠藤周作。狐狸庵と自称するだけあって、このレコードもフシギな仕上がりだ。北杜夫の浪曲パートは一分ばかりで、「タンタンタヌキの金の目は、風もないのにがっちゃがちゃ、おいらのこころもがっちゃがちゃ、オチャケもビールもがっちゃがちゃ」と唐突におわる。我が庭のタヌキも、梅の木をしばらく見てたあと、足早に去っていった。

タヌキは美人かブサイクか

キツネに鼻をつままれたよな心地だった。でも、そんなところもタヌキらしい、ようにおもえる。ぼやっと謎につつまれて、ちょっとそこから首だしたタヌキは、いつもちがう顔をしている。キツネ七化けタヌキは八化け。しょっちゅう化けてるんである。

たとえば。アタモト「タヌキとキツネ」のタヌキは、いつもキツネに鼻をつままれてる。比喩表現でない、実際問題としてだ。しょっちゅうほっぺとかひっぱられて、タヌキのカワ変形しちゃってるし。タヌキが布団に入ると「寝る前に絵本を読んであげようね」って「カチカチ山」見せられて、タヌキはふるえて寝るどころでない。「ちょっぴりぬけてるタヌキと、ちょっぴりいじわるなキツネ」の物語だが、そんなキツネはタヌキのことをわりと好いてる。ただのツンデレなんである。

太宰治「カチカチ山」では、昔話カチカチ山のウサギは十六歳の少女になぞられる。タヌキはその少女に恋する、三十すぎの醜男だ。でもこの醜男が、恋した少女のため一心不乱に野ぶといパワーをだすわけだ。ぜんぶ空まわりなんだけど。瀕死の大やけどを負っても、強い生命力で復活する。泥船で沈むまで。太宰は「女性にはすべて、この無慈悲な兎が一匹住んでいるし、男性には、あの善良な狸がいつまでも溺れかかってあがいている」とも書く。あの溺れるタヌキは、我らとともにもがき苦しんでいるのだ。

かとおもえば。このケダモノが、絶世の美男美女なこともある。言わずと知れた大名作、映画「狸御殿」シ

タヌキとキツネ
アタモト

★アタモト「タヌキとキツネ」(フロンティアワークス)

★「初春狸御殿」

リーズである。そこにいるのは、たいそう美人なタヌキばかり。狸御殿ものの集大成と称される「初春狸御殿」では、狸御殿のきぬた姫は若尾文子。満月城の狸吉郎は市川雷蔵だ。彼らがチャーミングなのは、ただ美人だから、ってわけでない。雷蔵の狸吉郎たちが山や森の中で踊り狂ったり、真っ赤な夕日を思わせる色紋付の着物をみごとに着こなしたり、そこに野生的な魅力があってこそだ。

この狸たちが美人なのは道理で。タヌキ顔はあいくるしい顔立ちでくりっとした目の「モテ顔」なんだそうですよ。タヌキ顔の芸能人ランキング、までネットにはある。みると、女性ではのん、永野芽郁、長澤まさみ。男性のほうは千葉雄大、伊野尾慧、竹内涼真とくる。太宰のいう「愚鈍大食の野暮天」どころじゃないのだ。

こんなカワイイたぬきたちなら、好事家はとうぜんいる。森銑三「新橋の狸先生」はすでに古典だ。大のタヌキ好きで、病気の狸の子に口うつしでエサも与えた江戸のころのひと、易者の狸庵についての物語である。町内が火事にあった際も、町の名物の狸先生には早々に新居が用意されたと。現代にもそんな人たちはいて、「日本たぬき学会」、「日本タヌキレコード大賞」まであったりする。

落語にでてくるタヌキたちは、「狸の恩返し」みたいに、純真で可愛いやつらだ。イエス玉川の新作浪曲「たぬきと和尚さん」の狸の少年も、世話になった和尚さんの望みを何べんも訊いてようやく聞きだして、命とひきかえに叶えるという見上げた人物だ。このタヌキの少年役を千葉雄大で、和尚さんが神木隆之介で映画化ってどうですかね。ああ、このふたりで「狸御殿」リメイクもいいな。どんどん夢は広がるね。神木くんはあのランキングに入ってないが、マジキチ少年役から弁護士・刑事・落語家と、あの演じわけはタヌキです。

タヌキだって戦う

もっとも、こんな素敵なタヌキばかりじゃない。タヌキにはおそろしい顔もある。筒井康隆「たぬきの方程式」では、貨物として檻ごと宇宙船に乗せられたたぬきが、その檻から逃げだしてた。乗組員がコールド・スリープに入ったところで、ぎらぎら目をかがやかせて現れる。たぬきは肉食動物なのである。

椎名誠の「狸」も恐い小説だ。近所をうろついてた狸が、家に入り込んでくる。狸を追い出さなければと、夜中の二時でも探しまわる。そんな主人公を、妻はいぶかしげに見つめる。或る夜、ついに狸を棒で殴り殺して、川原に捨てて帰ってくると、寝ていた妻はどこにもいない……。狂気とサスペンス。余韻の残る怖い結末。「作者が自分でそう言っているのだから間違いないのだ」と、シーナ氏は自作解説で書いている。間違いないと僕もおもう。

先に挙げた「たぬきの方程式」は、筒井康隆一九七〇年の作品。それからジャスト三〇年が過ぎて、二〇〇〇年の「TANUKI」もスゴイ。世話になってる家の長男が、中学でいじめを受けてると知り、狸の一家が考えたのは。化けて代わりに学校に行ったり、担任の教師に化けたり。ところが、母親ダヌキも教師に化けたものの、あんまり言葉を知らないから、教壇に立っても「いじめはよくない」としか言えない。だん、だんと教壇をたたきながらリズミカルに「いじめはよくない。いじめはよくない」。気がつけば、クラス全員狸になっている。

かの狸は中学生と対峙したが。もっと多くの大人と戦った狸もいた。「平成狸合戦ぽんぽこ」ですね。多摩の丘を破壊する開発業者たちに、バケ学でやりかえした。「ゲゲゲの鬼太郎」でも、何かってえと八百八狸の軍団が日本を征服するイメージだ。放送

★「平成狸合戦ぽんぽこ」

中のアニメ鬼太郎は現代的だと評判よくて、八百八狸回もシン・ゴジラ感あって面白かったですね。

狸がひとを化かすのは、神になりかわって化かすのだと、もっともらしいこと言った古狸もいた。他の生きもののことを考えず勝手なことばかりする人間に、「自然のなかには、自分たちでは太刀打ちできないこともあるというのを思い出させるために、化かすんだ」と。景山民夫の「狸の汽車」では、そううそぶいてた長老ダヌキの権兵衛が、蒸気機関車と対決するはめになる。やたらでっかくて黒光りして、一つ目からピカピカと光を放ち、煙を吐きながら走り去る。ありゃ化けた狐だと決めつけて、いきなりタタカイを挑む。まったく同じような機関車に化けて、真っ正面からぶちあたる。

もちろん、狸の汽車はほんものにかなわず、ふっとばされて亡くなるのである。なんともかなしい結末だ。

そうそう、北杜夫の浪曲「タンタンたぬき」のことですが。レコードに収録されたのは一分チョイでも、実際には幾晩もかけてテープに録ったらしい。この先、タヌキと怪人マブゼが決闘するという展開だと北氏いわく。ぜひフル・バージョンで聴きたいな。マブゼとタヌキの勝負の決着は。マブゼ博士は催眠術をつかうし、透明にもなるし、死後も霊となってテロの手引きするツワモノだ。まあ、こっちの勝ちでしょう。負けたタヌキはたぬき汁にされちゃったりして。

たぬき汁はおいしいか

たぬき汁、といえば、みんな大好き佐藤垢石の名著がある。あの随筆集は人気シリーズで、「続たぬき汁」、「続々たぬき汁」、「新たぬき汁」まで刊行されたらしい。名前の通り、たぬき汁を食べる話だ。なんでも、虎の門のさる料亭で、「狸汁の試食会」なんてものが催されたという。このときは「出るものいずれも月並の会席料理」で、「一刻も早く狸汁に接して、その漿を賞翫したいと思っているのだが、なかなか本ものが出てこない」。ようやくたぬき汁が出てきたと思ったら、「さつま芋の賽の目に切ったものが、菜味としてふんだんに入っている。狸はどこにいるのやらと、なお丹念に掻きまわしたが、狸肉らしいものがでてこない。それでも諦めずやっていると椀の底の方から、長さ曲尺にして五分、太さは耳かきの棒ほどの肉片が二筋でてきた。これ即ち、今晩の呼び物であったかと推察し、箸につまんで口中へ放り込み、つぶさに奥歯と舌端で試味したのであったが、これはまたほんとうに何の味も、素っ気もないものであった」とのことで。名文だから思わず長々と引用してしまったが、このときだされた狸肉は、「だし汁を取るとき、煮出した鶏骨に僅かにしがみついている肉滓に似て、それよりも無味である」と。

その後も垢石先生、人工飼育の狸を食べないかともちかけられて、木挽町のさる割烹店で料理してもらった。そこでは、「先ず第一に出たのが、肉だんごだ。これは狸肉を細かく挽いてだんごに丸め、胡椒と調味料を入れて軽く焼いたのだそうだ。なかなかいける」。そして、狸のステーキ、カツなども出たが、こちらは「硬くて歯が徹らなかった」。最後にでた味噌汁・たぬき汁は、「これは、結構であった。先年、虎の門で啜ったたぬき汁とは異う。軽く山兎に似た土の匂いが肉にかおり、それが一種の風味となって私の食慾を刺激した」と。たしかにちょっとおいしそうな気が。

この「たぬき汁」、昭和十五年十月の作品だ。この少し前には、日独伊三国同盟がむすばれ、日本軍がインドシナ北部に進駐したり、だいぶきなくさくなっている。そんな時分、ノンキにたぬき汁を楽しむ風流人がいたってのは、ほんとにすばらしいことだ。令和の今日このごろも、ずっときなくさいにおいが充満してて、もう鼻も慣れちまってる。さあ、たぬき汁の頃合いですな。こんどタヌキを見かけたら、次は食べてみたいところだ。庭にきたタヌキを眺めて、まずはその可愛さを楽しむ。そして棒で殴り殺して、とりあえずたぬき汁つくろうか。そこで、寝てた妻がいないと気づくんだ。狂気とサスペンス。それもめんどうくさいから、私はたぬきそばでいいかなあ。

牧神考
——淫蕩な神への幻想

◉文＝志賀信夫

★ジャン＝フランソワ・ド・トロワ「パーンとシュリンクス」(1722-24年)

雑誌『牧神』

『牧神』という雑誌があった。一九七五年から七八年にかけて一二冊が刊行された。最初は予告号として薄いものが三冊（マイナス3〜1号）、それから二〇〇頁以上になった。ゴシックロマンス、幽霊譚、アーサー・マッケンなどの幻想文学を取り上げて始まったが、後半はフェミニズム、エリカ・ジョングなどを特集した。

発行は牧神社、編集者は菅原貴緒（孝雄）で、思潮社の『思潮』誌出身。牧神社の書籍出版は、マッケン全集やボードレールなどフランスを中心とした西洋文学、特に幻想文学に力を入れた。また、演劇、SFなども刊行し、鷲巣繁男の著作集を三冊も出しており、桑原茂夫の企画による『アリスの絵本』や『ムッシュー・ニコラ』なども刊行している。

当時、国書刊行会から「世界幻想文学大系」が刊行され、創元社などとともに日本の幻想文学ブームを盛り立てた。それには、澁澤龍彦に始まり、荒俣宏などによる幻想文学紹介が背景にある。つまり『牧神』と牧神社は、澁澤の伝説的な雑誌『血と薔薇』や、それを発行していた薔薇十字社の系譜を継ぐ部分があった。筆者は、『血と薔薇』以来、内藤三津子が編集する薔薇十字社の書籍に強く惹かれていたため、『牧神』誌と牧神社の書籍は大歓迎だった。「牧神」は日本の文学における幻想を象徴する名前としてつけられたと思うのだ。

牧神とは

牧神は半獣神、体が半分獣で半分人間である。人魚や半魚人と同様の獣人といってもいいが「神」として分類される。牧羊神として牧畜を司る神で、人と羊、もしくは人と牛の合体した姿である。人と馬が合体したケンタウロスとも近い。また羊の角を持つ姿は悪魔の姿にも似ている。少し詳しくみてみよう。

牧神は、パーンと呼ばれる。アルカディアのサテュロスたちの王で、角と蹄を持つ森林の神。パーンは羊飼いと羊の群れを監視する神で、サテュロス同様、四足獣のような尻と脚、山羊のような角をもつ。パーンの父はヘルメス、母はニンフといわれる。パーンはギリシアの最も古い神の一人で、時にはディオニュソスと同一視され、信者の女たち（マイナス）すべてと交わった。さらにアテーナー、ペーネロペー、セレーネーなど多くの女神たちと結婚した。パーンの名は「牧草地」（paein）に由来し、「すべて」や「パン」も意味する、大地を豊穣にする神である。

パーンは美しいニンフ、シュリンクスを川まで追いかけ、彼女に手を触れた瞬間、彼女は川辺の葦になった。風が葦を悲しげに鳴らし、パーンはその葦で楽器を作った。これが「パーンの笛」、パンフルートである。また、歌と踊りの上手なニンフ、エーコーは男の愛を軽蔑し、好色な神パーンは腹をたて彼女をバラバラに殺させたため、エーコーは世界中に散らばり、今も他の人の声を「エコー」として繰り返すという。

ギリシア人はエジプトの太陽神アモン・ラーをパーンと同一神である考えたため、その都市をパノポリスと呼び、そこに「パーンとサテュロス」が住んでいたともいう。また、パーンは呪術的な叫び声で敵を追い散らし、その声を聞いたものは恐怖ですべての力を失ったところから「パニック」(panic)という言葉が生まれたのだ。

英国詩人バイロンは、パーンの死を悼む詩を書いている。

古き神々は海辺にて黙す、
偉大なる牧神パーンは死せり、イオーニアの水の
響きを貫きて、
恐ろしき「力あるパーンは死せり」の声ぞ起こりぬ。
彼とともに偽りも真も多くが死せり。
過ぎ去りし夢ぞ美わしかりき。流れには魚の群。
森や水辺に、花恥ずかしきニンフぞ集う。
追い来たる神々の恋の戯れ、ニンフは嗤い、
はてはまた神々の腕に抱かれ、
山も海もその名をとどめん
高貴なる
雄々しき血筋をぞ生みいだす。

ファウヌス、サテュロス、サタン

ローマ神話でパーンに対応するのはファウヌス(Faunus)である。ファウヌスはニンフとの間に、女神ファウナとラティヌスをもうけた。中世以降はサテュロスのイメージと混同され「夢魔」ともいわれた。

ファウヌスは古い祭式ルペルカリアと結びつく。これは二月一五日に、腰にヤギの皮帯をつけた裸の青年たち(ルペルキー)が走って村を回り、走りながらヤギの皮の紐で女を打つ、それが多産につながるというものだ。また、フォーン(Faun)は豊穣を司る精霊で、牧神ファウヌスの親類だが、パーンやサテュロスよりもはるかに美しく気品のある存在だという。

サテュロス(Satyrus)は、ギリシア神話の半人半獣の精霊である。パーンやファウヌスとしばしば同一視され、「豊穣の化身」「欲情の塊」であり怠惰。名前の由来は男根ともされる。男性のディオニュソス信者がサテュロスで、女性信者がマイナス。サテュロスは悪戯好きで臆病。ワインと女性と美少年を愛し、スキニスという踊りを踊り、あらゆる肉体的快楽をむさぼろうとした。子鹿の皮以外は裸で、男根を聳え立たせていた。また、パーンの息子とも言われる。サテュロスのひとりマルシュアースは、アポローンと音楽の腕を競って敗れ、罰として生きながら全身の皮を剥がれて死んだという。サテュロスは、山羊の角を持ち、首に乳首のような突起があることもある。上半身が人間で下半身が山羊が最も多いが、下半身が馬であることもあり、いずれも長くて太い尾と、勃起しっぱなしの男根を持っている。

また、パーンは中世の異教の「角を持つ神」のモデルで、教会はそれをサタンと呼んだ。悪魔はパーンと同様、ヤギの蹄、角、強い性欲を持ち、ヤギの頭、大勢のサテュロスを従えた。だが、一九世紀のロマン主義により、パーンはサタン的というよりも、羊飼いやニンフの集う理想郷アルカディアの存在になった。以下に述べる「牧神の午後」もそんな雰囲気である。

牧神の午後

『牧神の午後への前奏曲』は、フランスのクロード・ドビュッシーが一八九二年から九四年にかけて作曲した管弦楽作品。約一〇分と短いが、これでドビュッシーは有名になった。この作品は、ドビュッシーが詩人マラルメの『牧神の午後』(『半獣神の午後』)に感銘を受けて書かれた。マラルメの『半獣神の午後』は当初、舞台上演を想定して書かれたが却下され、『現代高踏派詩集』でも却下され、一八七六年にマネの挿絵つきで豪華本として出版された。その一部は以下のとおり。

二人の唇がもたらす甘い空しさではなく
不実なものさえそっと安心させる口づけは、
私の胸には何のしるしもないのに
おごそかな歯の神秘な噛み痕をたしかに実感させる。

だが、それよりも、秘法が心を許す友として選ぶのは
青空のもとで奏でる一対の太い葦笛。
それは、頬に感じる悩みを引き受け、
長い独奏のうちに、まわりの美しさと
私たちのつまらぬ歌の美を混同して
しむことを夢見る。
（柏倉康夫訳）

内容は「夏の昼下がりに好色な牧神が昼寝の中で官能的な夢想に耽る」というもので、牧神の象徴である「パンの笛」をイメージするフルートが主題を描く。初演は一八九四年一二月二二日、パリで音楽家のギュスターヴ・ドレ指揮により行われ、二度のアンコールに応えたという。ドビュッシーは、他にも『ビリティスの三つの歌』（一八九八年）、無伴奏フルートの『シュリンクス』（一九一三年）、ピアノ『六つの古代碑銘』（一九一四年）などで牧神をテーマにしている。

次にこれがバレエリュスの『牧神の午後』というバレエ作品になる。レオン・バクストが美術と衣裳を担当し、伝説的ダンサー、ヴァツラフ・ニジンスキーが初めて振り付け、主演した。バレエリュスの主宰、セルゲイ・ディアギレフはミハイル・フォーキンに限界を感じ、新しい振付師として、同性愛の相手、ニジンスキーを起用した。ニジンスキーの振付は、バレエの様式をすべて否定し、飛ばず踊らないダンス、モダンダンスの元祖

★レオン・バクストが描いたニジンスキーの「牧神」

★牧神を踊るニジンスキー。ニンフに迫る場面

ともいうべきものであり、露骨な性的表現とともに、一九一二年にパリで初演された際には物議を醸した。

バレエの内容は、牧神が岩の上で葡萄を食べていると、七人のニンフが現れ、水浴を始める。欲情した牧神は、ニンフを誘惑しようとするが、ニンフたちは逃げ出す。取り残された牧神は、ニンフの一人が落としたヴェールを拾い、岩に敷き、自慰するというものだ。

『牧神の午後』の初演は、一九一二年五月から六月に、パリ・シャトレ座で行われた。前日の公開リハーサルでは、招待客はあ然、幕が降りても客席は沈黙に包まれたままだった。このため、主催者は「こんな斬新な作品は一回では理解できない」と再度上演。翌日の初演では、華麗なジャンプを見せないニジンスキーに観客は戸惑い、自慰行為も含めて、多くは、マラルメやドビュッシー、バレエに対する冒涜だという。『ル・フィガロ』紙には「常軌を逸した見世物」という記事が出て、ディアギレフは直ちにマラルメの友人の画家オディロン・ルドンと彫刻家オーギュスト・ロダンによる擁護文を持って編集室に乗り込み、それが翌日の新聞に掲載された。その後、公演チケットは完売。フォーキン振付『ダフニスとクロエ』はこの騒ぎで目立たず、フォーキンは退団。『牧神の午後』はこの年一五回上演され、ベルリン初演も大成功となった。

★ニジンスキーが演じ舞踏につながった「牧神」のポーズ

ニジンスキーと舞踏

ニジンスキーは、舞台から飛んで消えるように見えた『薔薇の精』（一九一一年、フォーキン振付）などで有名なバレエリュスを代表するバレエダンサーだった。そしてこの作品の成功以降、ドビュッシーの『遊戯』（一九一三年）、シュトラウスの『ティル・オイレンシュピーゲル』（一九一六年）などの実験的な振付を行ったが、特にストラヴィンスキーの音楽による『春の祭典』（一九一三年）は、民族舞踊を強く意識した独自の作品で、一人の女性が神に捧げられるというテーマも衝撃的で、その後、多くの舞踊家が取り組んだ。二〇世紀の舞踊を変えた作品といえ、最近ではピナ・バウシュの作品が非常に有名である。ニジンスキーはディアギレフの同性愛相手であったが、その後、結婚し、やがて精神を病んだ。

『牧神の午後』のなかで、ニジンスキーは常に横向きで移動し、膝を折って親指を立てた両手を前に突き出して歩く動きを見せた。この姿勢と動きについては、ニジンスキーがルーブル美術館を訪れた際に、古代エジプトの絵画に影響を受けたとか、あるいは古代ギリシャの壺絵からだともいう。ひょっとするとそれは、壺に描かれたサテュロス像だったかもしれない。この特徴的な動きを、土方巽は舞踏に取り入れ、当初、ショーダンスで「ニジンスキー」という踊りのパターンとしたが、それは現在も、多くの舞踏家が時折見せる動きとして残っている。それは、土方と同時代の舞踊批評家市川雅が、『ニジンスキーの手記』などを刊行し、土方たちに大きな影響を与えたからだった。そして舞踏における「ニジンスキー」は「牧神」の動きなのだ。

★ギリシャの壺絵のサテュロス

半獣神と獣人

マラルメの『半獣神の午後』から、さらに獣人との関係を少し考えてみよう。牧神（パーン）は羊の姿と人間の姿が混じり合った、半獣神である。その姿は、獣人にもつながるものがある。獣と人が混じり合ったもの。元々人間も獣人だった。というのは、猿から進化する過程では、猿と人間の間と見なされる時期があるからだ。それはまた、人狼とも重なる。動物に憑かれる狐憑きや、月夜の夜に狼男などに変身する存在だ。実際には、人狼とされた人間は、麦角菌に感染したライ麦を食べて幻覚や精神錯乱を起こしたものとも考えられている。また、牧神の姿はケンタウロスやミノタウロスともつながるだろう。

ケンタウロス（Centaurus）は、ギリシア神話の半人半獣の種族である。イクシオンとヘラーの姿をした雲ネペレの間に産まれた、あるいはその息子ケンタウロスが牝馬と交わり産まれた種族ともいわれる。好色で酒好きの暴れ者だが、クロノスとピリュラーの息子ケイローンは医学の祖とされる。ケンタウロス族は戦いで弓矢を使い、いて座はその姿から来ている。また、ケンタウロスのイメージは、騎馬民族スキタイと戦ったギリシア人が彼らを怪物視したからだという説がある。

ミノタウロス（Minotaurus）はギリシア神話の牛頭人身の怪物。クレタ島のミノス王は生贄に捧げる約束で、ポセイドンから美しい白い雄牛をもらうが、その美しさに夢中になり、別の牛を生け贄に捧げて、白い雄牛は自分の物にする。激怒したポセイドンは、王の后パーシパエーに、白い雄牛に性欲を抱く呪いをかけ、パーシパエーは名工ダイダロスに雌牛の模型を作らせ、その中へと入って雄牛と交わり、ミノタウロスを産んだ。その名はミノスの王の牛という意味だ。

ミノタウスは成長して乱暴になったため、王はダイダロスに迷宮（ラビュリントス）をつくられて彼を閉じ込めた。そして食料としてアテナイから九年ごとに七人の少年少女を送らせた。テセウスはその生け贄としてラビュリントスに侵入してミノタウロスを倒し、王の娘アリアドネからもらった糸玉で脱出する。これが「アリアドネの糸」である。

ミノタウロスは、ダンテの『神曲』「地獄篇」で異端者を痛めつける存在。これは、仏教の牛頭馬頭（ごずめず）にも似ている。地獄で亡者を責め苛む獄卒で、牛頭人身の姿をした牛頭と、馬頭人身の馬頭のコンビ。獄卒ではない牛鬼も日本の伝説には登場する。馬の頭という点では馬頭観音も思い浮かぶ。また、古代クレタ島では人間と牛が交わる儀式があったという。そして、ミノタウロスを多く描いたパブロ・ピカソは、男をなぶり殺し女を陵辱し快楽の限りを貪るこの怪物に共感しつつ、絶対悪の象徴とした。

★ミノタウロス

★ケンタウロス

牧神という存在

このように、牧神は、のどかな牧場の神、豊穣の神でありつつ、淫蕩で欲望の強い神でもあり、また、その姿を含めて、悪行や悪魔ともつながっている。一九世紀までは悪魔につながるイメージがあったのが、ロマン主義によって失われつつあった。しかし、ニジンスキーはそこにエロスという点から、再び悪魔的な要素を見出したのかもしれない。ルーブルで見た壺絵には、間違いなく男根を屹立させたサテュロスの姿もあったろう。

騎馬民族に対する脅威がケンタウロスを生んだという説もあるように、人間は自分と異なる存在に悪を見出す。時には神秘的な存在として、あるいは理想も見出すかもしれない。牧神は、そんな人間の中にあるカオスが産み出す幻想なのだろう。そこには、獣姦願望もあるかもしれない。あるいは、動物への愛で一体となりたいという想いもあるかもしれない。こう見てくると、「悪魔」の姿も、おそらくは、牧神から始まる人間の幻想であろうことが、よくわかる。そして、現実の悪魔はそんな姿をしておらず、きっとまったく同じ人間の姿をしているのだろう。

『牧神の午後の前奏曲』や『シュリンクス』のフルートの調べが、のどかに聞こえながら、時には官能をかき立てるものに聞こえることがあるのも、そんな私たちの幻想ゆえなのだろう。

人魚姫、アバター、もののけ姫の結婚
——古今東西の異類婚姻譚から考える野生の思考

◉文＝浦野玲子

異界からの訪問者

古来、日本人は自然と人間との間に結界的な場所、「里山」といわれるようなマージナルな場所をつくってきた。そして自然を畏れ敬うとともに、クマやオオカミ（ニホンオオカミは絶滅したといわれるが）やシカやイノシシ等々、家畜化されない動物とは一定の距離を保ってきた。

だが、農林水産業の衰退や都市への一極集中や地球温暖化や一次産業の後継者不足やらなにやらで、自然と人間の関係は一挙に崩壊しようとしている。これは地球規模で起こっていることかもしれないが、このままでは生き延びることができないかも!?……とうすうす気づき始めた人々が、〝野生の思考〟とか〝里山回帰〟などと言い始めているのかとも思う。

それは世界各地で同時発生的に起こっているようだ。その代表が、スウェーデンの環境活動家、グレタ・トゥンベリさんだろう。グレタさんの一途というか、ときにファナティックとさえ思える言動を見ていると、ジャンヌ・ダルクもこういう人だったのではないか、人類の存亡の危機にあるとき（ジャンヌはフランス一国家だが）、こういう聖女や戦闘少女、シャーマン的な存在が現れるのではないか?とも思う。

じっさい、トランプ大統領が16歳の少女を相手に居丈高に恫喝的に否定しようが、地球の気候変動、温暖化は紛れもない事実だろう。「百年に一度」クラスの台風が日本各地で頻発したり、ブラジルのアマゾンやオーストラリアで森林火災が頻発したり……と、人災も大いに関与しているだろうが、昨今の異常気象に目を背けることはできない。

もはや手遅れかもしれないが、少しでも人類が生き残る道を模索するために、「自然との共生」（なんて生ぬるい言葉かもしれないが）を再考してみたい。

そのひとつとして、といっては口幅ったいが、自然をより身近に感じていたであろう昔の人々の間に伝わる「異類婚姻譚」に触れようと思う。

洋の東西を問わず、異類婚姻譚は数多く伝えられてきた。ギリシア神話でも、ゼウスが白鳥に変身して、スパルタ王の妻レダを誘惑する話などがあり、ゼウスの変身譚の多くは異類婚姻と結びついている。

映画やアニメでも有名な『美女と野獣』だってそうだ。人間の男性が魔法によって野獣に変えられて、最後は美女の真の愛によってハンサムな青年に戻るというオチはついているが、異類婚姻譚のバリエーションだろう。

アンデルセンの『小さな人魚姫』だって、子ども向けのメルヘンの体裁をとっているが、深読みするとエロティックな趣もある。

ハンサムな王子を見初めた人魚姫。魔法の力で、美しい声を失い、尾ひれの代わりに「かわいらしい娘の持つような、まっ白い美しい足」（山室静訳）を得て地上を歩けるようになった。だが、愛しい王子に手をとられ、ひと足歩くたびに「とがった錐かするどいナイフの上をふんでいくような」痛みを感じるのは、処女の破瓜を暗示しているようだ。

人魚姫伝説は日本やアジアの各地にもあるという。海中で立ち泳ぎをしながら授乳するジュゴンやマナティなどが人魚のモデルという説もある。

ある地域では、エイやジュゴンなど海洋生物を相手に性交（自慰）を行う習俗もあったという。こういった海洋生物相手の射精で異形の者が生まれるのでは…?という後ろめたさもあり、人魚や半魚人伝説が生まれたのかもしれない。

生活感のある日本の異類婚姻譚

八百万の神々とともに生きていた日本人の祖先は、

山川草木を敬い、自然と共生する力が強かったのではないか。そのせいか、異類婚姻譚も生活感のあるものが多いような気がする。

また、動物を慈しむことによって、人間に実利をもたらしてくれるという内容も多いのかもしれない。

たとえば、「鶴の恩返し」、いわゆる鶴女房の話は、若い男に助けられた鶴が人間の女に姿を変え、男の妻となって身を粉にして働き、家計を助ける話。実際は鶴が自らの羽を材料に機織りをして仕上げた高級織物を売って儲けを得る。

また、陰陽師・安倍晴明の母といわれる信太の森の白狐、葛の葉の物語も、動物から人間への報恩譚だろう。清明の一種の超能力伝説は、葛の葉狐という異類と人間の間のハーフだったからこそ授かったものだろう。

かぐや姫の『竹取物語』も、異類婚の変形だろう。竹筒状の小型ロケットに載ってきて、成長すると宇宙船のような輝く乗り物が迎えに来た…という伝承から、かぐや姫＝宇宙人説もある。だからこそ、数多の地球の男からのプロポーズを頑なに拒み続けたのかもしれない。

ちょっと下掛かって面白いのは、「蛤女房」だ。大きな蛤を逃した漁夫のもとに突然現れた若い女。お約束通り、男の嫁になった。その嫁が作る出汁のきいた料理、なかでもみそ汁がめっぽう旨いという。

だが、どう料理しているのかまったくわからない。そこで、これまたお約束通り、「絶対見てはいけない」という約束を破ってしまう。すると、妻は鍋の上にまたがり、ジャージャーおしっこをしていたのだ！

まあ、蛤じたい女性器を想起させるエロチックな形状をしているし、蛤からは旨みたっぷりの出汁が出る。日本の誇る「UMAMI」調味料は、実はこんなふうに生まれたのかもしれない。海は人類の母だから、理にかなっているのか！

40年ほど前、「潮吹き」と称して、絶頂に達すると愛液かなにかが股間からピューッと噴き出す窪園千枝子というポルノ女優もいた。たんに膀胱が刺激されておしっこ漏らしてるだけじゃないの？と思うが、世の中にはおしっこを愛飲する人もいるから、これはこれでいいのか。

★三代歌川豊国・歌川貞秀「大日本六十余州之内安房 里見の姫君伏姫」

日本の異類婚姻譚の特徴は、端的に言えば（人間の）男にとって都合のよい異類の女、メスの類型化といえるのではないか？「雪女」だって、男との間にできた子どもが孤児になることを恐れて、正体がばれても男を殺すことなく身をひいたのではないか。

動物のオスが人間の女と結ばれる話としては、東北のオシラサマ信仰に結び付く馬と娘の話がある。「南部曲り家」といって、岩手など東北では馬小屋と人の生活空間が一体となった家屋構造がある。こんなことが、人馬一体というか、家畜と人間との親密性を増したのだろう。

ネズミや雁が人間の女と結ばれる「鼠の草子」や「雁の草子」もあるが、ちょこちょこ動くネズミや渡り鳥である雁のイメージから間男的な感じが漂う。

ただし、江戸のベストセラー、滝沢馬琴の『南総里見八犬伝』は八房という大型犬と里見家の姫君、伏姫が結ばれる話。この異類婚からは「仁・義・礼・智・忠・信・孝・悌」という字の数珠玉を握りしめた八人の忠臣＝八犬士が生まれる。

だが、これも一歩間違えると、飼い犬と高貴な姫との獣姦のような話で、フランスや中国あたりの艶笑文学では、間違いなくポルノじみた挿絵がつきそうだ。

この設定に違和感を感じることなく、現代でも子供向けの読み物やテレビドラマにたびたび登場するのは、日本人にはそもそも人獣を区別しない心性があるのか。ペットのしつけ方にも、日本と西欧では彼我の差がありそうだし。

幻想文学と称される泉鏡花の『高野聖』も、異類婚姻譚のひとつではないか。『高野聖』の魔性の女は、色情にかられて言い寄ってくる男を性交の果てに獣や昆虫や両生類に変えてしまう。だが、若い修行僧は難を逃れる。

これは凡百の男どもが獣（ケダモノ）のような情欲をむきだしにするのに対し、修行僧は戒律として性欲を自ら禁じたゆえに、畜生道に堕ちることなく現実世界に戻ることができたのではなかろうか。

『もののけ姫』と『アバター』の自然観

日本でも大ヒットした映画『アバター』（ジェームズ・キャメロン監督）。これも一種の異類婚姻譚だろう。ヒロインは地球から数光年離れたパンドラという星に棲む猫顔の異星人。だが、ナヴィという先住民の部族長の父とシャーマンの母を持つ高貴な存在だ。対するヒーローは、戦争で下半身不随となった地球（アメリカ）の若き兵士。

このふたりが、最初は敵対関係にあるものの、先住民を迫害する地球人の身勝手さに気づいて、先住民と共に生きることを選ぶ…というようなストーリーだ。

ただ、男性主人公の下半身不随という設定は、ヒッチコック以来の男性機能不全症候群的心性が肝というお約束のように思える。この下半身不随（勃起不全）からの解放、あるいは回復が昨今の映画に通底しているような気がする。

『アバター』は一見ＳＦだが、熱帯雨林風のパンドラの生態系といい、希少鉱物資源目当てに進出した地球人と異星人の戦いといい、ストーリーじたいはインディアン娘（ネイティブ・アメリカン）と白人青年のボーイ・ミーツ・ガールもの、そして環境問題を絡めた、ちょっとエキゾチックな西部劇や冒険活劇の延長線上にある。

また、宮崎駿監督の『もののけ姫』の構成とも酷似している。ヒロインのもののけ姫は、大きな山犬に育てられた人間の娘。この野性的な娘と想いを通わせるのが、アシタカという手負いの若者（こちらは足ではなく、腕を負傷している）。あらすじも、『もののけ姫』は文明の利器である農具や刀の原材料となる「鉄」を作るために、数多の動植物が棲息する森林の自然を破壊する多数派の人間と戦う、異界と人間界とのマージナルな人間の物語だ。

★「アバター」3D Blu-ray&DVDセット

閑話休題。アニメやミュージカルにもなった『ポカホンタス』。これは、異類婚ではないが、ネイティブ・アメリカンの族長の娘ポカホンタスと征服者である白人男性との愛の物語。史実であり、テレンス・マリック監督の『ニュー・ワールド』という映画もある。こちらは、ポカホンタスはワイルドな白人青年ではなくジェントルマンな男性を選び、その正妻となり、イギリスにわたるまでが描かれる。その後、西欧文明に同化しようと努めるも、生活習慣の違いか望郷の念か、風土が身体に合わなかったのか、若くして亡くなってしまったという。

ポカホンタスに比べ、『アバター』の猫顔を通り越した不気味な青いジャガー顔で巨体のヒロインは、日本人の嗜好や美的感覚に合うとは思えない。物語も陳腐だ。これが日本でも大ヒットしたのは、飛び出す3D映画であることが要因だったと思わないでもない。

『アバター』の本筋に戻ろう。地球人が異星人との交流には、自分の分身たるアバターを使う必要があるということ。アバターは地球人と異星人のDNAからつくられた人工生命体であり、単体では意思をもたない。人間が意識を注入することで、巨人族の異星人と意思疎通したり、地球人の身体には適合しないパンドラの環境下を動き回ることもできる。

本作の狂言回しといえるのが、シガニー・ウィーバー演じるグレイス博士という女性科学者。彼女はパンドラの生態系はもちろん、ナヴィ族の信仰や習俗に熟知している。いわば、アマゾン流域とかアフリカの未開部族の集落に住み着き、フィールドワークをする文化人類学者的な存在でもある。

シガニー・ウィーバーといえば、リドリー・スコット監督の『エイリアン』（1978）で、最後の生き残り宇宙飛行士を演じた。人間の体に卵を産み付けて孵化するというエイリアンも生殖という面から見れば、一種の異類婚といえなくもない。

また、最後に生き残るのが"女と猫"というのも、『エイリアン』の隠しテーマではなかろうか? 生命の危機が迫ったとき、頭で考える男たちより、動物的直観で行動するもののほうが生き残る確率が高いような気がする。

シガニー・ウィーバーは、『愛は霧のかなたに』(マイケル・アプテッド監督)で、ルワンダの森林でマウンテンゴリラとの交流を試み、愛と強い絆で結ばれた実在の動物学者、ダイアン・フォッシーの役も演じた。残念ながら、この女性学者はなにものか(密猟者たちという説がある)に斬殺された。

だが、その後に起こった「ルワンダの虐殺」、隣人が隣人を次々と殺害していった、犬畜生にも劣る(犬さん、ごめんなさい)野蛮な行為を目にすることがなかったのは、ある意味、幸いだったかもしれない。

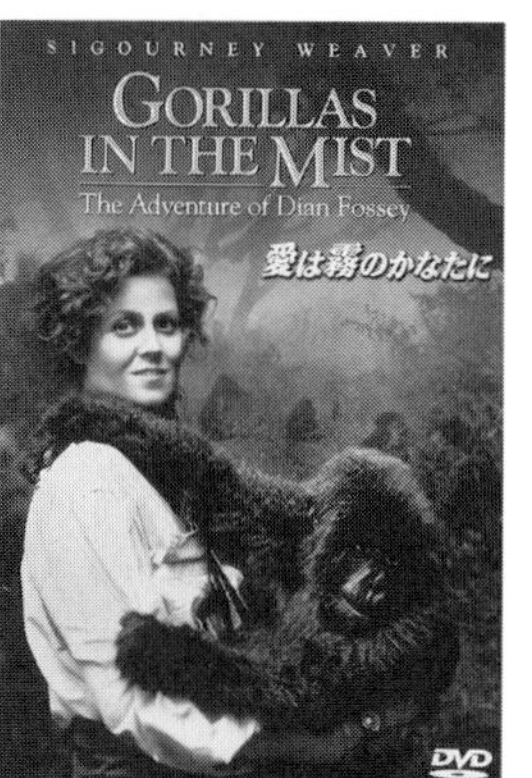

★「愛は霧のかなたに」DVD

さて、ゴリラとくれば、わが大島渚監督にはオスのチンパンジーと人間の女性との『マックス、モン・アムール』がある。これはフィクションではあるが、異類婚姻譚の典型だろう。阿部定を描いた『愛のコリーダ』や『愛の亡霊』など究極の愛を追求した結果、異類との愛や性交は可能かというところまで行きついたのかもしれない。

異界からノーマンズランドへ

近年、クマや猿が山から里へ降り、人家や畑を荒らすというニュースを頻繁に耳にするようになった。最近では、東京の市街地にイノシシが出没するようになった。立川や国立など、高尾山など山々に近い郊外といわれる地域なら、そういうこともあるかな…ぐらいに思うが、とうとう都内23区の足立区にまで進出したという。

識者は荒川や玉川流域に沿って泳いできた、あるいは台風の大水で流されてきたのではないかという。川辺は背の高い雑草が繁茂する藪など隠れるところも多く、まんまと首都圏を"猪突猛進"するシティ派イノシシが現れたわけだ。

だが、このニュースを見て一瞬、『もののけ姫』のイノシシ神「ナゴの守」を思い出した。森の神たるイノシシは、山々や森林の荒廃に怒って、下界にやってきたのではなかろうか?

東日本大震災に見舞われ、先祖代々の土地から離れることを余儀なくされた福島原発周辺の帰還困難区域。ゴーストタウン化したその地域は、野生化した家畜や野犬、イノシシなどが繁殖し、放射性物質の影響だけでなく、人が襲われる危険もあるため、うかつに近づけない場所もあるという。

そんな映像を見ると、遠からぬ未来、なんらかの大災害がおこって、自然からあまりにも乖離してしまったヤワな人間たちが死に絶えた後の風景のようにも思えてくる。マージナルを通り越してノーマンズランドだ。

そういえば、北朝鮮と韓国の南北軍事境界線の非武装地帯(ノーマンズランド)は絶滅危惧種といわれる希少動植物の楽園といわれる(1960年代に日本から北朝鮮に帰還した人々も北朝鮮そのものを差別もなく貧富の差もなく、豊かに暮らせる"楽園"と信じ込んでいたのだから鵜呑みにはできないが)。

ならばいっそ、と将来のない身勝手な老人は考える。人類が何回も絶滅することができるほどの核爆弾を保有するというこの世界。いつまでたっても戦争と殺戮が絶えないこの世界。いっそどこかのウマシカ大統領かドクター・ストレンジラブが核戦争を仕掛け、この世界をチャラにしてしまったらどうか。

そうすれば、原初の地球に戻ってやり直しがきくかもしれない。地球創生から始まり、新生物が誕生するかもしれない。

もっとも、その前に地球そのものが連鎖的に核爆発を引き起こし、雲散霧消してしまうかもしれない。灰は灰に、塵は塵に、スペイス・オディティ一巻のおしまい、おしまい…。

死に至る植物の話

◉文＝べんいせい

アルラウネの物語

『プラークの大学生』で有名なドイツ人作家H・H・エーヴェルスの「世界幻想文学大系」(国書刊行会)に収録されている『アルラウネ』は、絞首刑になった男の最後の精液を、娼婦に人工授精させ生み出した少女アルラウネの物語だ。美しく成長したアルラウネは周囲に悪影響を与え、畏怖される女王の様相を呈し、彼女と関わった人間を次々と破滅へと導く。女性の魅力に魅かれ同時に恐れもする、男性のミソジニー(女性嫌い)の物語である。

アルラウネは出生の設定を除けば幻想文学という感じではなく、19世紀末から20世紀初頭にかけてのヨーロッパ文学でおびただしく生み出されたファム・ファタールものであり、『フランケンシュタイン』直系のマッド・サイエンティストもの、他のファム・ファタールものよりもSFに接近しているのが特徴といえる。アルラウネを生み出す科学者は悪魔的な存在として描かれ、それをマンドラゴラの伝説と結びつけたところに見事さがあった。そして古いドイツ語の語彙集において既にマンドラゴラに対してアルルーナ(Alrûna)、アルルーン(Alrûn)という単語が当てられていることを読み解けば、アルラウネはマンドラゴラのドイツ語読みであると解釈できる。

グリム兄弟が遺した『ドイツ伝説集』第84節によれば、盗賊の家系に生まれた者、妊婦でありながら盗みをしたりしようとした女性から生まれし者、実際には無実なのに拷問にかけられ泥棒の「自白」をした者が縛り首にされたとき彼らが処女・童貞であって、死に際に尿や精液を地に垂らすと、その場所からアルラウネ、またはガルゲンメンライン(Galgenmännlein「絞首台の小人」)が生じる、という風に記されている。

アルラウネの取り扱いは複雑で、引き抜く方法はマンドラゴラと同じく己は遠くに逃げて叫び声を防ぎ、訓練した犬に引き抜かせるというのが一般的だそうだ。そうして手に入れたアルラウネは、赤ブドウ酒できれいに洗浄し紅白模様の絹布で包み箱に収める。そして毎週金曜日に取り出し風呂で洗い、新月の日に新しい布を着せなければならない。そのようにして手塩にかけたアルラウネにいろんな質問をすると、この植物は未来のことや秘密のことを教えてくれるのである。だからこれを手に入れたものは裕福になると言われた。

しかしアルラウネにあまり大きな要求をすると力が弱って死んでしまうこともある。持ち主が死ぬと末の息子がこれを相続するが、そのとき父の棺にはパンの切れ端と一枚の貨幣を入れなければならない。末息子が父より先に死んだ場合は所有権が長男へと移るが、このときも末息子の棺にはパンの切れ端と貨幣をいれなければならない。アルラウネは必ずしも植物の根であるというわけではなく、家の精霊コーボルトと混同され、「小さな人形」であったり「小動物」であったりすることもある。いずれにしても入手困難で世話も大変である。

ヤーコプ・グリムは『ドイツ神話学』第37節「薬草と鉱石」において、アウラウネの語源はドイツ古代の女神アルラウン(Alraun)ではないか、と主張した。

マンドラゴラの伝説

記録に残されている最も古いナス科の植物の一つに非常に興味深いものがある。その植物の記録はギリシア神話にも、そして旧約聖書／創世記にも記録がある植物なのだが、両者における位置づけが全く違っており、民間にもそれが反映されたようである。つまり、多分に「魔術」的な要素が大きい一方で、かなり「実用」的にも使われていた植物なのであった。

その植物はギリシア神話から魔女メディア(アルゴ船や三大悲劇で有名な)の叔母で、同じく魔女のキルケの名を冠しており、「魔女キルケの草」「キルカエア」ともいわれていたもの(二人ともトリカブトの話で出てきたりしている)。その名を「マンドレーク(mandrake)」、あるいは「マンドラゴラ」という。このマンドラゴラは学名をMandragora officinarum(マンドラゴラ・オフィキナルム）というナス科の植物である。多年性で直立した茎が無く、葉は直接根から出て地面にタンポポの葉の様な感じで広がる。ナス科特有の花をつけ、実は黄色で甘い匂いをもつ。地中海沿岸を中心に生育し、ギリシアやイスラエル・パレスチナ地域を中心にさまざまな逸話が残されている。

この植物がキルケの名を冠されるのは、ホメロスの『オデュッセイア』の中に、オデュッセウスがアイアイエ島にたどり着いた際、彼が先発させた島の探検隊がキルケによって全員豚に変えらるという話があり、この際に使われたのがマンドラゴラだったというのがその由来となったようだ（この後キルケの薬によって、オデュッセウスは1年間彼女の愛人にさせられた）。

実際、「マンドラゴラ」には多くの伝説があり、同時に眉唾物の話も圧倒的に多いのだが、その中でも「引き抜く際の悲鳴」という話は最も有名ではなかろうか。いわゆる「マンドラゴラが引き抜かれる際に悲鳴を上げ、それを聞いたものは死に至る」という話である。また「マンドラゴラは夜中に赤子の泣き声を発する」といったような、一つの生命体として意思を持つとも考えられ（根の形が人の形に似ているのが根拠）、そういったことから「マンドラゴラを育てるには生き血が必要」といったような魔術的な要素が含まれるようになった。

この伝説のバリエーションが、引き抜く際は処女の髪の毛を綱とする、あるいは周囲を剣で魔方陣を描く、といったような、ある種の儀式となった。この「儀式」の基本的なものは1世紀頃のギリシア時代にはすでに存在しており、当時はまだ犬に引かせる程度だったが、後に女性の尿と月経の血をふりかける、といった手の込んだ採取法となり、ヨーロッパでマンドラゴラが有名になると手順もさらなる複雑化を辿り、中世にはその「複雑な」方法についての記述が本になるほどだった。そしてそういった「魔術」を駆使して引き抜かれたマンドラゴラは、市場に出荷される際に「ちゃんと犬に引かせました」という証明として、マンドラゴラと仲良く犬の死体が吊るされるという念の入れようだったようである。

しかし、歴史的には既にギリシア時代において薬として使われていたようで、1世紀頃の医師ディオスコリデスはその著書で、患者にマンドラゴラを与えると

★マンドラゴラの収穫を描いた古代医書。右には引き抜いた犬の姿も。

よく眠り、外科では無痛で切断や焼く（消毒目的）ことが出来たと記録している。つまり、催眠、あるいは鎮痛・麻酔薬といった形でかなり積極的に用いられたようである。紀元前４００年頃の医師ヒポクラテスもマンドラゴラの効果に「意気消沈を軽減する」という記述を残しており、根や果実、葉も同じように効果があったことから、羊飼いが匂いに引かれて果実を食しそのまま眠るということもあったようだ。実際に使用する時には、酒に浸けるなど色々工夫はされていたようである。

一方で量が過ぎれば死に至ることも良く知られており、その警告も残されていたりする。実際、過剰に摂取して幻覚などを見たり、さらに死に至ることもあった。こういった「毒」の部分は「実用」に供された記録も残っていて、例えば、カルタゴのハンニバルはアフリカのローマ植民地の攻略の際、苦戦すると見て一旦兵を引き、同時にマンドラゴラ入りのワインを残して置いたという話がある。包囲が解かれたと勘違いした植民地軍は置かれたワインを見つけ、それを飲んで壊滅したといわれている。他にも中世ヨーロッパでは、毒成分の一つとしてマンドラゴラの発酵したものを用いたなどという話もあり、ボルジア家お抱えの毒の調合師などはそういった目的で使っていたようだ。

マンドラゴラはまた、旧約聖書に「恋なすび」として登場し、子供が出来ない女性が子供が出来ることを願っている部分があることから、実際にそのような効果が信じられていた。つまり妊娠を確実にすると同時に、不感症の女性に対し効果があると考えられていたようで、パレスチナ地域では長い間、女性がマンドラゴラの根を集めて家の垂木につるして妊娠を願うという習慣があったようだ。その価値はマンドラゴラが「完全であるほど」高価であったとされる。一方で、そのような信仰からローマでも「性的な遊興」の為に用いられたようで、やがて好色の代名詞の意味も含むようになる。成分的には催淫薬としての効果はないが、気分によるものなのか、かなりそのような用途で使われたようである。

有名な「悲鳴」の伝説の原点はどうやら、マンドラゴラの「効能」にあやかろうとした人々の乱獲にあったようだ。効能人気による乱獲で数が減った結果、希少価値が高まり入手困難になってしまい、医者などマンドラゴラの薬効が必要な人々が乱獲を防ぐために、「悲鳴を聞くと発狂する」という伝説を作ったらしい。なお、「悲鳴」はマンドラゴラには太い根の周囲に「細い根」が生え、土に張り巡らされているため、引き抜く際にこの細い根が切れて、その音が悲鳴に聞こえるためのようである。

パレスチナではまた、キリストが活躍した前後でローマの圧政にパレスチナが苦しめられていた頃、ローマ人がパレスチナの人たちを磔にする際にエルサレムの婦人達はマンドラゴラの汁に浸したスポンジを死刑囚達に差し出したといわれている。これはマンドレークに鎮痛麻酔効果が期待されたためで、催眠効果でぐったりと死んだ体をなした死刑囚のことを、兵士が死んだものと勘違いして十字架から解放したりした。しかしこの死刑囚達は数時間の後に仮死から覚め、その間に治療を受けて回復するものが多かったともいわれている。そういったことからローマ側はこの後、死刑執行後の死刑囚は体を切断するように言い渡したと伝えられている。

さて、キリストの話の中でゴルゴダの丘で磔刑に処せられるシーンは非常に有名なものだが、キリストは処刑が行われた後に墓に埋葬されたものの数日後に墓は空っぽになっており復活したと伝えられている。もしこの話を結びつけるとしたら、つまり、キリストが処刑される前にマンドラゴラを与えられそのために死に至るダメージを受けることなく、その後傷の処置を受け墓の中で覚醒し「奇跡」が起きたのだとしたら…、少なくともキリストの遺体は、バラバラに刻まれてはいないのである。

魔女の膏薬の効能

中世において「悪魔」に類するイメージが強い「魔女」だが、その原形についての見解は一致されている。つまり、キリスト教以前からある土着宗教の中には医療的な技術、薬草、占いなどに関する深い知識を持ち、豊饒神信仰などに絡んだシャーマン的な存在が、「人知を超えた力を持つ」という見方をされたことに起因する。このような者たちはヨーロッパに広く存在し、その地域の権力者に必要に応じて力を貸す代わりに援助してもらうなど、だいぶ穏健な繋がりがあったようである。ドイツ語で「魔女」はHexeで、ゲルマン語の原義ではhag（垣根）＋zussa（女）の合成語で「女庭師」という意味があり、ある種の技術・技能を持った人であることが指摘されている。他にも古代エジプトの豊饒信仰の女祭司に起源を求めるといった説もある。

もともとキリスト教は多分に「魔術」といったものを排除する要素が強く、この先鋭化、つまり「魔女」の統一的な見解の成立と異端認定が進むとともに、先般に挙げた様な技術や知識・能力を持っていた人達を「魔女」と認定し、「魔女狩り」が行われるようになった。もともと「悪魔的ではなかった」魔女に「悪魔的」な意味を持たせたのである。

ところで、魔女にはいくつか科学的見地で興味深い話があって、魔女の特徴に「膏薬を塗る」、「空を飛ぶ」があるが、実はこの膏薬を塗る位置はだいたい決まっており、箒に塗ることもあれば、人体の腋の下や毛のあるところ、あるいは粘膜、あるいは全身に塗られていた。魔女の膏薬の材料の代表的なものは、魔術的な薬草や毒草の類いで、ハッカ系のものやドクニンジン（ソクラテスの飲んだ猛毒として有名）、トリカブト、そして、前に挙げたマンドラゴラ、あるいはヒヨスやベラドンナといったものである。

この中でもヒヨス、ベラドンナはナス科の植物で、両者とも古くから知られており、ベラドンナはすでに紀元前1世紀にディオスコリデスによって記録され、ヒヨスも紀元60年頃の記録が残されている。ただ、その本格的な登場（悪用）はおよそ中世ヨーロッパ以降でベラドンナはヨーロッパで、ヒヨスはヨーロッパだけでなく中国などでも用いられていた。その効果は非常に興味深いもので、両者ともマンドラゴラと同様に催眠作用があり、鎮痛・麻酔作用、そして幻覚を見たり量が過ぎれば死に至る。

もう少し例を挙げておこう。ヒヨスはギリシア時代には、デルフィの神殿において巫女がヒヨスをくゆらした煙を吸うことでトランス状態となり、その状態で神のお告げを聞くということがされていたようだ。また古くは「ヒヨスの葉を4枚以上飲み物に入れて飲めば忘我の境地になる」という記録もあるが、暗殺などに用いられることも多かったようだ。一方のベラドンナも、医薬から暗殺までさまざまに使われていた。

ベラドンナやヒヨスといったナス科の植物が入った魔女の膏薬はどういう効果をもたらすか。実はこれは、16世紀中頃という比較的早い時期に検証が為されている。1545年に法王ユリウス3世の侍医であったアンレス・ラグーナはこの膏薬に関する実験を行い、それを詳細に記録・報告している。その内容は膏薬にはベラドンナやヒヨスなどが入っており、更にそれを死刑執行人の妻を用いて頭のてっぺんからつま先まで塗布してみると（この女性は不眠症だったらしい）、そのまま深い眠りに陥ったらしい。しかも36時間経過するまで、さまざまな努力を試みたにも関わらず目を覚ますことなく、どうにか起こしてみると「何と間の悪い時に起こした」と怒鳴られたというのだ。彼女によれば、ちょうど「素敵に楽しい喜びの世界に浸っていた」時だったようである。こういった検証は他にも行われたようで、現代においてもゲッチンゲン大学のW・E・ポカートなどが16世紀の「魔女の膏薬」を処方通りに復元し、自らも体験を試みたようである。いずれも共通するのは「快楽と歓喜」といった経験で、更には空を飛んだり騒いだりしたという被験者の「体験」記録が詳細に残っている。こうしたことから、現代において「植物より得られる幻覚剤」について触れたシュルテスとホフマン（LSD発見者）による著書『Plants of the Gods』においてマンドラゴラ、ベラドンナ、ヒヨスは魔女の薬草という分類が為されている。もしかしたら「魔女の条件」とされる飛行、そしてサバトの騒ぎといったものはすべてこの膏薬のもたらす効果だったのかもしれない。

なお、ベラドンナは抽出した液を薄めたものが瞳孔を拡大させる効果を持っていたため、「目が大きい」＝「美人に見える」ということでイタリアの御婦人方には非常に良く使われていたようである。この性質は眼科でも注目され、実際に眼科医もベラドンナを用いるようになったそうだ。ベラドンナは学名をAtropa belladonna（アトロパ・ベラドンナ）といい、つまり、「美しき婦人」を意味するベラドンナと、ギリシア神話では「醜い老婆」として描かれる運命の女神で、「運命の糸を断ち切る」役割を持った女神アトロポスに由来するアトロパとが合体したものなのだ。相反する性質をもったこの植物に相応しい学名ではないか。

野蛮の証明
——新宿駅首吊り自殺案件考

◉文＝釣崎清隆

人間は進歩的であってはならない。野蛮を取り戻さなければ、ブタになる。

一月六日正午過ぎ、三十代の男性が新宿駅南口のミロードデッキからマフラーで首を吊って自殺するという事件が起こった。

その現場は、記憶も生々しい平成二六年六月二九日に、無職の男性が安倍政権の集団的自衛権容認に抗議して焼身自殺未遂を起こした場所でもある。それだけ目立つ場所であった。

新春で賑わう大都会の真ん中、極めて象徴的でもあるかの場所で起こった衝撃的事件は、往来する大勢の市民の眼前に晒されたわけだが、少なからず掲げられたスマートフォンの放列によって、死体画像がSNSで拡散される事態となった。

私はその画像を見て、率直にイエロージャーナリズムの巨匠エンリケ・メティニデスが一九七四年に撮った、メキシコシティのビルの五階からぶら下がった縊死体を見上げている群衆の写真を思い出した。

今回の事件もそれだけ劇的なシチュエーションであったことは間違いない。現場に居合わせることができなかった私は正直なところ残念な気持ちであった。男性があの空間を自死の現場に選ぶからには、その行為は社会に対するある種の表明であったろうことは想像に難しくない。大小メディアを通じて異議申し立てする意図があったかもしれない。少なくとも現場が「撮れ」と要請している。

にもかかわらず案の定、この死体画像拡散現象についてネット上では以下のような意見が噴出した。

「スマホ構えた時点で人として終わっている」

「そこまでしていいねが欲しいのかね」

果ては、「ご冥福をお祈りします」、画像の拡散はウェルテル症候群を喚起する、などという、とってつけた詭弁とも思える意見まで飛び出した。空理空論だ。きれいごとを越えた戯言だ。読者の中にはこういった私の意見に同意しない者も多いだろうが、つくづく軟弱な社会になり果てたものだ、と思うのである。

私としては、あの大いなる衆人環視下のあからさまな現場で、もし万が一誰一人としてカメラのシャッターを切る者がいなかったとしたら、むしろそっちの場合の方を危惧する。現場が死者と観衆の相互呼応的地場であることはもとより、なんといってもあの現場とは、泣く子も黙る新宿である。誰もシャッターを切らない、そんな漂白された新宿など想像したくもない。

いずれにしろ、高く吊るされた死体の歴史的イメージの意味すら理解できない無教養な似非モラリストの戯言など聞く必要はない。

自殺者にスマホを向ける現象とは、都市の属性、都市になくてはならぬ野蛮のなせるわざなのだ。もう片方の都市の属性であり、末期症状としての無関心、無感覚よりははるかにましだと言わざるを得ない。

今や人類がその清濁を吟味すべき野蛮は、アマゾンやコンゴやイリアンジャヤの奥地でなく、都市の中心部にこそ存在する。人間は地上でもっとも繁栄している野生動物であり、その剥き出しの本能の核が深夜の旧市街にあるのは当然のことだ。そこに巣食う野獣と話など通じるはずがない。彼らは共食いしているか、無関心でいるかのどちらかで、本能にしたがって離合集散を繰り返し、生き残るためにはどんな卑劣なことでもやる。彼らは人間ですらない。自らの身体を切り刻んだり血みどろになったり人肉を食らってトランス状態に入るだけならまだしも、より凶暴になるために自らの戦闘能力や生殖能力を切除し、客観的にも人間の特徴を逸脱していくのだ。

都市はその野蛮を健全に保つためにも、去勢されてはならない。

そもそも死体写真を撮ることは悪なのか否か？「死体写真」という言葉をここまでネガティブなものにしたのは近年形成された新しい言論空間のイメージである。現実として世間の人々は実際の死体写真に触れてなどいない。見てもいない「死体写真」をイメージだけで闇雲に忌避しているのである。

これだけは銘記しなければならない。死体写真を撮影することと死者を冒涜することとは基本的に、決定的に異なる。

死体写真が社会的に必要とされる場面は厳然としてある。死体写真は資料として必要であり、かつては報道写真のまごうことなき花形であった。前述のエンリケ・メティニデスもそうだが、ここに挙げるまでもない錚々たる報道写真家たちは死体写真で名声を獲得したのだ。

また、一九世紀に流行した死者の記念写真撮影の文化は一般的ではなくなったが、今なお形式は違え残存する。実に、我が国の葬儀の場面にあってすら、現在でも、死者と記念写真を撮る親族は存在するのだ。

野蛮の聖性を知覚するには教養と感性が必要である。

自由表現には知性と覚悟が必要であることに間違いないが、昨今問題になっている「反天皇アート」の不敬は、覚悟の所在を疑う上に、あれらが野蛮の聖性とは正反対の下品であるがゆえに問題なのであり、それが嘘に基づく反知性に起因することが大問題なのだ。表現以前なのだ。はっきり言って、これは甘えの構造である。目の届く範囲にある不快なものを片っ端から否定して漠然とした未来を見ても、歴史的に新しいものなど生み出せるわけがない。人間はそれほど創造性に乏しいことに気付くべきだ。

私は問いたい。特に表現者に問いたい。免疫をなくしてギャーギャー感情的にわめく非常識な「常識人」の狭小な許容範囲に合わせることによって、掛け替えのない自由を手放して、我々はいったいどこへ行こうというのか？

野蛮な常識の復権から、再び始めなければならない。

そうでなければ真面目に生きている者がばかを見る社会へ導かれていく。ポリコレと拝金主義が元凶だ。

夢はグレーからしか生まれないのに、白か黒かの教条主義的表現の何がアートか。知らないくせに偉そうな口をきくアーティスト、そうなると単なる政治である。芸術ではない。どうせ知らないことだから本人の薄弱な意図をよそに容易にプロパガンダに利用される。自己承認などというくだらない目的に芸術を使うな。表現の自由を神聖なものと知るべきだ。

かつてピエル・パオロ・パゾリーニが目指した野蛮の解放を、今こそ訴えなければならない。

岸田尚一コマ漫画 ◉コラージュ＆文＝岸田尚

ケロッピー前田インタビュー

野生を取り戻してテクノロジーを乗りこなせ
――身体改造の目指すもの

◉インタビュアー＝浦野玲子

★マリア・ホセ・クリスターナ

古代文明アステカの戦士ジャガーになりたい～マリア

――ケロッピーさんが出演されていたテレビ番組「クレイジージャーニー」（TBS系）が突然終わってしまったのは、とても残念でした。ケロッピーさんの出演回で特に印象深かったのは「コンセプトトランスフォーメーション」でした。メキシコで、全身タトゥーのジャガーになりたいという女性が出てきて……。

ケロッピー◉マリアさんですね。正確にはマリア・ホセ・クリスターナさん、全身の96%にタトゥーが入っていて、世界で最も身体改造した女性としてギネスブックに載っているほどの有名人です。「コンセプトトランスフォーメーション」というのは、トカゲになりたいとか、ネコになりたいとか、何かのコンセプトに基づいて全身改造をすることを言います。マリアさんはその女王と呼ばれています。

――まずシンプルな疑問なんですけど、これほどのことをするのには身体的な痛みもすごくあっただろうし、なぜここまで過激なことをするんだろうと。それでちょっと引っかかったのは、旦那さんにDVを受けていたということで、その反発というか、強さを求めてこのような身体改造をおこなったのかなと。

ケロッピー◉そうですね。彼女が過激な身体改造にハマった最初のきっかけは、確かに旦那さんのDVだったといいます。でも、それは彼女の個人的な理由であって、女性で世界一の改造人間になるほどの徹底した改造を実践していくのは、身体改造というカウンターカルチャーの推進者としての高いプライドがあったからだと思います。

そもそもマリアさんの住むメキシコは、マヤやアステカといった古代文明の時代に、身体改造が盛んだったところなんですよね。その後、西洋人に植民地化されて、メキシコ人が持っていた身体改造文化がいったん、奪われてしまうんです。メキシコなど中南米は、ピラミッドに並べられるような巨石建造物を作り、複雑な暦を用いて天体の運行も把握していた。そんな独自の文明を築いていたのに、16世紀にエルナン・コルテス率いるスペイン兵によってあっさり滅ぼされてしまった。そんな屈辱な歴史があるわけです。

メキシコは、1810年に独立戦争が始まって中南米で一番早く独立するんですが、独立後もアメリカと戦争になり、そして1910年にメキシコ革命が起きてようやく民族主義に基づく独立を果たします。そういう過程があったから、もともと自分たちの民族が持っていた文化を取り戻すという気持ちが強いんです。それに比べると、日本は戦争に負けて自国の文化に対してふわふわした感じがあるかもしれないですけど、メキシコの人たちは、自分たちの古代文明に、超プライドを持ってるんです。

　だから、世界的にタトゥーやピアスを含む身体改造というものが広まってきたら、「あっ、いま欧米で身体改造すげぇとか言ってるけど、俺たちの先祖が元々やってたんじゃん!」みたいな感じで身体改造が一気に広まっていったんです。彼らの民族のアイデンティティが身体改造とシンクロして、ここ十年くらいはメキシコを中心に中南米で身体改造がすごく盛んになっています。

　だから中南米、特にメキシコではマリアさんのような過激な身体改造が非常に広く認められていて、受け入れられてるんです。例えば、顔にタトゥー入れてる人がいたとして、やっぱり日本だとびっくりしちゃう人が多いと思うし、アメリカでも職業によっては難しい場合もあると思うけど、メキシコとかだと、だれもがふつうに「それいいね」って言い合っていて、そのくらい受け入れられています。つまり、彼らの古代文明につながる民族文化が、いまの最先端のカウンターカルチャーと接続したんですね。その中でマリアさんが出てきて世界的に有名になったんです。

★メキシコでは顔へのタトゥーも普通に受け入れられている

★太古の遺物も身体改造

——古代を取り戻すということは、今回の特集に絡めると、野生を取り戻すことに繋がるんじゃないかと思うんですが、たとえばマリアさん個人も野生を取り戻したいという願望があったりするんでしょうか?

ケロッピー◉マリアさんがなろうとしているのはジャガーといっても動物のことじゃなくて、古代文明のアステカの神話に登場する、ジャガーの姿をした神の化身テスカトリポカの戦士のこと。アステカの戦士は、ジャガーの頭の毛皮を被り、ジャガーの毛皮をまとって、戦場に赴いたといいます。

——メキシコの古代文明ではジャガーに対して、畏怖とかそういうものがあったのではないかと推測するんですが、それに憧れたから古代戦士はジャガーと名付けられていた、ということですよね。

ケロッピー◉そうですね。メキシコに住む最強の動物がジャガーだったから、それが神の化身とみなされ、戦士とも同一視されたということですよね。

——自分の身体を虎に似せて改造した、ストーキング・キャットと呼ばれているデニス・アヴナーさんも有名ですが、デニスさんも野生的なものへの憧れがあって虎になろうとしたんでしょうか。

ケロッピー◉虎男と呼ばれてる方ですね。後に性転換もしてるんで虎女でもあるんですが、それはおいといて、虎男さんはアメリカ人でベトナム戦争を経験してたりするなど別の個人的な理由があるので、マリアさんと同列に語るのはちょっと違いますね。もちろん、動物への共感はあるでしょうし、インディアンの血を継いでいる部分が影響しているところもあるかもしれません。

アメリカ先住民の儀式を復興〜ファキール

――マリアさんやキャットさんまでいかなくても、身体改造をしている人は世界でどれくらいいるんでしょう。

ケロッピー◉身体改造は、タトゥーやピアスから過激なものもひっくるめて、身体を加工・装飾することの総称なんですよ。だからどれくらいと言われても難しいんですが、タトゥーに関しては公的な機関が発表したデータがあって、世界全体でもタトゥー人口は四割に近いと言われています。これは本当に小さいタトゥーも含むんですが、世界的に見るとタトゥーやピアスはアンダーグラウンドなものではなく、一般的なポップカルチャーとして広く受け入れられています。そんな前提があって、さらに過激な身体改造が、フックを貫通して吊り下げる「ボディサスペンション」、マイクロチップやマグネット、電子機器などを身体に埋め込む「ボディハッキング」、あるコンセプトに基づいて全身改造を行う「コンセプトトランスフォー

★(上の写真)
右=ストーキング・キャット
左=リザードマン
★(右下の写真)
レッドスカル
★(左下の写真)
ドラゴン・レディ

メーション」などという形でますます盛り上がっています。そこら辺の最前線を『クレイジージャーニー』で現地レポートしていたわけです。まあ、じゃあ、日本はどうなのかといえば、タトゥー人口は2％くらい。だから、なおさら、マリアさんなんかにびっくりするのかもしれませんね。

もともと90年代に世界的に身体改造が広まっていったのには布石があって、1989年にアメリカ西海岸に拠点をおくRe/Searchから『モダンプリミティブズ』という本が出版されたんですよね。ファキール・ムサファーという人が大きくクローズアップされていて、この人は『モダンプリミティブズ』という言葉の発案者でもあった。彼は、アメリカ先住民のサンダンスの儀式を復興し、身体にフックを刺して吊るボディサスペンションを現代医学の知識をもとに実践してみせた人なんです。90年代当時、まずみんながびっくりしたのが、ファキール自身が実践してみせたこのボディサスペンションだったんです。また、その本では性器をはじめとするボディピアスについても詳しく扱っていて、ピアスの部位ごとに解説があり、イラスト図解もされてたんです。90年代の後半になると顔のピアスにもバリエーションが増えて、全身で80か所くらいのピアスの部位に名前を付けられていました。ピアスの部位に名前を付けたことがボディピアスの流行を大いに盛り上げたと言われています。まあ、この本が出版された89年は、ちょうどベルリンの壁が崩壊したりした世界的な激動の時期で、そうした世界の価値観の転換ともリンクして、身体改造というカウンターカルチャーが広まりましたね。

★ファキール・ムサファー。左上の図版は『モダンプリミティブズ』

——ファキールさんは、広告代理店の役員だったんですよね。そういう、いわば時代の最先端にいた人が、逆に古代の儀式に没頭するわけじゃないですか。なぜそうなってしまったのかということにすごく興味があって、広告代理店で働いて、こんな嘘くさい、ものすごく薄っぺらい世界に嫌気が差したんじゃないかと。そして自分を見つめ直したときに、身体改造とか自分の身体を痛めつけることで自分を取り戻したい、頼りになるのは自分の身体なんだ、という思いがあったのかなと思ったのですが、いかがでしょう。そしてそのことによって、自分の中に眠っている野生って言われるものかもしれないし、獣性かもしれませんが、そうしたものを目覚めさせようとしたのではないかと。

ケロッピー◉そうですね。まあ、ファキール・ムサファーは筋金入りというか、身体改造カルチャーのムーブメントの生みの親と言えるような存在で、広告代理店の偉い人になったからその反動で身体改造を始めたわけじゃないんですよね。『モダンプリミティブズ』に彼のインタビューが載っていますが（『夜想29』に日本語訳あり）、子供のときからすごく優秀で、とりあえず社会的には広告代理店にでも勤めてやるかっていうことで勤めてただけの感じなんです。セクシュアルな趣味や身体改造などを若いころから実践していて、1950年代に『ビザール』という有名なフェティッシュ系の雑誌がありましたが、それにも投稿していて、アンダーグラウンドシーンでもずっと有名人だったんです。

確かにファキールのように広告代理店に勤めている人が、こういう身体改造を趣味にしていて、モダン・プリミティブズという非常にいい言葉やコンセプトを考えたということは、それを広めていくうえでの説得力が増したという部分はあるでしょう。

身体の感覚をアップグレード

――現代では、たとえば自分の身体を傷つけることでしか自分の身体を実感できない人たちも多くいると思います。傷つけることによって生きている実感を得るというか。ファキールさんのやったことが身体改造として世界に広まっていったのは、そのようなことが背景にあると思いますか。

ケロッピー◉う〜ん、まず自傷行為と身体改造をわけて考えて欲しいですね。ファキール・ムサファーが身体改造を「モダンプリミティブズ」としてアピールしたのは、痛みの伴う行為は部族民族の世界では通過儀礼や呪術的な意味があったわけで、ひとつのカルチャーとして復興することだったんです。確かに、身体感覚が希薄になっちゃってる人はいるかもしれないですけど、じゃあ、身体改造してる僕らがみんな、身体感覚が普通の人よりも劣ってるから改造してるってことはまったくなくて。むしろ自分たちの身体の感覚をアップグレードしていきたい。たとえば、コンピューターとかインターネットとかスマートフォンとか、もしかしたら人工知能に支配されてしまうかもしれない未来を生き抜くためには、いまの身体感覚だと足りないから、それをアップグレードするためにも身体改造が必要なんだと思うんです。

――アップグレードというのは、たとえば身体にチップを埋め込むということだったりするんですか。

ケロッピー◉ファキールにしても、当時としてはテレビというマスメディアですが、そういう情報操作に対して、プリミティブな行為を取り戻すことで対抗しようという視点はありました。もちろん、最近でいえば、マイクロチップの埋め込みですよね。まあ、チップの埋め込みはいまはまだ実験段階ですが、国とか大企業とかも注目してます。たとえば、スウェーデンはチップ人口はまだ数千人単位ですが、埋め込んだマイクロチップで電車にも乗れるようになっていたり、国家行政規模での試験的な利用を推進してたりするんですよ。

――それでいくと、テクノロジーに負けてしまいませんか。チップを通して誰かにいろんな情報を握られてしまうとか。コンピュータに支配されてしまうとか。

ケロッピー◉すごい古いたとえになりますけど、手塚治虫の漫画なんかで描かれていた未来社会、つまりひとつの大きなマザーコンピュータで人類を管理されちゃう、というイメージが流布していた時代がありました。でも、現実には、それこそ、スティーブ・ジョブズみたいなカウンターカルチャーの申し子たちが、コンピュータに支配されちゃダメだって、パーソナルコンピュータを作ったじゃないですか。そういう背景があって、初期のハッカーと呼ばれる人たちがアメリカの軍事用ネットワークに侵入して、最終的にインターネットとして一般に解放した。いまはマイクロチップという技術を企業や国家が盛んに研究しているという事実があって、だからこそ、なおさらカウンターカルチャーの担い手である連中が率先してマイクロチップを埋め込んで、最新のテクノロジーを権力だけに独占させないような動きが起こっているんですよ。これは身体改造カルチャーのなかでも、最先端の議論なんですけどね。

もうちょっと、別の角度から「モダンプリミティブズ」について説明してみましょう。たとえば、今回の特集がフランスの文化人類学の大家であるレヴィ=ストロースの著書『野生の思考』で主張されていたことと関係しているとするなら、彼が「野生」という言葉を使ったのは、別に「動物に戻る」とか、「野蛮になる」といったことではないんです。つまり、それまでは西洋人が未開と言われる部族の人たちよりも優秀だと考えられていたけど、同じホモ・サピエンスなら生物学的には変わらないし、優劣もない、ということだったんです。それは思考方法の違いであって、野生の思考は自然のなかで人類が生きているために培われてきたもので、一方、西洋的な科学的な思考は物質文明を生み出したけど、実は人間は誰も根底には野生の思考を持っているということなんです。

だから、レヴィ=ストロースが「野生に戻ろう、野蛮になれ」と言ってるわけではなくて、科学的な思考を否定していないし、誰もが野生の思考を持っているということを自覚することからプリミティブな部分を掘り起こして、テクノロジーと共生させるというか、同時に存在させることで科学技術一辺倒になっていたモダン(近代)を超えようと、だから、ポストモダン、なんですよ。

たとえば、僕がタトゥーアーティストの大島托とやっている縄文時代のタトゥー復興アートプロジェクト「縄文族 JOMON TRIBE」にしても、「縄文時代に戻りたいんですか?」って聞いてくる人たちがいるんですが、そういうつもりはまったくないんです。縄文というすごい過去の文様をタトゥーのモチーフとして現代人の身体に彫ることでもっと未来へとつなげていこうということなんです。

実は、80年代後半に「モダンプリミティブズ」という言葉と、「サイバーパンク」という言葉が登場したのはほぼ同時期だったんですね。この2つの言葉は、まったく違うサイドの人たちが違う言葉で表現しているだけで、同

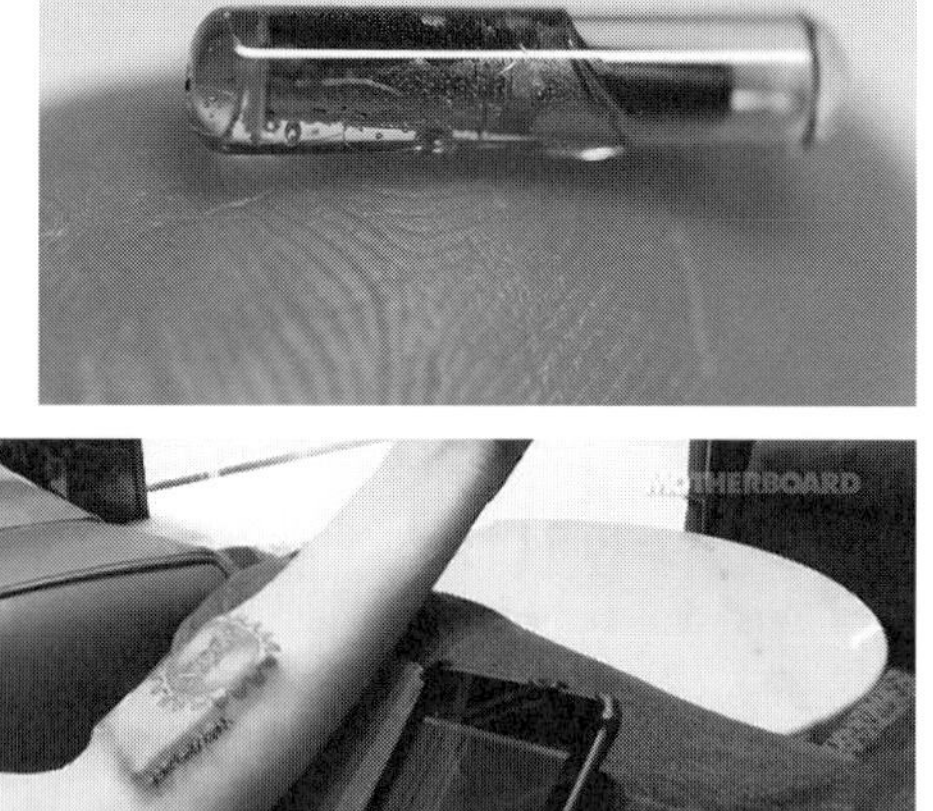

★体内埋め込みマイクロチップ

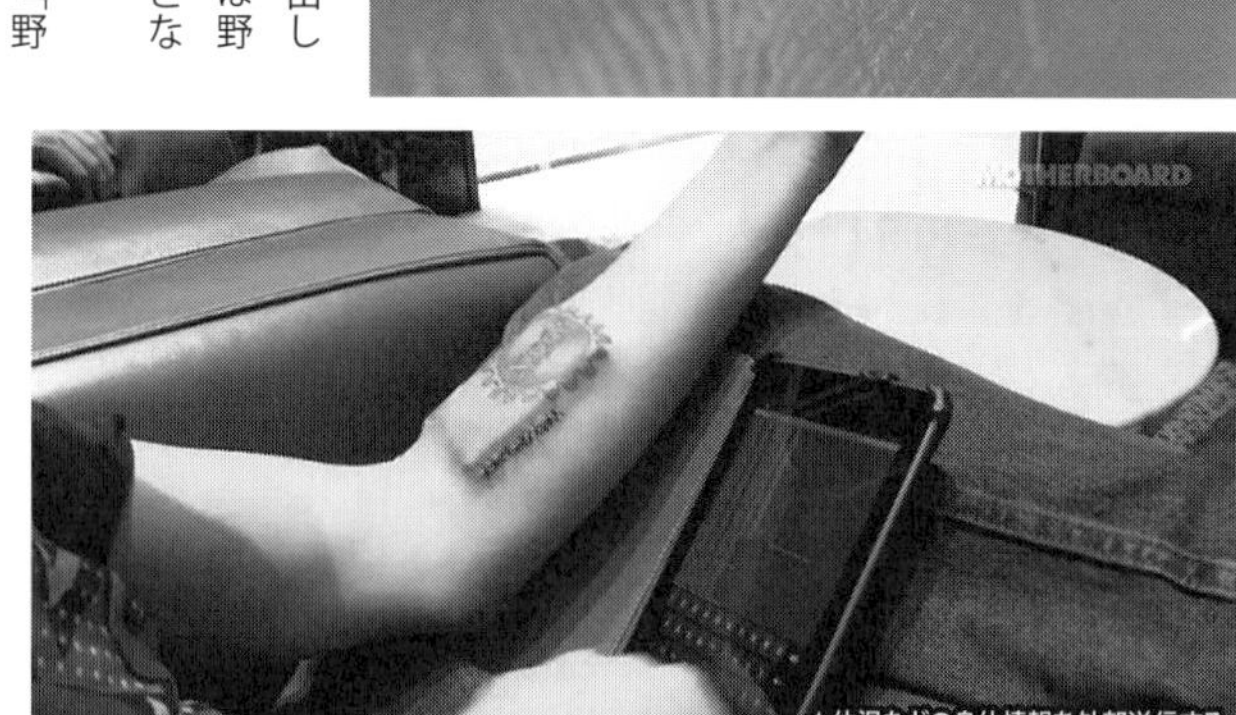

★体温などの身体情報を外部送信する「サーカディア」

★LEDが赤く点灯する「ノーススター」

じことを言っているんだと思うんですよ。サイバーパンクというのも言ってしまえば、テクノロジーを野蛮に使いこなせっていうことじゃないですか。

だから、僕らがここで獲得すべき21世紀的な〝野生の思考〟というのは、野生に戻ることでなくて、野生を取り戻しつつ、テクノロジーを乗りこなせっていうことですよね。だから、そこにはやはりカウンターカルチャー的な自主独立の精神が必ず必要だと思うんです。そして、自分の身体は自分のものだから、それをどうするかも自分が決めていいという考え方があって、その表現として身体改造を過激に実践している人たちもいるわけです。それ故に身体改造は、現代におけるカウンターカルチャーの最先端の現場であると思っています。

個人として生き延びていくために

――身体改造によって動物のような姿になっていくのは、野生によって人間力を高めるという意味では、とても象徴的な改造の行為のように思うんですが。

ケロッピー◉方向的にはその通りだと思いますよ。動物の方が人間よりも強かった時代、過酷な自然環境の中で人間が生きていかなければならなかったときに、動物にあやかる、というのは古代からありました。たとえば、部族民族の風習で性器改造が行われたのは、何も変態趣味があったわけではなく、より強い性能力を得るために動物の性器の形状を真似て、同じように切れ目をいれたりしたものだと言われています。でも、それは動物になりたいわけじゃなくて、身体を改造するという行為自体は動物にはできないことで、人間が動物的な外見や機能を獲得することで人間そのものを超えていこうという行為だと思っていますけどね。

――それでまた推測なんですが、この人類が危機的状況にあるから、それをいち早く察知して、人間力を高めて生き残るために身体改造を始める人が出て来たのではないかと……「炭鉱のカナリア」みたいに。ものすごくセンシティブな人たちが身体改造を始めて、野生というか、本来あるべき自分たちの姿を取り戻そうとしているのかな、と。

ケロッピー◉すごく繊細な人が多いのは事実ですね。漫画とかフィクションだと、タトゥー入れたり身体改造する人って、乱暴者として描かれがちですが、改造をする理由として「プロテクション」という言葉がよく使われるんですが、外界から自分を守ってる部分もあるんです。そもそも身体改造って、アフターケアというか、自分の身体をずっと長い間、ちゃんと管理していかないといけないから、その意味でも本当にデリケートな人じゃないとできないところがあります。先のマリアさんも、すごくセンシティブな人です。

――あと、映画化もされたウィリアム・ゴールディングの小説『蝿の王』とかでは、人が危機的状況になると身体にペインティングをするんじゃないですか。そういう魔除けみたいなことも、野生というか、完全な動物性ではないですけど、そのようなものを獲得する手段だと思うんです。だけどそのレベル以上に身体を痛めつける改造っていう行為まで必要なものなのかという――

★「蝿の王」DVD

ケロッピー◉別に強制してるわけではなくて、さっき言ったように、個人の自由なんです。自分がなんの改造をしたいかとか、しないとか、どんなタトゥーしたいとか、選べるわけじゃないですか。ファキール・ムサファーが言いたかったのは、そのことによって、僕らの自主独立性や自由を獲得していこうということなんです。

さきほどの話では、テクノロジーに支配されるみたいなことをおっしゃいましたが、ネットやスマホの時代になって、僕らはますますメディアによって操作されています。で、その操作されてる状態からどうやってリセットできるのか。その手段として、ヒッピーの時代の人たちはドラッグで散々実験したけど、ドラッグはリセットの効果はあるけど、別のものにセットされるという問題があって着地点がないんです。それで、ドラッグとは違うやり方でメディアの呪縛を解く方法として、いまは身体改造もある。やっている人がみな素に戻れているか、戻ろうとしているかというと個人個人で違うんですが、身体改造の指導的な立場に立ってる人達、たとえばファキール・ムサファーがなぜ、ボディサスペンションを再現するなど、これほどまでに自分の身体を張ってこの新しいカルチャーをみんなに知らせたいと思ったのかといえば、そのひとつは、メディア操作をリセットする効果だったとも言えるんです。それに誰もが気が付くかどうかはわからないですよ。でもメディア操作からの解放、自主独立と自由の獲得という思いが背後にはあるんです。

だって国はもう守ってくれないし、個人としてどうやって生きていくかっていう問題があるんじゃないですか。人工知能みたいなものとも一緒に暮らしていかなければいけないし。そのために野生を取り戻してテクノロジーを乗りこなす、そのために身体改造をしてアップグレードする、それが僕らが生き延びていくためのひとつの手段だと思うんです。

『クレイジージャーニー』を振り返る◉ケロッピー前田

2019年10月21日、TBS系人気番組『クレイジージャーニー』の終了がそのホームページ上でアナウンスされた。終了に至る経緯もそこも記されている。

実は、2015年、番組がレギュラー枠で毎週放送されるようになったときから出演の打診は受けていた。しかし、身体改造という過激なテーマゆえに、具体的に番組制作にかかわることになるのは、2年後の2017年になってからだった。番組での海外取材の詳細は『クレイジーカルチャー紀行』(KADOKAWA)に書いている。また、2017年10月25日放送の初回の出演回「ボディサスペンション」は、DVD『クレイジージャーニー Vol.7』(よしもとミュージックエンタテインメント)で観ることができる。

日本における身体改造ブームは、04年に金原ひとみ『蛇にピアス』が芥川賞を受賞したときにも大いに盛り上がった。それでも、そのときはまだアンダーグラウンドな趣味の世界のものして注目されたに過ぎなかった。ところが、ここ2年間、『クレイジージャーニー』にかかわってきて、番組に大いに感謝していることは、身体改造をカルチャーとして真面目に扱ってくれたことである。そして、実際、「身体改造はカルチャーである」という認識は、日本のなかでも広く受け入れられつつある。特に、マイクロチップの埋め込みなどの身体改造は、次の時代を先取りするものとして、幅広いタイプの人々の関心をひくものとなっている。

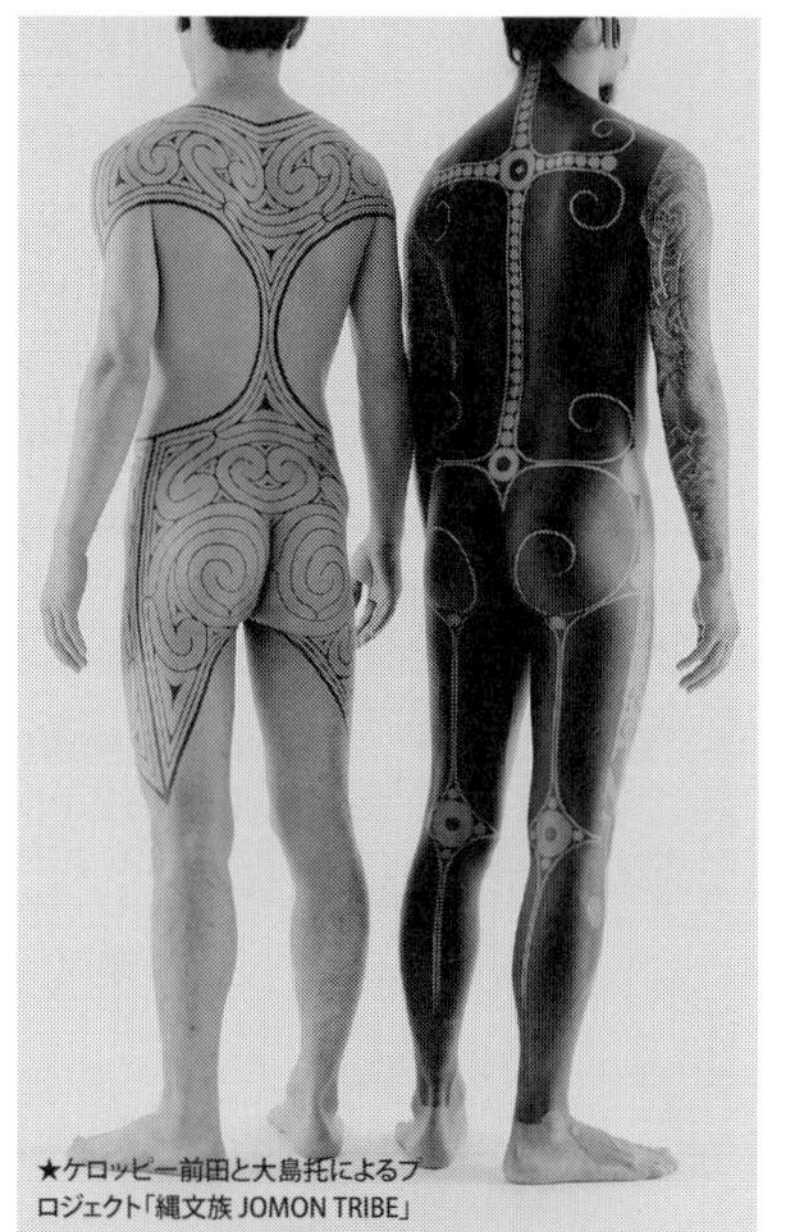
★ケロッピー前田と大島托によるプロジェクト「縄文族 JOMON TRIBE」

また、日本から発信する身体改造カルチャーとして、縄文時代のタトゥー復興プロジェクト「縄文族 JOMON TRIBE」にも力を入れている。「縄文人になりたい」という全身改造も「コンセプトトランスフォーメーション」のひとつの形だろう。

人間にとっての「自由」とは何か？「自主独立」とは何か？ 未来が見通せない時代だからこそ、痛みの経験を経て、「人間と何か？」という根本問題を世界中の多くの改造実践者たちが理解しようとしているのではないか？ 動物になりたいんじゃない、人間本来のあり方を取り戻すためにこそ、身体改造カルチャーが求められていると思うのだ。読者の方々ともぜひカルチャーの現場で巡り会いたいものである。

DARK ALICE
32. リン by eat
コン
コン
コン
コン
コン
コン
コン
これ！
リン！
こそお…
なぁ
お母
なんで
お嫁さん
見に行ったら
あかんの？
eatの単行本「DARK ALICE」好評発売中!

こんな雨の日に嫁入りやなんて
狐やったらどうするの！
未婚の人間の女は奴らに連れ去られ次の嫁にされ
既婚の女は殺される言い伝えや
ふーん
それにー……
狐のお嫁さんって…
なんや珍しいやん
そわ そわ
うちもなってみたいわ
リン！
パッ
リン！
たた
うちは殺されんから
大丈夫やって
おめでと
おめでとー

あれ？
狐ちゃうやん
あら
可愛らしい
静かやから
この村には人が
おらんのかと
思てたわ
花嫁さん
若いなー
うちとあんまり
かわらんのと違う？
見た目はね
これでも結構
年増なのよ
年を取りすぎて
恥ずかしいのに
この人に口説きに
口説かれて
しかなく
お嫁に来たの
コロコロ
ふふ
ふぇー
とにかく
おめでと
コレうちが干した
柿あげる！
ま

可愛い子…
連れて行きたいくらい…
コテツ様！コハル様！
あぁすまない！
お礼にコレをあげる
すっ
わぁ！かんざし!?
お嬢ちゃんも
幸せなお嫁さんになるのよ
あ…ありがとー！
早よお戻り風邪ひくで
くすくす
ぴょん
ぴょん
〜〜っ
たた…

お母！

あの人達
人間だったよ

しかも
良い人だった！

リン！

バカな子だよ！
お母ちゃんを
困らせないで
おくれ！

バカはお母だよ
綺麗だったよ
お嫁さん

あーあ

狐のお嫁に
してもろて
友達に自慢
したろ思たのに

残念

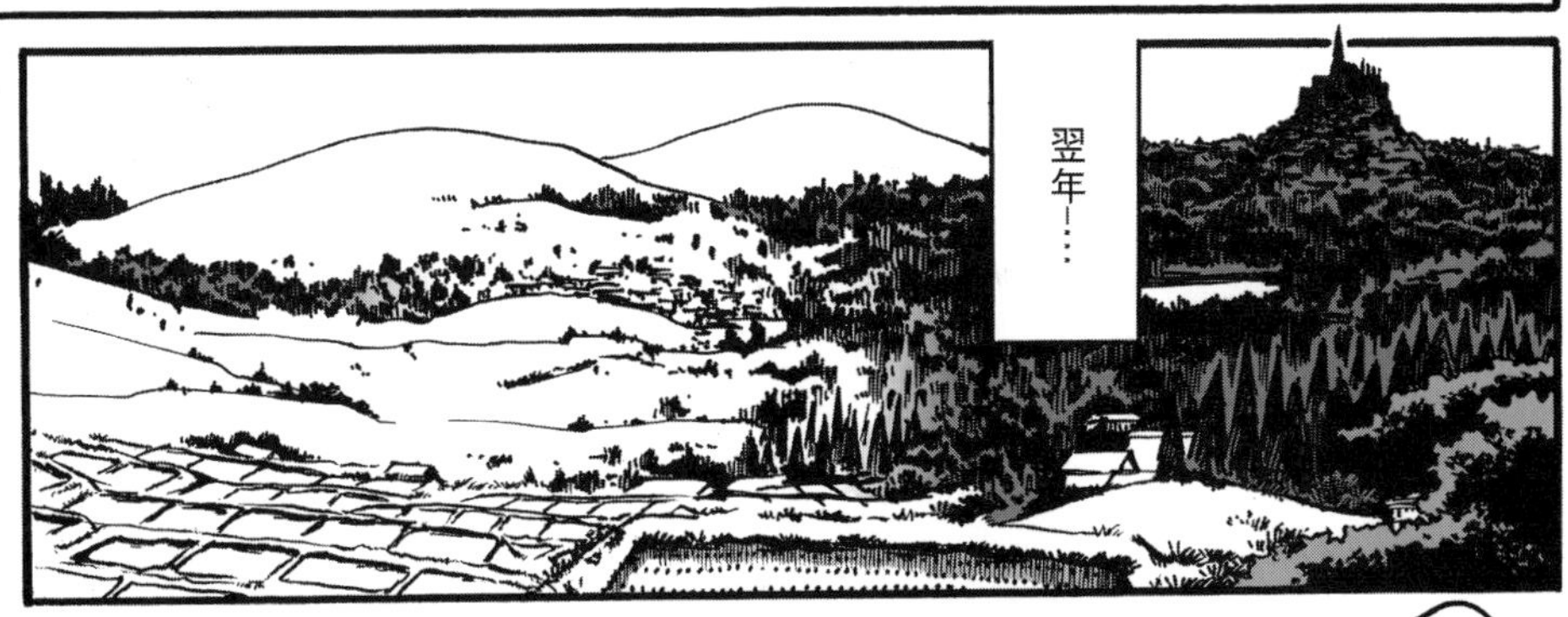

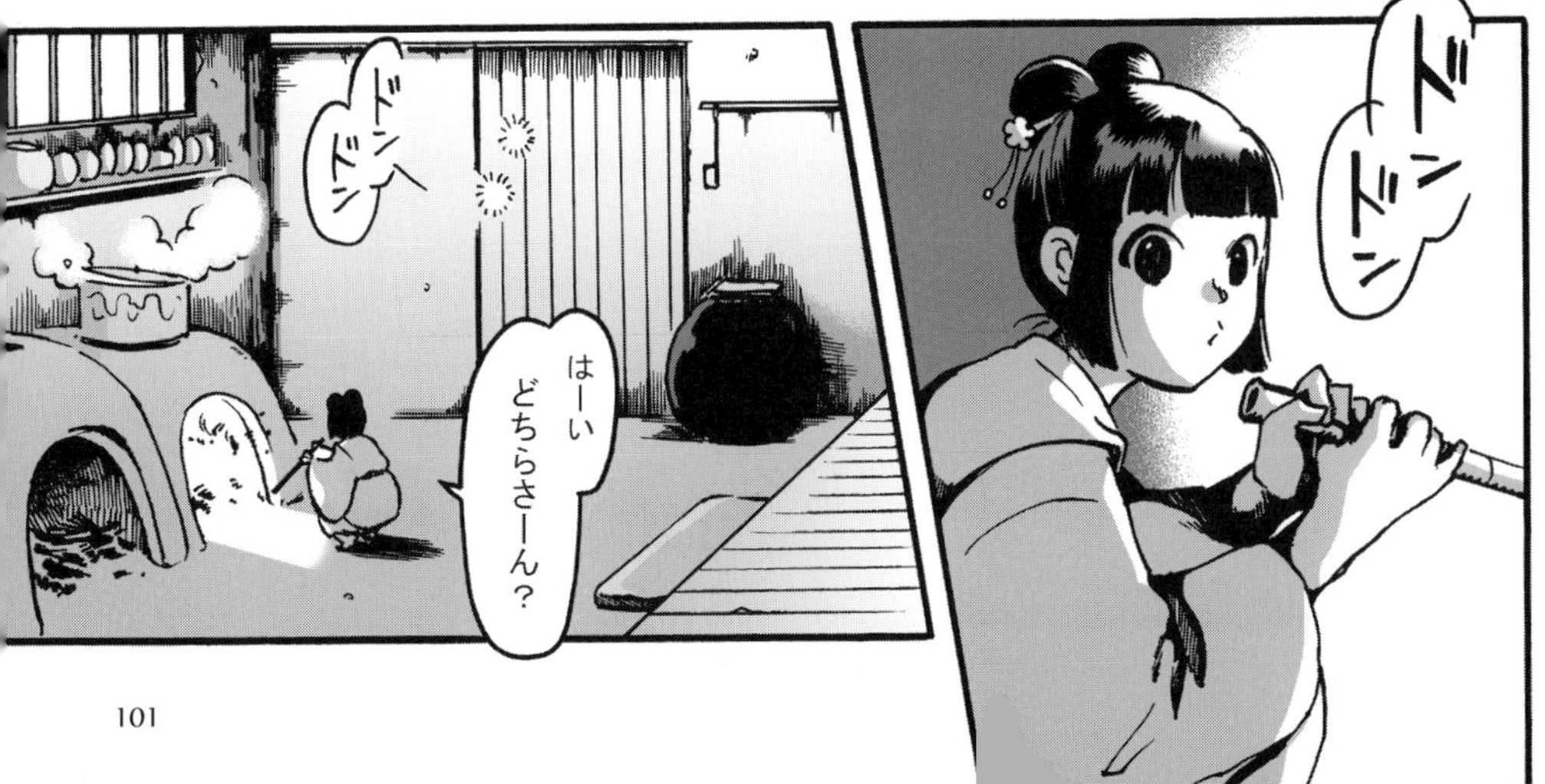

迎えの者です
迎え？
ガラ
お母なら
今山に…
母の心配通り
リンは村から
姿を消す事に
なった─…

リーン
リンちゃーん

山中探したが…いねぇなぁ
しくしく
リン…リン…

…もう いいです
そんな…ババ様！

あの子はきっと狐にさらわれたのです
それならばいくら探しても無駄
狐!?

おのれ!! あやつら!!
我ら狸を目の敵にしよるで
嫌がらせを…
いえ！

昨年あの子は山へ入る嫁入りを目撃しました
あの子はあれが人だったと申しますが
あれはやはり狐だったのです

あの子が人として

幸せなお嫁になれた事を…

神のいない世界で
——映画『ZOO』解読

◉文＝高槻真樹

出会いはまさに強烈だった。大学時代、映画「ZOO」（一九八五）を初めて見た時の衝撃は、今でも脳裏に焼き付いている。腐敗、四肢切断、奇想。グロテスクで気品に満ちた映像の奔流にただただ圧倒された。イギリスの映画監督ピーター・グリーナウェイの、日本初紹介作である。

実のところ、「ZOO」のストーリーは、さっぱりわけがわからなかった。動物園の前で車と白鳥がぶつかる交通事故が起き、動物学者の双子の兄弟は、ともに妻を亡くす。二人は悲しみのあまり、進化論の記録映画を観ながら、死んだ動物たちの腐敗を、コマ撮り写真で記録する行為に没頭していく。全編エログロ映像の連続なのだが、さほど嫌悪感は起こらず、なぜか喪失の哀しみで胸がいっぱいになる。マイケル・ナイマンの攻撃的なサウンドの迫力もあって、ただただ取りつかれたように繰り返し観てしまう。とはいえ、きちんと理解できたとはいえず、何にそれほど引き付けられるのかが分からない。

★ピーター・グリーナウェイ監督「ZOO」Blu-ray

仮説が浮かんだのは、ごく最近のことだ。これは、神がいない世界の話なのかもしれないと。

だからこそ、この物語の舞台は動物園であり、腐敗に取りつかれた動物学者が描かれるのではないか。順を追って説明していきたい。

ここで描かれる「神」とは、まずはキリスト教やイスラム教が念頭に置く、生活全般を大きく束縛する強権的な存在のことを指す。だが仏教を始めとするその他の宗教は対岸の火事なのかというと、必ずしもそうではない。程度の差こそあれ、人間の思考を枠にはめ、行動を規制し、偏見を助長することに変わりはないからだ。

「ZOO」の腐敗する生物たちは、生命の無常さを説いた仏教の「九相図」を感じさせるものかもしれないが、似ているようで違う。「ZOO」において、腐りゆく肉体は「空しい」のではなく「哀しい」と感じられるからだ。ここに、いかなる宗教にもすがらず、モノとしての肉体に立ち戻ろうとするグリーナウェイの意思を感じる。

神の不在の発見

多くの日本人にとって、「神は存在するか」という問いは、さほどの深刻な問題ではないだろう。だがアメリカでは話が別で、二〇一二年に行われた世論調査では『普遍的な霊（ユニヴァーサル・スピリット）』を信じていると答えた人が九一パーセント、そのような神がいるのは『絶対に間違いない』と答えた人が四分の三にのぼった」（E・フラー・トリー『神は、脳がつくった』ダイヤモンド社刊）という。その結果、進化論を学校で教えるな、創造説も教えろという訴えがたびたび起こされて騒動になる。進化論への理解は進んでいるはずだが、そのぶん創造説派の行動も先鋭化しているようだ。

「利己的な遺伝子」の提唱者として知られる生物学者のリチャード・ドーキンスは、この風潮に危機感を抱き、『神は妄想である』（早川書房）と断じた本まで書いた。

自然界にうまく適合した動物たちの体の仕組みを観察すると、いかにも何者かによって組み立てられた精緻な機械のように感じるかもしれない。だがそれは錯覚にすぎず、十分な時間をかければ、生物は単純な発端から、「自然淘汰」の力でゆっくり段階を経ながら進化していくことが可能である。

実際のところ、創造説派が誤解しているほど進化論は無根拠な仮説ではなく、日々着々と物証を積み上げている。DNAという生物の設計図がある程度解読された結果、どのような段階を踏んで生物が変化して来たか、今や、ある程度再現できる。

そもそも進化論の提唱者たるチャールズ・ダーウィンは、二〇年という長い歳月をかけて自らの理論を磨き上げていく中で、「神はいないらしい」と気づいたことを自叙伝の中で明らかにしている。

かつては違った。我が師である故・遠藤彰立命館大学教授は、自著『見えない自然』（昭和堂）にて「一七世紀のナチュラリストは、自分たちの科学研究がキリスト教の教説と根本において一致するという期待をまだ抱いていた」と指摘している。だが研究が進むにつれ、神の存在を否定する証拠ばかりが集まる。先輩研究者たちは、疑念を抱えつつ途方に暮れていた。進化論は、そうした蓄積の上に立ち、神に引導を渡す新たな概念となった。だが、ドーキンスが五八〇ページ近い大著で神の存在を否定し、偏見と争いを助長する宗教の有害さを訴えても、宗教は衰える気配すらない。

もちろんグリーナウェイは英国人であり、米国に代表されるような、宗教と科学のはざまでふりまわされる人々を、外側から皮肉気な視線で描いたつもりだったのだろう。だが映画は作り手の意図を超え、喪失の哀しみを描く、より普遍的な悲劇へと化していく。

たとえ無宗教のつもりでいても、つい天に幸運を祈ってしまった経験は誰にでもあるだろう。私たちの意思を超え、突き動かす得体のしれない衝動が、心の中に潜んでいる。ひょっとすると、宗教や神とは、人間のDNAにあらかじめ刻み込まれた情報そのものなのではないか。

★「ZOO」には、意識的に線対称の構図が選ばれている場面が多い

そんな思いが浮かんでくるのである。

脳の中に神を探す

そこで手に取ることになるのが、先ほど一節を引用した『神は、脳がつくった』である。著者のE・フラー・トリーは、アメリカの精神医学研究の第一人者で、人類史と脳科学の視点から「いかにして人間は神を生み出したか」を検証した。

トリーは、近年ホミニン（ヒト族）と呼ばれている人類の祖先たちの頭蓋骨化石を分析し、現代人の脳の構造と比較することで、その思考の進化を復元していく。ホミニンは、約一八〇万年前に自己認識能力、二〇万年前には他者が考えていることに気づく能力を手に入れ、心の理論を獲得する。一〇万年前には、自分について考えている自分について考える内省能力を身につける。そしておよそ四万年前には、自伝的記憶を手に入れる。

「自伝的記憶は自分を過去や将来に投影する能力で、過去の経験を活かして将来に向けた計画を立てるときに役立つ」

「将来何になりたい」という問いに答えられる能力は、実はごく最近獲得されたものなのだ。疾患や事故でこの機能が失われてしまうと、地球温暖化は人類の未来に良くない、ということはわかっても、自分の一〇年後については、答えられなくなってしまう。

こうして手に入れた「自伝的記憶」で人類は、農耕や牧畜を推し進め、国家と文明を建設できるようになった。だが、それは副作用も伴うものだった。自分自身を自覚し他人が考えていることを推し量り、自分の未来に思いをはせる。ということは、周囲の誰かが死んだ姿を目撃したとき、自分もいつか死ぬと気づく。

つまり人類は時間の概念を知った時、初めて死の恐怖を感じるようになった。さらに人間は、夢の中で、身体を離脱する幻覚を見たり、死んだ誰かに再会したりもする。その夢は時に、意味ありげなメッセージとして感じられてしまう。

そこから、死んだ人間は身体を離れてどこか別のところへ行き、子孫を見守っているのではないか、という考え方が生まれてくる。たまたま「子孫をよく守ってくれている」ように思えた祖先は、部族全体に敬われる存在となり「神」へと昇格する。そんな流れが見えてくるのである。

神のいない場所「ZOO」

グリーナウェイの映画「ZOO」に立ち戻ってみよう。首の長いキリンや鼻の長い象、全身をストライプに包んだシマウマが、実は小さな偶然の積み重ねによって生まれたことを私たちはすでに知っている。つまり、動物園とは、進化論の成果を可視化する舞台なのである。

かつてダーウィンがそうだったように、進化論を受け入れるとき、神は存在を失う。つまり動物園を舞台としたこの映画の登場人物たちは、誰も神を信じていない。その証拠に、この映画には葬儀も教会の礼拝も一度も登場しない。冒頭で主人公の妻たちがいきなり死ぬにもかかわらず、である。

妻を失った兄弟は「妻の身体が腐るのは嫌だ」と、ひたすら嘆き悲しむ。神がいないのであれば、死んだ人間が向かうはずの天国も地獄もない。残されるのは、腐りゆく肉体だけだ。ならばせめて、その腐敗は何か意味のあるものであってほしい。その思いが、生物の腐敗を観察するという奇怪な行動につながっていく。

そもそも妻たちはなぜ「白鳥にぶつかって死ぬ」などという馬鹿げた運命に見舞われたのか。キリスト教やイスラム教は「神の御心」を唱える。仏教は無常を説き、我欲を捨てるよう促す。だが、ナンセンスすぎる死は、宗教的誘導への説得力を失わせる。神がいないのであれば、自分で原因を突き止めなければならない。そこで、進化論の記録映画を観てそこにヒントを探す。進化論が世界の成り立ちを説明するのであれば、妻の死も説明してくれるはずだと信じて。

★フェルメール「赤い帽子の女」(左)と、「ZOO」の一場面(右)

神のいない世界では、各々が自身の好みの赴くままに、私たちの現実とはかけ離れた独自の美意識を競い合っている。大きな存在感を見せるのが、オランダの画家・フェルメールを模した画面構成だ。医師は左右対称の美学のもとに四肢を切断してしまうし、愛人の女は「赤い帽子の女」のコスプレをしてみせる。いささか唐突に思えるが、フェルメールが宗教的な主題を離れ、神でも権力者でもない無名の個人の一瞬の姿を捉えたポートレイトを描き注目を集めたことを考えると、合点が行く。確かにこれは神のいない世界の美の規範のひとつだ。神秘的な権威が否定されるのであれば、絵画の中に描かれたモノとしての人体や家具の配置が、美の源泉となる。この世界の人々が線対称を追い求めるのは、それでいくらかでも秩序を手に入れたような安らぎが得られるからだろう。

なぜ、世界はこのような形であるのか。なぜ人は死ななければならないのか。死んだ人はどうなるのか。だが、進化論の中に答えはない。世界を支配するのは因果でも運命でもなく、偶然なのだから。たまたま環境に適合する能力を手に入れたものが生き延びる。

腐敗を観察する兄弟の実験が、失敗に終わる結末は見えている。待っているのは、無数のカタツムリに襲われる、さらに馬鹿げた最期でしかない。

兄弟は一卵性双生児だった自分たちの過去を知り、なんとか一体化しようとお互いの姿を似せていく。だが雌雄の機能を一体に併せ持つ、「完結した存在」であるカタツムリが、欠落した人間たちの身体を覆い尽くし、腐敗を記録するはずのカメラを破壊する。喪失感を埋めようとするあがきをあざけるかのように、「1」が「2分の1」を喰らう。なんと辛辣な結末であろうか。

「なぜ」と問う心が、神を生み出した。だが、神がいないと分かっても、答えを求める衝動はなくならない。私たちは、不安を抱えながら、憑かれたようにさまよい、問い続けるしかないのだ。たとえ、答えがどこからも返って来ないとしても。

恐れと憧れがせめぎ合う スクリーンの変身人間たち

●文＝浅尾典彦

どうやら、人間はまだ生態系の頂点にいるようだが、他の動物にあって人間にない能力、例えば人並み外れた腕力や空を飛ぶこと、速く走ること、海底に住むことなどの能力に憧れを抱いて来た。自分にないそれらは、同時に恐怖の対象でもあり、そして、人間の素晴らしい〝想像力〟を大いに掻き立てた。飛行機やロケット、車、潜水技術、武器など科学の進歩に貢献し、〝スーパーナチュラルなパワー〟やそのパワーを持つ空想上のキャラクターたちを生み出し、人間の魂の置き所である信仰や伝説などの宗教観を育て、文学や芸術の中へと深く広がっていった。

映画の世界、特に〝想像力〟を具現化してみせるファンタジーやSF・ホラー映画など、いわゆるジャンルムービーではこれらは格好の材料であった。科学や呪いや超自然の力により人間が獣の能力を授かったり、変身したりする。中には獣が人間になってくるものもある。自由自在だ。特殊メイクや造形による視覚効果の面白さも相まって、「変身人間」のテーマの映画は、時代を超えて作り続けられるエンタテインメントなのである。

ここでは、それらを狂った科学の作用で変身してしまった悲劇の映画を中心に、博物学的に種別に分類しながら見てゆこう。

【獣人系】

映画に出てくる科学者はともかく人間を改造したがる傾向にあるようだ。科学理念に従い怪物を創るのは1818年、イギリスの小説家、メアリー・シェリーが書いた『フランケンシュタイン、あるいは現代のプロメテウス』(Frankenstein: or The Modern Prometheus)が源泉なのだが、「変身人間」に関しては、イギリスの小説家ハーバート・ジョージ・ウェルズが1896年に発表した傑作『モロー博士の島』(The Island of Dr. Moreau)の方がルーツであろう。海難事故で流れ着いた島で船員が見たのは、モロー博士によって様々な人間のように改造され、知性を与えられ、奴隷の労働に使役していた獣人の姿であった。造られた物は二足歩行の人型獣で、人間のように「掟」を守りながら生活しているが、やがては本能が目覚め、悲劇のドラマを生む。この名作は何度も映画化されており、そのどれもが素晴らしい。

最初は『キング・コング』(King Kong)と同じ1933年製作の『獣人島』(Island of Lost Souls)。チャールズ・ロートンが太ったちょび髭のモロー博士、ベラ・ルゴシが獣人の頭を演じたモノクロ映画で重厚な仕上がりだった。次いで1977年のアメリカ映画『ドクター・モローの島』(The Island of Dr. Moreau)。これは獣人たちの特殊メイクが良く出来ていた。アメリカ公開版と日本公開版ではラストが違う。島を脱出した船上でバーバラ・カレラ扮するマリアの流す一粒の涙が意味深なので、日本版の方がより良い仕上がりだ。

1996年の『D.N.A.／ドクター・モローの島』(The Island of Dr. Moreau)は異様な雰囲気を持つ。マーロン・ブランド、ヴァル・キルマー主演の作品で、モロー博士と獣人による妄想狂の新興宗教の島と成り果てていたが、「都会に戻っても、はたしてそこが正常と言えるのか？」と痛烈な社会批判で斬って見せた。

獣が人間に改造される〝モロー系〟作品は、他

★右から、『獣人島』『ドクター・モローの島』『残酷の人獣』。
左下も『ドクター・モローの島』。

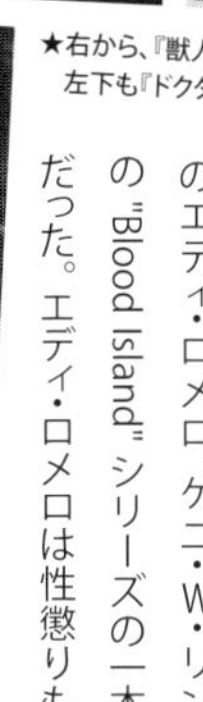

に日本でも1959年にひっそり公開された『残酷の人獣』(Terror Is a Man, Creature from Blood Island)がある。これは、包帯グルグルの猫耳黒豹男がちょこっとだけでるだけのフィリピン・アメリカ合作C級映画。製作のエディ・ロメロ、ケニ・W・リンの"Blood Island"シリーズの一本だった。エディ・ロメロは性懲りもなく、1972年に『半獣要塞ドクター・ゴードン』(ビデオ発売 The Twilight People)を撮っているが、これは逆で、さらった人間を色んな獣人に変えるゴードン博士の物語だった。他に亜流として、島で魚人間を創る『ドクター・モリスの島/フィッシュマン』(L'isola degli uomini pesce, 1979)も面白かった。

なお、世界最初の「変身人間」ものの映画は、1920年制作の『鳥人獣人』(Go and Get It)。猿に犯罪者の脳を移植するが、逃げ出して次々と復讐するサイレント映画で戦前日本でも公開している。

【猿人系】

『猿の惑星』(Planet of the Apes)のシリーズのヒットを見ても分かるように、ゴリラ人間はSFに魅力的な要素であるようだ。

1958年公開の『獣人ゴリラ男』(Ladron de Cadaveres)は、プロレス、ルチャリブレの本場メキシコの映画。科学者が死んだレスラー・ギレルモの体に、ゴリラの脳髄を移植して復活。マスクをかぶせプロレス試合に出すのだが、当然、途中から暴れだして観客はパニック状態となる。珍しく東宝系で公開された。

★『過去のうめき声／逆進化の恐怖』

★『ジャングルの妖女』

進化の失敗例もある。テレビ公開した『過去のうめき声／逆進化の恐怖』（The Neanderthal Man, 1953）では逆進化の注射で、猫はサーベルタイガーに、患者はネアンデールタール人になってしまう。同じくテレビ公開の『心霊移植人間』（I was a Teenage Werewolf, 1957）では実験で狼男 に、Monster on the Campus（1958）ではシーラカンスの血液のために教授が先祖返りする。『電子頭脳人間』（The Terminal Man, 1974）は『ジュラシック・パーク』（Jurassic Park, 1993）のM・クライトンが原作だが、頭にチップを埋め込んで脳科学を進歩させる実験によって、最終的に野人となってしまう。ジョン・C・リリー博士の変性意識状態を引用した1979年の『アルタード・ステーツ／未知への挑戦』（Altered states）は、ケン・ラッセル監督作品。生命の根源の研究のため幻覚溶液の入ったタンク内で瞑想すると、意識のみならず身体も変化するのだが、途中でやはり原始人化する。

野生味溢れるアクアネッタ（Acquanett）は、シャングル女優として名を残した。1946年のヒット作『ターザンと豹女』（Tarzan and the Leopard Woman）で鉄の爪をつけた偽装豹男を操る邪教の教祖・豹女を演じて売れたが、それ以前は Captive Wild Woman（1943）と『ジャングルの妖女』（Jungle Woman, 1944）にも出演、改造ゴリラ女になった。結構な美女なのに特殊メイクでサル女になる落差もウケヒットしたが、シリーズ第三作 The Jungle Captive（1945）では、後に歌手となるヴィッキー・レーンがゴリラ女を演じていた。

【昆虫系】

とにかく、科学の実験には失敗がつきものだ。物質転送の実験で科学者アンドレは、自らが被験者となってやったが失敗、電送途中で紛れ込んだハエと融合してハエ男となる。英国人ジョルジュ・ランジュランがフランスで書いたSF小説『蝿』を映画化した1958年の名作『ハエ男の恐怖』（The Fly）だ。ディック・スミスによるハエ男の頭が美しく、逆に人間の頭の付いた人間ハエは気味悪かった。大ヒットしシリーズ化され、続いて作られた『恐怖のハエ人間』（ビデオ題『ハエ男の恐怖』Return of the fly, 1959）では、今度は息子がハエ男になりヴィンセント・プライス扮するおじさんに助けを求める。映画のスケールも怪物の頭も大きくなった。そして『蝿男の呪い』（Curse of the fly, 1965）へと続く。このシリーズは第二作までがテレビ放送、三作目はDVDで初めて紹介される不遇な扱いのだが、特殊メイクが発達する1980年代になって評価されリメイクされる。

1986年、カナダのデヴィッド・クローネンバーグ監督が映画化したのが『ザ・フライ』（The

★右から、『恐怖のハエ人間』『蝿男の呪い』『マチネー/土曜の午後はキッスで始まる』の宣伝のために作られた「マント!」のチラシ。右下は『ハエ男の恐怖』。

Fly)だ。顔が崩れ、爪が剥がれ、髪の毛や歯が抜け落ちるなど肉体が変貌して徐々にハエ化してゆく様が凄まじかったが、エイズが社会問題になった時期と重なり「それでもあなたは夫を愛せますか?」という恋人視点のテレビコピーが当たり、女性客も多かった。1989年には、続編『ザ・フライ2 二世誕生』(The Fly II)が公開された。前作でSFX担当だったクリス・ウェイラスが監督を務めている。

変わり種は、2012年のインド映画の『マッキー』(EEGA)が面白い。殺されてハエに転生した青年が、彼女を守るためマフィアに立ち向かっていくアクションコメディ。転生なので変身ではないが、CGの効果でハエ対人間の壮絶バトル展開がうまく、感動もあった。

対して、女性はハチのイメージが強いのか蜂女映画もいくつかある。『スズメバチ女』(テレビ公開 Wasp Woman, 1960)は製作・監督ロジャー・コーマンのB級映画。化粧品会社の女社長が若返りの薬に一発逆転をかけるがという話。蜂女は顔のみの安メイクであまり活躍しなかった。これには『ザ・フェイス』(Wasp Woman, 1995)というリメイクも有り、こちらはちゃんと巨大スズメバチ女に完全変形して、イケメン男子を襲う。『インベージョン・オブ・ザ・ビー・ガールズ』(Invasion of the Bee Girls, 1973)は女性科学者が街の若い女性を次々蜂女にするという映画。脚本は『タイム・アフター・タイム』(Time After Time, 1979)の監督ニコラス・メイヤー。ちょっとエロチックなサスペンスで男を狩る、蜂女には白目がなく黒い瞳。黒の全眼コンタクトとPOVの複眼カットだけで乗り切ったまさにビー級作品だ。

日本でも一本『猛毒Y談 吸血!女王蜂!!』(Wasp Woman in TOKYO, 2011)がある。女王蜂のフェロモンを抽出したダイエット薬で究極の体を手に入れた美都子は、行きずりの男との一夜を楽しむが、目覚めると相手の男たちを食い殺す吸血女王蜂になっていた。中野貴雄監督によるエロテックホラー。

ジョー・ダンテ監督が1993年に撮った『マチネー／土曜の午後はキッスで始まる』(Matinee)は1960年代の キューバ危機を描いたコメディで、毎週土曜日の午後に映画館でB級映画を観ていた少年が核シェルターに閉じ込められるのだが、その時観ていたのが蟻人間になるSF「MANT!」。監督はこの映画用に蟻人間の短編映画も作り、日本の宣伝はノリで「マント!」のチラシまでも作った。

【ハ虫類】

正面切っての作品は意外と少ない。テレビ公開した『恐怖ワニ人間』(The Alligator People, 1959)は頭がワニになった男。本当のワニと格闘するシーンもあるが悲しい結末を迎える。『怪奇!吸血人間スネーク』(Ssssss, 1973)は、実験の失敗でサーカスに売られたヘビ男の話。ラストで本物のヘビになって観客が驚く。科学の作用ではないが、ヤモリの悪霊に憑依される『トカゲ女』(Lizard Woman, 2004)はタイの映画だった。

★『恐怖ワニ人間』

【植物系】

美少年ナルキッソスは、死んで水辺に咲く一本の水仙になる。ナルシシズムの語源となるギリシア神話だが、科学の力で植物になることは稀なようである。

『悪魔の植物人間』(The Mutations, 1974)は、『黒水仙』(Black Narcissus, 1947)の撮影監督ジャック・カーディフによるイギリスのホラー。

植物と人間を併合させ生物を進化させる科学者の狂気を描く。ドナルド・プレザンス扮するノルター教授により創造されたハエ取り草人間がおぞましい。

科学者が化学薬品と爆発の衝撃によって沼の中で緑の怪物に変身する『スワンプシング』(Swamp Thing)はアメリカン・コミックス。植物の特性を持つスーパーヒーローで、原作者にアラン・ムーアを起用し環境問題をテーマとした『サーガ・オブ・スワンプシング』シリーズがヒットした。映画化は二回でウェス・クレイヴン監督の『怪人スワンプシング 影のヒーロー』(Swamp Thing, 1982)と『怪人スワンプシング』(The Return of Swamp Thing, 1989)と控えめだった。

★『悪魔の植物人間』

日本の人気アニメの実写映画化『妖怪人間ベム』(2012)では、改造され植物の特性を持ち、植物系のカマやムチで襲いかかる〝人間妖怪〟の上野小百合を観月ありさが、結婚前に体当たりで演じていた。

※猫化する美女、スラブ民族の狼男伝承、人間に恋をする白蛇、あまたある『美女と野獣』ほか。呪いや魔法など、愛すべきファンタジーの変身人間たちは次のチャンスに譲ろう。

キム・ギヨンが描く〝オス〟と〝メス〟——人間は獣、いや虫けら

◉文=友成純一

キム・ギヨンの作品をそうと意識して見たのは、ごく最近のことである。韓国映画の〝怪物〟と呼ばれ、〝ゲテモノの帝王〟とも看做され、今世紀に入る前後に再評価の動きが高まったというが、映画どころか電気もない僻地に入り浸っていた私は知らなかった。

「下女」(60)というタイトルは聞いたことがあった。イム・ソンスによるリメイク作品「ハウスメイド」(10)は、制作された当時、シチェス・ファンタで上映された際に見ている。たぶんその際に、パンフか何かに「下女」のリメイクと書いてあったので、この作品を知ったのだろう。

去年一九年の十一月に〈シネマヴェーラ渋谷〉で、ギヨンの生誕百年記念ということで〈キム・ギヨン特集〉が組まれた。不意に、これのパンフに原稿を書いてくれと依頼があった。大昔、東京にいた間に世話になった映画関係の方からで、

「友成さん、書いてくれます、キム・ギヨンについて」

知っているだろう、書きたいだろう——そう言わんばかりに。

依頼原稿など絶えてなくなっており、依頼があれば何も知らないネタについてでも書く気でいる私は、「おお、キム・ギヨンですか、良いですねえ、書きましょう」——さも知っているかのように引き受けた。何はともあれ、彼の口振りから察するに、私好みの、見ていて当然の監督らしいし。

結局、キム・ギヨンの代表作「下女」について書くことになり、サンプルの日本語字幕付きDVDを送ってくれた。見て、ひっくり返った。

他の映画も見れないかと、YouTubeで検索を掛けてみた。今時、この種の下手物はYouTubeにけっこうタダで転がっている。キム・ギヨン自身の手になる十一年後のリメイク「火女」(71)が英語字幕付きであった。さらにその十一年後に、三度目のリメイク「火女'82」が撮られている。ほぼ十年置きに自分でリメイクしているということは、受けたからまた作ったというより、このネタにギヨン自身が強い思い入れを持っていて、時代の移り変わりに応じて、撮り分けているに違いない。

三作目「火女'82」は、まだ見る機会がないままでいる。取り敢えず私が初めてキム・ギヨンをそうと意識して見た、「下女」「火女」について書いてみる。

「下女」——戦後復興期

「下女」は、朝鮮戦争(48-53)が休戦になって間もない六十年の映画である。朝鮮戦争の最前線は、朝鮮半島を北から南まで二度に渡って縦断しており、半島全土が焦土と化し、壊滅的な打撃を受けた。それから七年が経とうという時期で、韓国は復興の途上にあったのではないだろうか。

映画は繊維工場に始まる。田舎から出稼ぎに来た女工たちで賑わっている。休戦から間もない時期に田舎から出稼ぎに——などと言うと暗いイメージがあるが、しかし彼女らには解放感が強くあったに違いない。当時は儒教の仕来たりがまだまだ強く残っていたに違いなく、娘たちの田舎での生活は旧習に縛られ、自由などなかったのでは。それがソウルという大都会に出て来て、しかもソウルは復興の活気に満ちている。結婚前の、十代半ばかそこらの娘たちばか

りが集まり、寮に固まって住んでいる。同じ年頃の娘ばかりで何の気兼ねもなく、一緒にご飯を食べて寝て、仕事をして余暇を過ごす。もう、家族や親戚、同じ村の連中から見張られたり指図されることもなく、自由に暮らせるのだ。田舎に大きな金額を仕送りしているわけで、もう文句を言われる筋合いはどこにもない。

映画の冒頭で、仕事を終えた女工たちが更衣室に集まっている。ある女工は、「さあ、皆んな、音楽部に集まって、楽しく歌って過ごしましょう」「スポーツ部に集まって、汗を流そう」と勧誘し合う。「スポーツ部では、麺を食べ放題だよ」「音楽部の先生は、二枚目よ」と、競い合う。それだけの描写なのだが、娘たち皆んな、身振り手振りが生き生きとしていて、工場での生活を楽しんでいる様子が判る。

十代半ばの年頃の娘が、二枚目の音楽の先生がいるクラブに集まれば、当然、恋愛の真似事が始まる。誠実な大人で、しかも二枚目となれば、娘たちが憧れて当然だ。女工の一人が、先生のピアノの鍵盤の上、キーボードの扉の下に、恋文を隠した。先生はピアノを弾こうとして手紙を発見。チラリと目を通してそれをスーツの内ポケットに隠し、何事もなかったようにピアノを弾き始めるが、しかしやはり気になる。ピアノを中断して、女工たちの管理者の下にその恋文を持って行く。

若い娘たちの集まりであるこの職場で、こうした恋愛沙汰は御法度である。実際、彼女らとのこんな恋文沙汰を放って置いては、彼の余暇の音楽指導者としての立場に関わる。先生の行動は、年長の指導者として当然だろう。結果、付け文をした女工は三日間の謹慎を申し渡されるが、彼女は先生のおかげで大恥を掻かされたと悲憤慷慨、仕事はクビになったとそこいら中に言い触らし、工場を飛び出してしまう。

田舎の家族や村の衆の縛りから逃れ解放され、大都会ソウルでよく言えば天真爛漫、悪く言えば無軌道で我儘になっている娘たち――いわゆる〝戦後〟世代の娘たちの生態を、ギヨンは良いとか悪いとかの裁きを交えることなく、あるがままに生々しく描いて行く。同じ生々しさでギヨンは、娘たちばかりでなく、立派な大人で良識ある社会人である先生一家の生活も描写して行く。

先生の一家は、中産階級の豊かな暮らしをしている。韓国社会そのものを象徴するように、先生の生活も復興の真っ最中だった。作曲家なのだがそれだけで暮らせるはずがなく、繊維工場で女工たちの音楽の先生を。子が二人おり、姉は足が不自由で歩くには杖が必要で、弟は自由奔放にいたずら盛り。奥さんは上昇志向が強くて、自分も最新のミシンで縫い物の内職で稼ぎ、無理して二階家を新築したばかりだった。先生の仕事の道具でもある高価なピアノまで買い込み、今は最新の家電であるテレビを欲しいと思っていた。子供は二人とも、大学にやるつもりいる。

先生は工場で音楽を指導するだけでなく、「お金がいるんだ」と皆んなに言いながら、ピアノの個人レッスンの生徒を募る。先生に密かに惚れ込んでいる、先のクビになった女工の親友キョンヒが、個人レッスンを希望して、先生の家に出入りするようになった。きちんとした娘だったので先生も奥さんも安心し、子供たちもお菓子を貰って懐いていた。

子供はまだ小学生で、姉は足が悪い。妻が一人で仕切るには、新築の家は広過ぎた。新築でも何でも、ネズミとゴキブリはたちまち入り込んで来る。キッチンの戸棚に潜んでいたネズミに、妻は腰を抜かし、それをきっかけに寝込んでしまったりする。家政婦(下女)が必要だった。

先生は、家に出入りするキョンヒを通じて、家政婦を探してもらう。きちんとして見えても所詮は十代の若い娘だ。人を見る目などない。いや、そんな彼女の目にも「ちょっと手癖に問題がある」という娘ミョンジャを、紹介してしまう。彼女が、下女として家に住み込むことになった。

このミョンジャは、田舎から出て来た女工たちの中でもはみ出し者だった。ひときわ育ちが悪いらしく、女工たちにも蔑まれている様子。タバコばかり吸うし、一家の目を盗んでキッチン等の戸棚は物色する。一家が嫌がり、怖がるネズミを平気で摘んで、ケラケラ笑っていたりする。ネズミが嫌な妻が殺鼠剤を用意しており、これでネズミを始末するようにミョンジャに言うのだが――この殺鼠剤が、この後のサスペンスを大いに盛り上げるし、ネズミは登場人物たちの生き様を象徴してあまりある。キム・ギヨンの映画では、ネズミとかリス、虫、魚……そうした生き物が、人間も実は動物に他ならない象徴として、頻繁に使われる。

下女ミョンジャは、先生の自宅でピアノのレッスンを受けるキョンヒが羨ましくてならなかった。自分もあんな風に先生に手を取られて、ピアノを教えて貰いたかった。中産階級である先生の暮らしはまさに夢のようで、自分もこんな風に暮らしたかった。

先の付け文がバレて工場から飛び出した娘が、自殺した。先生は女工たちからも、娘の実家からも激しく責められる。先生はちっとも悪くないのだが、心優しい良い人なので、自分が自殺に追い込んだように感じて、深く傷付く。この事件が起きたのは、家事と内職に疲れた妻を慰安のために、子供たちと共に実家に帰した間のことだった。

ある豪雨の晩、先生一人の家にキョンヒが個人レッスンを受けにやって来る。そして、実は先生を愛しているのは自分で、自殺した彼女はその代わりに手紙を出してくれたのだと告白、傷心の先生に迫る。自ら服を引き千切り、自分の相手をしてくれないなら、「先生に犯されたって遺書を残して、あたしも死んでやる」と泣くわ喚くわ。先生も癇癪を起こして彼女を張り倒し、追い返すが……そんな具合に先生がパニックに陥っているところに、ミョンジャが付け込む。先生をモノにしてしまうのだった。

女工たちからも低く見られる極貧の家庭に育った下女ミョンジャの、自分よりクラスが上の人間への憧れ、コンプレックス、嫉妬……そして憎悪……普通に娯楽映画だったら、「危険な情事」のように先生の視点で、この下女を、頭のいかれた悪夢の殺人鬼のように描くホラーに仕上げるか、ミョンジャの視点で彼女の苦闘を描くか。しかしギヨンは、どちらの視点にも立たない。

復興途上のソウルに出て来て、解放感に浸って無軌道に〝自由〟を謳歌する娘たち。豊かな暮らしを求めて邁進する先生の一家は、一方、せっかく手に入れた今の暮らしを失うのが恐ろしく、世間体を気にする。ために先生の子を妊娠したのが発覚し、それが世間に知れるのを恐れて流産を強いたのをきっかけに、先生の一家は手も足も出なくなる。失うものが何もなくて捨て身になっているミョンジャは、奥さんを差し置いて、先生に自分と夫婦生活をすることを要求し、自分が流産した代償に、男の子を階段から転落死させる。そこまでされると、先生一家はもはや呪縛されたも同然、マゾ奴隷のように、ミョンジャの言い成りになってしまう。

いじめとか監禁、誘拐でいつも話題にされるのは、客観的に端から見れば、逃げようと思えば簡単に逃げ出せるのに、逃げないでいることである。人間は理性で生きてない証拠だ。囚われの心理、拘束や強制が絶対的に感じられると、金縛りに合ったみたいに逃げ出せなくなる。逆に相手に言い成りに、思い通りに従ってしまう。それがますます、攻撃する側の攻撃性を刺激する。双方がまさに、〝嗜虐〟の心理に囚われる。この同じ囚われの心理が、理性的で良識ある個人が、集団になると破壊的な行動に走ったりする。

最下層のミョンジャも、解放感に浸る娘たちも、上昇志向に囚われた先生一家も、ギヨンはまるで動物や昆虫の生態観察をするみたいに、冷たく突き放して見ている。

ミョンジャがどんどん攻撃的になり、奥さんは奴隷のように言い成りになり。主従が完全に逆転する。ギヨンが描くこの特殊な状況における人間の心理と行動の屈折は、ミヒャエル・ハネケ「ファニーゲーム」にも通ずる。

ミョンジャはまさに雌豚、腹立たしいまでに意地悪で下劣で嫌なバイタだ。ブスでペチャパイ、身体付きは男の子で、色気などかけらもない。振る舞いは下品だし、臭って来そうに小汚いし、こんな小娘といったいどうしたら喚られるのか。しかも先生は、あのほんの一瞬の出来心の瞬間を除いて、志操堅固で奥さんと子供たちを深く愛し、家庭的に良い夫で父で先生だというのに……

夫は後半、奥さんとミョンジャの板挟みになって、自らの判断は何も出来なくなる。奥さんの所有物か、ミョンジャの所有物か——男はオスであり、女はメス。男の存在価値は種付けにあり、種付けが済んだら用済み、後は子供たちの養分として食われるだけ。主人公三人は男を頂点とする三角関係に陥るが、男がトップにいるのは形だけ。どちらの女がこのオスを所有するか、それを巡る女同士の争いが展開を盛り上げてゆく。

「火女」——高度成長期

十一年後、七一年の「火女」も、登場人物と展開はほぼ同じである。が、復興を終えて高度成長期に入り始めたソウルは、十年前とは大きく変わっている。古いビルが取り壊され、新たな高層ビルが次々に建設され……そんなソウル中心部の様子を、そして工事現場や交通の賑わい、街に溢れる人々を、映画は頻繁に映し出す。

主人公は作曲家として一家をなし、新しいヒット曲を求める美しく可愛い歌手たちに囲まれている。けれど生活能力はないらしく、収入とかお金の管理は奥さんに依存している。奥さんは大きな養鶏場を経営しており、それが一家の収入源らしい。子供は「下女」と同じく姉と弟だが、今度の姉は足は悪くない。奥さんは、美人歌手に囲まれている夫の浮気を心配しているが、しかし夫にそんな気はまるでない。そもそも、経済的に奥さんに縛られているし、行動はすべて筒抜けなので、浮気のしようもない。

田舎で、男たちに襲われて身を穢された娘がいた。彼女はミョンジャといい、癲癇の発作があり、興奮すると痙攣して意識を失う。彼女は女友達と共に、逃げるようにソウルにやって来る。高度成長真っ盛りの都会の常として、ヤクザが幅を利かせている。娘たちの就職斡旋のヤクザ・ブローカーがいて、二人はこのブローカーに仕事を紹介してもらう。女友達はナイトクラブで働くことになり、ミョンジャは家政婦として雇われることになった。

「うちはそんなに給料は出せないの」という奥さんだが、「お母さんは、あたしがちゃんとした結婚を出来ればそれで良いって思ってる。良い結婚相手を見付けてくれたら、お給料は安くても良いです」とミョンジャは引き受ける。「下女」のあの下劣で貪欲で不道徳、恥知らずで我儘な腐れバイタと違って、今度のミョンジャは妙に愛嬌があり、可愛い。田舎者らしく、都会でお洒落な生活をしている作曲家夫婦の大きな家で、まずはドジの連続なのだが、それも愛嬌がある。

夫婦生活を盗み見て、年頃の娘らしく発情したりする。彼女は興奮すると癲癇の発作を起こし、痙攣しながらのた打つのだが、それは癲癇というより、表面は愛嬌のある無垢で純真な娘を気取っているが、内に秘めているのは獣性。欲望とか感情が表に出ると、獣性が顕になる——そう言った方が良いだろう。

この純真で何も知らない田舎娘を、作曲家の夫は臭いと言って毛嫌いし、いつも遠ざけている。が、そんな風なので奥さんは却って安心し、ミョンジャを右腕として可愛がる。家事ばかりでなく、養鶏場での仕事を教え込み、自分の代わりに夫を見張ってくれと頼んだりする。夫が高価なビールをいつも飲んでいるのに驚き、ミョンジャは田舎でいつも作っていたマッコリをご馳走したりする。このマッコリが美味しいと言って、作曲家はついつい飲み過ぎ、泥酔する。

奥さんが子供たちを連れて実家に戻っている間に、作曲家の歌を買うつもりでいた美人歌手がやって来る。買うお金がないので、身体で払うと迫って来る。ミョンジャのマッコリで酔っている先生は、泥酔して眠ってしまい、待ってました美人歌手がのし掛かるが……ミョンジャが見張っていた。奥さんに夫を見張っていてと言われていたので、その命令に忠実に。美人歌手を叩き出すことには成功するが、泥酔して盛りの付いた先生は、ミョンジャを美人歌手と勘違いしたか、あるいはもう欲情を処理できれば誰でも良かったのか、ミョンジャに襲い掛かってしまう。田舎を逃げ出すきっかけとなった、あの強姦沙汰が、ミョンジャの脳裏に蘇った。ミョンジャは癲癇の発作を起こし、人事不詳に。そこを、やってしまう作曲家先生――かくして奥さんの背後で二人はできてしまい、妊娠してしまうミョンジャだった。

　ミョンジャと奥さんという二匹のメスの、成り行き任せでの種付けしか能のないオスの取り合いが始まる。

　本作は時代背景が高度成長期のソウルに変わっており、その時代に相応しく全てがリニューアルされている。そしてそんな時代に相応しく、推理仕立てである。映画は、ミョンジャと夫が死んでいる現場から始まる。夫は背中に包丁を突き立てられ、刺殺されたらしい。どうも家政婦のミョンジャと二人、強盗に殺されたようだ……奥さんはその事情聴取をされている……やがて、夫の死因が刺殺でなく、殺鼠剤だったと判明。すると嫌疑は、奥さんに掛かって来る。ミョンジャを紹介したブローカーの死体が漢江の河岸で見付かるのだが、殺したのは誰か。さらに、ナイトクラブで働くミョンジャの友達が、ミョンジャからすべてを記した〝遺書〟を手渡される――

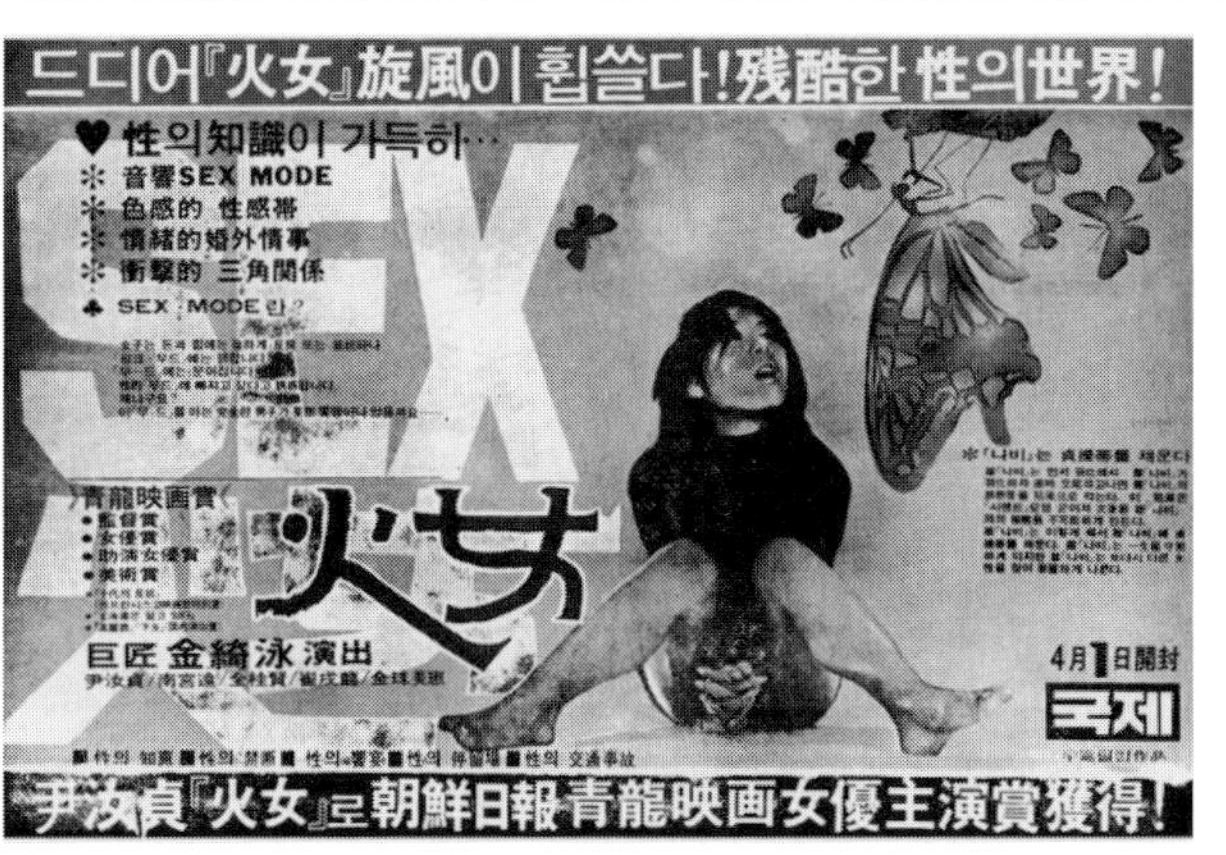

――映画は捜査の過程とソウルの変貌する街並みを、三角関係の展開と並行して描いてゆく。

　ギヨンは、田舎と都会の文化的な違いとか階級問題を超えて、人間の根底に潜む欲望を正面から見据え続ける。道徳と良識で表面を取り繕っているが、人間の本質は動物である。男と女は、そのままオスとメスである。どれほど社会規範を意識し、公序良俗に従って生きても、根底にあるケダモノとしての本能を避けて通れない。志操堅固な先生も、相手はあんなブスで下品で色気のない田舎娘だというのに、発情すると抑制が利かなくなる。なまじ良識人なもんだから、社会規範に縛られる。社会規範による縛りがきつければきついほど、それが重い枷となり、抑圧された願望が爆発的に凝固し、地獄の苦しみに落ち込む。

　この「下女」に続く二本の「火女」、そして「虫女」（72）「肉食動物」（84）……同工異曲。上流と下層の二人の女が、一人の男を奪い合う。カマキリのメスのように獰猛で激しい女たち。発情を止められない男どもはその所有物で、種付けの道具でしかない。キム・ギヨンは、男女の本質をそのように捉えており、そしてその通りだと思う。

　社会規範と、人間の内に本質的に潜む獣の欲望の鬩ぎ合い。儒教が社会の根底にあり、規範に厳しい韓国であればこそ、それに対する反発も強いのではないか。縛りが厳しければ厳しいほど高まって行く欲望——キム・ギヨン作品に限らず、これこそが韓国映画のパワーの源泉ではないのか。

「虫女」——究極のオスとメス

「虫女」では作中、頻繁に植物の受精がクローズアップで映し出される。植物のピンクに濡れた花弁が、まるで女性の膣肉のように生々しく……人間（動物）のセックスも植物の受精も同じ、そう言わんばかりに。「虫女」という題名は、そこから来ているのだろう。

今村昌平の「にっぽん昆虫記」などを思い出す。今村昌平もまた〈男＝オス、女＝メス〉と捉え、人間の生活をまるで動物とか昆虫の生態観察をするように描いていた人だ。ギヨンの映画の男女の営みの生々しさ、特に女たちの逞しさ、否応なしに今村昌平が重なる。「高麗葬」（63）という〝姥捨〟の風習のある村での人々の異様な日々を描いた作品は、村人を支配する〝宗教＝因習〟の描写も凄まじく、今村「楢山節考」をはるかに超える〝獣〟の世界を描いていた。

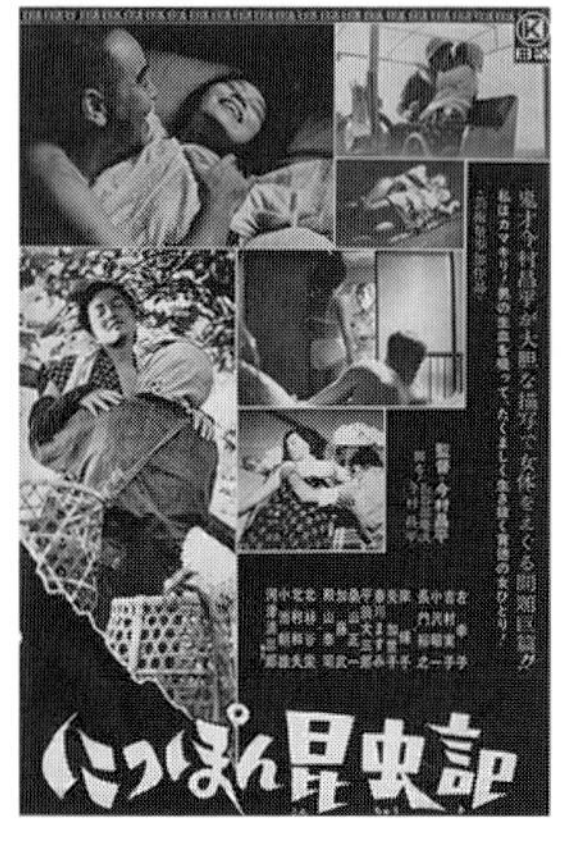

人間が生きるのに、正義も道理も倫理もない。生き延びたい、快楽を得たい、欲望を満足させたい……善も悪も超えて、そのために必死に生きる男女を描いているという点で、この二人は似ている。キムギヨンの生まれたのは一九一九年、今村昌平の生まれたのは一九二六年、死んだのはそれぞれ九八年と〇六年——ギヨンの方が七年ほど年長とは言え、日本と朝鮮という民族の違いを超えて、二人には共通するものがないだろうか。

「虫女」の舞台は、「火女」と同じ時期、七〇年代初頭のソウルである。大都会の真ん中で、妾が主人を刺殺する事件が起きた。その事件の真相を巡って刑事が関係者に問い質すという、同じく推理物の体裁を取っている。

ミョンジャの母は、金持ちの妾だった。そのご主人から縁を切られ、お給金も断たれてしまう。長女のミョンジャは、一家を支えるためにソウルのキャバレーで働くこととなった。最年長は長男なのだが、今は大学生。今の時代、長男には大学を卒業させて、出世させたいと母は考えており、長男自身も「俺、大学を卒業して偉くなりたい」という。次女はまだ子供で、義務教育の最中だ。「あたしが身体を売って稼いだ金で大学に出て、それで恥ずかしくないのか」と悪態を吐きながらも、ミョンジャは夜の商売に入るしかなかった。

キャバレーの女ボス、まるでギャングである。女たちは、ボスの指の動き一つで、兵隊のようにキビキビと動く。この女ボスの仕掛けた罠に嵌り、お人好しのミョンジャは常連客である社長の愛人にされてしまう。そんな風に仕掛けておきながら、ミョンジャが社長に身請けされた、引き抜かれたというので、女ボスが〝女給軍団〟を率いて妾宅を訪れて脅迫し、自分たちの力を見せ付けたりする。本筋に関係ないのだが、こういう無意味なシーンに気合が入るのが、ギヨンのギヨンたる所以だろう。

社長というが、実権は奥さんが握っている。会社は奥さん一族の所有であり、社長とは名前だけ、実は奥さんに〝お小遣い〟を貰って遊んで暮らしているのだった。〝逆玉〟には〝逆玉〟の苦悩がある。そのストレス、奥さんへの恐怖から、社長はインポになっていた。その憂さ晴らしにキャバレーに通っていたのだが、ミョンジャが相手の時だけ、チンポが立つ。なので、彼女と〝夫婦〟になることにした。奥さんの管理下で。

二階家の立派な妾宅を準備したのも奥さんで、ミョンジャにお給料をくれるのも奥さん。奥さんの命令で、社長は一日の時間を二分される。

昼の十二時から深夜十二時まで、社長はミョンジャのもの。しかし深夜十二時から昼十二時までは、奥さんのもの。妾宅への出入りは、奥さんの車の送迎による。最初の強姦同然のセックスで、ミョンジャは妊娠していたが、中絶させられる。妾が相手なら立つ――これが奥さんをますます逆上させると同時に、妾に子供が出来たら将来、財産問題になる。旦那はパイプカットを強いられた。

かくして奥さんの絶対支配の下、しばしば妾も〝従業員〟の一人として本宅に招かれ、社長の息子や娘たちと、意地悪を言われながらもディナーを共にしたりする。表面は平和なお妾生活が訪れたかに見えたが……

ある日、奥さんの買ってくれた冷蔵庫に、生まれて間もない赤子を発見した――なんで不意に、冷蔵庫に赤ん坊がいるんだよ――この唐突さが、ギヨンである。警察に届けるでもなく、二人はこの赤ん坊を、自分たちの子として育てることに。ミョンジャと社長との親密さが、増した。ミョンジャも社長も赤子と三人の生活をもっと楽しみたいので、契約時間の見直しを奥さんに求めるが、そんな話が通るわけがない。

赤ん坊は止むを得ず放置される時が少なくなく、妾が見えなくなる。ネズミと遊ぶのが大好きだったので、ネズミの穴に潜り込んだのではと、ミョンジャは壁の裏を探り地下室を這い回り――映画の後半はこんな具合にシュルレアリスムの領域に近付き、現実にはありえない夢のような出来事の連続となる。ちなみにネズミは、「下女」でも「火女」でも、小道具として象徴的に使われている。ネズミとリス、家の中に住み着くが本来は一か所にじっとしていられないこの生き物、ギヨン映画では足掻きもがく人間を、象徴しているのだろう。

赤子を探し回るミョンジャだが、ある時、冷蔵庫に赤子の死体が。赤子が行方不明になって以来、ミョンジャを遠ざけ始めた社長だが、死体を見付けて半狂乱のミョンジャに恐怖を覚え、慌てふためいて逃げ出す。ミョンジャはそれを追い、勢いで殺してしまうのだった。

冷蔵庫に赤子を仕込んでいたのは実は奥さんで、ラストの赤子の死体は実は人形だった。動転しているミョンジャは、それを死体と思い込んでしまったのだ。社長を殺したのも、奥さんだった――というオチが明かされ、探偵ドラマは終わる。

本編を通じて見えるは、社長という〝種付け馬〟を巡る、二人の女の争いである。必死で生きるために活動しているのは二人の女であり、社長はその所有物でしかない。モノとして、二人の間をおろおろするばかり。

ミョンジャの母はお妾だったが、祖母もそうだった。代々、お妾の家系なのだ。妾の子は妾……その宿命が、ミョンジャを翻弄する。人間の持って生まれた本性は、変えられない。映画はそう言わんばかりだ。

ちなみに、「虫女」の主要キャストは、前年に作られた「火女」と同じである。種付け男を演ずるのはナムグン・ウォン、本妻はチョン・ゲヒョン、妾はユン・ヨジュン。役の名も同じ――このパターンをいかにギヨンが大切にして拘って来たかが、窺われる。

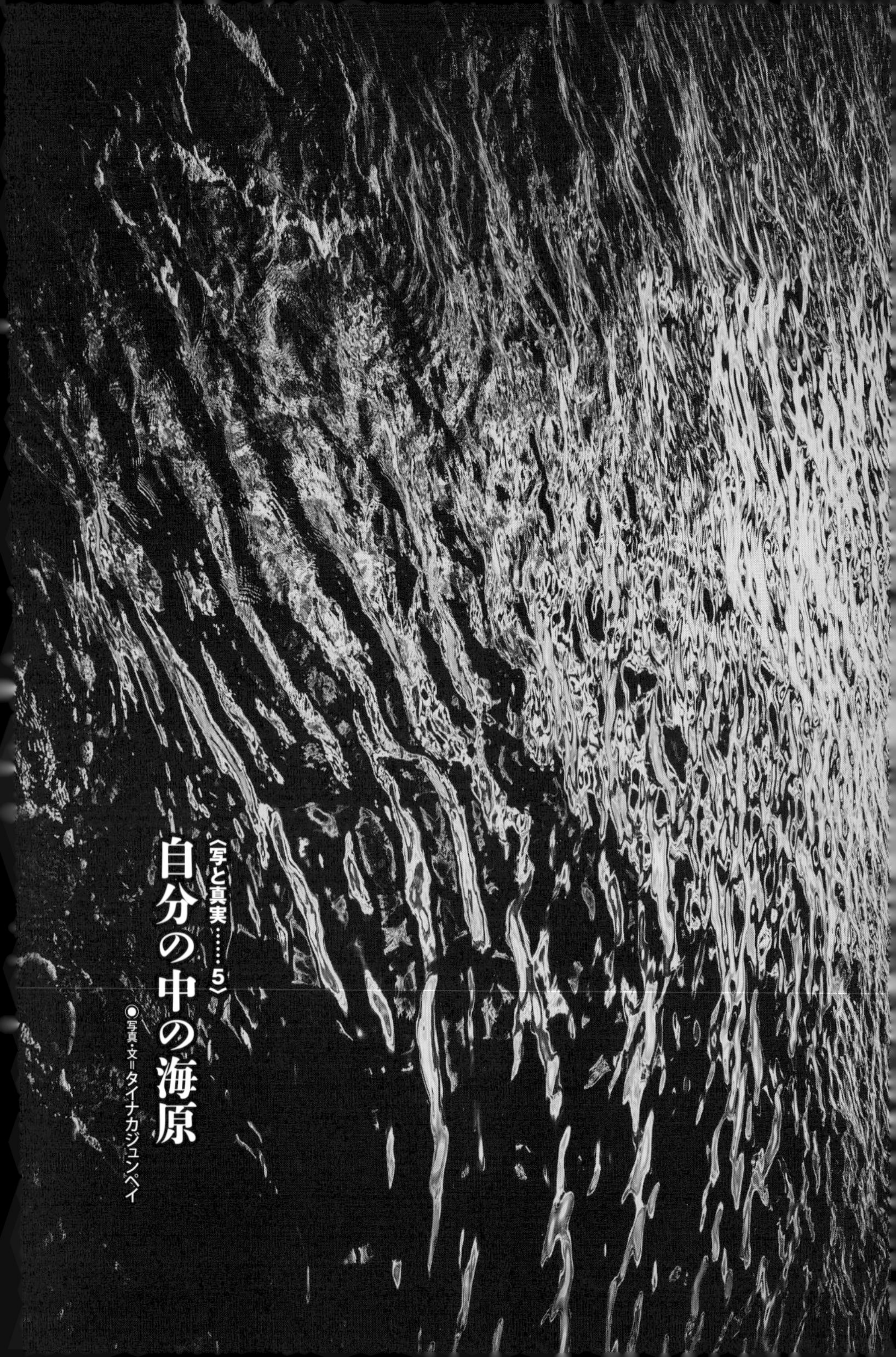

〈写と真実……5〉

自分の中の海原

●写真・文＝タイナカジュンペイ

自分が自分でなくなるような、
そういうものとの対話
それこそ理屈じゃなく心や体が動く、
動いてしまう瞬間の連続

人が誰かに好意を寄せたり
請うたりする事と
似ているかもしれない

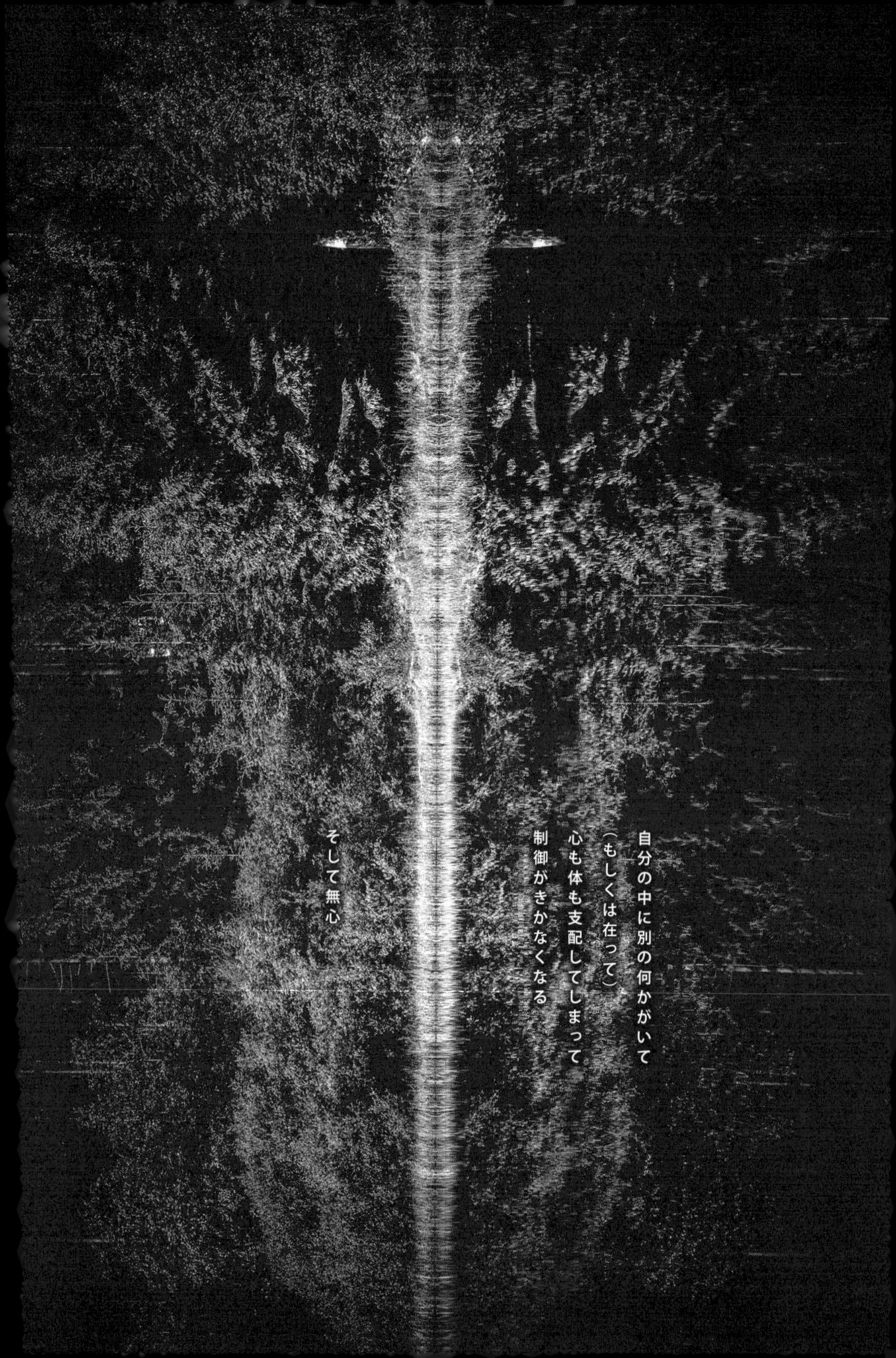

自分の中に別の何かがいて
（もしくは在って）
心も体も支配してしまって
制御がきかなくなる

そして無心

もしかしたら自分自身を
喪失してしまうのかもと恐れ我に返る

次の瞬間、
それでもとても不思議と
全てが自分的であることに気づく

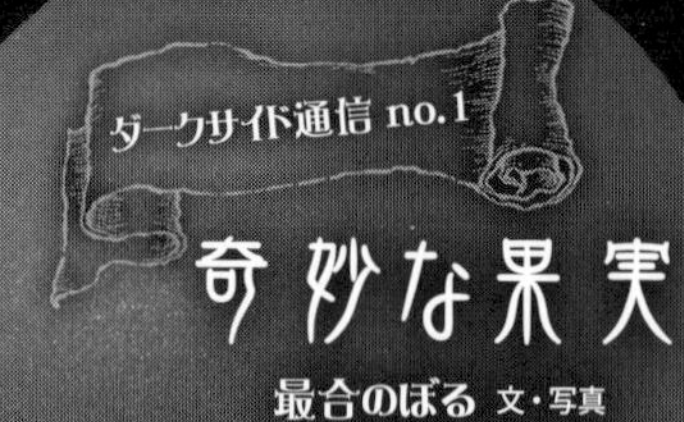

ダークサイド通信 no.1

奇妙な果実

最合のぼる 文・写真

その少女が眠れなくなったのは、サマーキャンプから帰って来た日からでした。キャンプは少女が通っている高校の一年生を対象にした任意の行事でしたが、この体験授業を選択すれば夏休みの自由研究が免除になることもあり、クラスのほぼ全員が参加したのです。キャンプ場は高校のある町の中心部からバスで三時間ほど離れた自然豊かな国定公園内にありました。事前に班分けしたクラスメイトと飯ごうや薪を使った炊飯体験をしたり、森の植物や虫を観察したりと、二泊三日のキャンプ生活を楽しんだのです。宿泊したバンガローのベッドは多少カビ臭い感じもしましたが、眠りを妨げるほどではありませんでした。

少しだけ異変を感じたのは、帰りのバスの中のことです。慣れない共同生活の疲れと昼食後のせいもあり、引率の先生を初めほとんどの生徒が気持ち良さそうに眠り始めました。しかし少女はと言えば、バスが学校の校門前に到着するまで一度も眠気を感じることはありませんでした。

自宅に着いて荷物を片づけ、夕食の席で両親にキャンプの話を面白おかしく聞かせ、バスタブにゆっくりと浸かり、ベッドに入りました。ほんの数日のこととはいえ、やはり自分のベッドに潜り込むのは良いものです。元々少女は寝付きの良い方で、目を閉じればたちどころに眠りに落ちます。しかしその夜は、何度寝返りを打とうとも、朝まで全く眠れませんでした。

昨夜眠れなかったのは、キャンプから戻ったばかりで少し興奮していたせいだろうと思ったものの、事態は想像以上に深刻でした。なんと翌日も、その翌日も、そのまた翌日も全く眠れないのです。当然、酷い睡眠不足のはずなのに、日中少しも眠気を感じません。眠いどころか、むしろ頭も体もいつも以上にすっきりとしているのです。生活自体に支障はありませんでしたが、不安はどんどん膨らんでいきました。

そうして一睡もできないまま十日近くが過ぎた頃、少女は思いきって両親に打ち明けることにしました。親に話せば大ごとになることはわかっていましたが、少女には相談できるような友だちが一人もいなかったのです。案の定、両親はすぐさま知り合いの教授がいる大学病院に連絡し、その日の内に検査入院させられました。採血に始まり尿検査、心電図、全身のレントゲン、骨密度に果ては胃カメラ。不眠にどうしてこんな検査が必要なのかと思うようなことまで全身徹底的に調べた結果は、全て異常なし。睡眠導入剤だけが処方されて、一晩様子を見ることになりました。

夜、病院のベッドで薬を飲んだ少女は期待して目を閉じます。そして十分、もう少し辛抱しようと三十分、一時間経っても二時間経っても眠気は訪れません。結局少女はまんじりともせずに朝を迎えました。

翌朝、病室を訪れた医師や迎えに来た両親に少女は嘘をつきました。期待する返答をしなければ、別の病院で同じ検査が繰り返されるのがわかっていたからです。しかしこの嘘は、より少女を苦しめることになってしまいました。

眠れない夜はとても長く感じるものです。少女は眠るのを諦め、リビングのテレビで映画を観ることにしました。しかし真夜中に起き出している姿を母親に咎められ、再び不眠を疑われてしまいました。少女の両親はとても心配性だったのです。再検査だの入院だのと騒ぐ両親を何とかなだめたものの、以降両親が代わる代わる夜中に様子を見に来るようになってしまいました。

少しも眠くないのにベッドで横になって過ごすのは苦痛でしかありません。明るいスマホ画面は快眠の妨げになると就寝時には取り上げられてしまっているので音楽を聴くこともできません。明かりを付けるのはもちろん厳禁ですから、読書も無理。とにかく横になって目を閉じ、枕元の時計の秒針の音だけを聞いて一晩中過ごすのです。そして翌朝には、熟睡したフリもしなくてはなりません。次第に思い詰めるようになった少女は、死をも厭わない覚悟で処方された睡眠薬を大量に飲んでしまいました。しかし、それでも結果は変わりませんでした。

そんな日々が一ヶ月、また一ヶ月と過ぎ、季節はすっかり冬らしくなって来ました。この頃になると、眠らない夜を過ごすことにもだいぶ慣れてきました。しかしこのまま一生眠ることがないのかと思うと、気持ちが塞ぎます。そもそもどうしてこんなことになったのか、実は少女には少しだけ思い当たることがありました。しかしこの話は、自分自身でも本当のことなのかどうかも良くわからなかったので誰にも話していません。夢に違いないと何度も自分で否定してみましたが他に原因も考えられず、堂々巡りの末、やはりあの出来事が関係あるとしか思えませんでした。

――それは、サマーキャンプ二日目の自由行動の時のことです。夕食にはまだ時間がある午後の遅い時間、班分けされたクラスメートの数人と森の中に入りました。真夏にもかかわらず、ひんやりとした空気の森の中には珍しい動植物が沢山ありました。少女は初めて目にする虫やキノコなどにとても興味を持ちましたが、クラスメートたちはそうでもなかったようです。少女がじっくり観察しているうちに友人たちは先に行ってしまい、はぐれてしまいました。気がついた時には戻る道もわかりませんでした。必死に歩き回ったせいか、汗だくになり喉もとても乾いています。もちろん水筒は持っていたのですが、誰の悪戯か土が混ぜられていて飲むことができません。こんなことには慣れっこの少女でしたが、とにかく水が飲みたくて仕方がありませんでした。そんな時、丸い果実がいくつもなっている木を見つけたのです。ソフトボール大の果実からは、メロンのような良い香りが漂っていました。普段なら野生のものなど口にしようとは思いませんが（両親に知られたら大変です）、この時ばかりは誘惑に勝てませんでした。一つもぎ取ってみましたが、実はまだ熟していないようでとても剥くことなどできそうにありません。それでも諦めきれない少女は、近くの岩に実を叩きつけました。すると、できた割れ目から血のような深紅の果汁がどろりと流れ出たのです。恐る恐る口を付けてみると、それは蜜のように甘く、しかしいまだかつて味わったことのない、驚くほど美味しい果汁でした。少女は無我夢中で果汁を飲みました。血のような果汁が少女の口から喉を伝い、胸元までを赤く染めていきます。ふと少女は、何者かの視線を感じて顔を上げました。少し先の、大きな木の陰から見ていたのは羊のような動物……鈴のような水平の瞳孔を持つ瞳が金色に光ったのです――。

そこからの記憶は曖昧でした。翌朝、いつの間にかバンガローのベッドで目が覚め、同じ班のクラスメートに自分が迷子になったことを聞いても誰も知らなかったのです。でも少女が着ていた学校指定のジャージの下のＴシャツは、乾いた血のような赤茶色い大きな染みがついていました。もちろん誰にも見つからないように着替え、汚れたＴシャツは捨てました。

とにかくこんな夢のような話ですが、今となってはどうしてもあの奇妙な果実を口にしたことが不眠と関係あるように思えて仕方ありませんでした。そして少女は密かに小さな決意をしました。

少女の小さな決意とは、もう一度キャンプ場に行ってあの木を探してみること。冬休みを待って、少女はひとり計画を実行しました。母親には他県の模擬テストを受けに行くと嘘をついて家を出ます。乗り継ぎの悪い電車と路線バスで四時間近く、キャンプ場に着いたのは午後も遅い時間になってしまいました。オフシーズンのキャンプ場は管理事務所も閉まり、静まり返っていました。ぐずぐずしている時間はありません、門限までに戻らなければどこで何をしていたのか根掘り葉掘り聞かれ、冬休みの間中、外出できなくなるかもしれないからです。少女は立入禁止のゲートを乗り越え、自分が泊まったバンガローを見つけ、そこを基点に森へと入って行きました。迷わないように、木に印しをつけるナイフもちゃんと持って来ました。

三十分ほど歩き回ったところで、少女は早くも後悔し始めました。森の中で、少女が口にした果実の木を見つけるのは至難の業だったのです。考えて見れば、真夏に実っていた木が今の季節まで実を付けているでしょうか。少女は一生懸命に樹木の特徴を思い出そうとしました。でもあの時は実のことばかり見ていたので、ほとんど覚えていませんでした。すでに冬の日は傾き始め、森の中はあっという間に薄暗くなりました。寒さは増し、手はかじかんで感覚がなくなりそうです。迷わないようにと木を刻んだ印も暗くて見えません。季節外れのキャンプ場に人はいません。少女がこの場所に来ていることさえ誰も知らないのです。もしこのまま遭難したらと考えると、急に怖くなりました。どうしたらいいかわからず、泣き出しそうになったその時——木々の間にぼんやりと光るものが見えました。無我夢中で近づいてみると、それは探していた不思議な果実。少女が口にした時よりも二回りほど大きくなって幾つも実っていたのです。

触ってごらん。

誰かの声が聞こえました。低くて柔らかい心地良い声です。でもその声は耳から聞こえたというより、夢を見ている時のように、頭の中に直接話しかけられているような感じです。声の主が姿を現しました。それは羊でした。すぐに少女はあの時に自分を見ていた羊だとわかりました。なぜ同じ羊だと思うのか、それは目というか顔の位置が普通の羊よりもずっと高かったからです。少女の身長よりも、頭ひとつ分以上。背の高い男の人くらい……実際、羊は男の人でした。正確に言うと首から上が羊なだけで、温かそうな生成り色のセーターにチェック柄のスラックスとブーツを履いている男の人です。少女は不思議と、この怪物のような男の人を怖いとも気持ち悪いとも思いませんでした。なぜか安心感さえ覚えたのです。

触ってごらんよ。

羊頭の男の人は、もう一度言いました。少女は実のひとつに手を伸ばします。すると実は少女の手に吸い寄せられるかのように木から離れました。少女は慌ててメロン大の丸い実を抱き止めました。するとその実はとても温かかったのです。凍えた手と体に温かさが伝わると同時に、穏やかで優しい気持ちが満ちてきます。つと、中で何かが蠢くような気配がしたかと思った途端に実がはじけ、なんと仔羊が産まれました。手のひら大の、桃色をした小さな仔羊は、少女に鼻面をすり寄せて甘えてきます。その愛らしい仕草といったら——ところが羊頭の男の人は、少女の手から仔羊を摘まみ上げると、何の躊躇もなくその首を折ってしまいました。驚いた少女は、激しい剣幕で羊頭の男の人に抗議をしました。同族の、しかも産まれたばかりの赤ちゃん仔羊を殺してしまうなんて、なんと恐ろしいことをするのかと。

これは果実だから。収穫したら早く締めないと鮮度が落ちてしまうからね。

やがて実は次々にはじけ出し、羊頭の男の人は産まれた仔羊をどんどん締めては足もとに積み上げていきます。少女は呆気にとられながらも考えました。今が収穫の時期だとしたら、夏のキャンプの時に自分が口にした実はまだ熟していなかったことになります。まだ小さく皮も硬い実を、少女は岩で割って果汁を飲んだのです。つまり産まれる前に殺してしまったことになります。

ただの実だから気に病むことはないさ。でも——、この実を食べた人は、もう元の世界には戻れないんだよ。
元の世界とは、もちろん君が生活していた世界のことさ。
羊の頭を持つ者の世界は、夢と現実の狭間にあるんだ。
僕らは主に人間を眠りに誘う役目をしている。

羊頭の男の人は、少女に向き合いました。

ほら、君だって眠れない夜に羊を数えたことがあるだろ？
羊が一匹、羊が二匹、羊が三匹……。

羊頭の男の人は、少女に向き合いました。

あれは僕らを呼ぶ呪文みたいなものなのさ。
呼ばれた僕らは、その人間の手を引いて眠りに誘う。
そっと、眠気がなくならないように慎重にね。
時に深く、時に浅く、眠りの世界に連れて行く。
そんな僕らは永遠に眠ることはない。
だって、いつ呼ばれるかわからないからね。

羊頭の男の人は、少女に向き合いました。

僕らの世界の物を食べたら眠る必要がなくなるんだ。
どうして君がこの実を見つけられたかは――、
そんなことより、これからのことを話そうじゃないか。

望めば僕と同じ仕事に就くことができるよ。

羊頭の男の人は明らかに話題を変えました。しかし少女の頭には沢山の疑問が浮かびます。別の世界の果実？　しかも食べたら元に戻れない？　僕と同じ仕事って、この危険な果実を収穫すること？　でも望まなかったら？　こんな奇妙な話、とても信じられません。羊頭の男の人は少女の思いを察したかのように決まり悪そうに肩をすくめ、再び手を動かし始めました。

とにかく君はラッキーさ、十五歳以下の少女は特に歓迎されるから。

またしても妙なことを言います。確かにキャンプに行ったのは誕生日前の十五歳でしたが、秋生まれの少女は今ではもう十六歳になっています。

だから君は、あの日からこちらの住人なんだよ。

話ながら羊頭の男の人は、締めた仔羊の皮をするすると剥き、持っていた袋に肉と皮を分けて詰めて行きます。その様子を見ていて、少女はやっと思い出しました。

少しだけ馴染むのに時間がかかったけどね。

あの日、口の周りを真っ赤に染めた少女の前に現れた羊が、自分にしたことを――。

あの時――木の後ろから出てきた羊は人間のように二本脚で立ち上がりました。こちらに近づくにつれ、体はすっかり大人の男の人になりました。羊毛のようなふんわりとした服を着た羊頭の男の人は、少女の頬を両手で挟むと、何かを確かめるように鎖骨のあたりまで滑らせ、まるでセーターを脱がせるかのように顔の皮をするすると剥がしてしまいました。もちろん痛みはまったくありません。少女の顔の皮をポイと闇に投げ捨てたかと思うと、手品のように取り出した仔羊の頭の皮を二、三回宙で振って形を整え、それをすっぽり少女の頭に被せたのです。仔羊の頭はしっとりと張り付き、顔から全身に獣の血が巡っていくのを感じました。それはとても満ち足りた、心地良い感覚でした。

君はすでに永遠の少女さ

羊頭の男の人は、ズボンのポケットから取り出した懐中時計の蓋を開けて少女に向けます。良く磨かれた裏蓋に映った少女の顔は――紛れもなく羊でした。

羊となった自分の姿に、少女は思ったほど衝撃も不満も感じませんでした。こうなってしまった以上、恐らく両親と会うこともないのでしょう。でもそのことに悲しみも寂しさも感じません。むしろ清々しい開放感がありました。しかし果たして新しい世界で上手くやっていくことができるでしょうか。何しろ少女には、今まで友だちらしい友だちのひとりもいなかったからです。

大丈夫だよ。
羊は従順で支配されやすいからね。
群れで行動するから共同生活にも容易に馴染む。
本心はどう思っていようと――、

「羊の皮さえちゃんと被っていればいいのね」

その通り、君は飲み込みが早いな。

なぜ、あの奇妙な果実を見つけることができたのか。
なぜ、あんな恐ろしい血の色をした果汁を美味しいと思ったのか。
今なら何となくわかるような気がしました。
少女は恭しく差し出された手を取ります。
そして二匹は、仲良く深い闇の世界へと消えて行きました。

END

兎を殺し毛皮をまとう、野生からの狂気

金井美恵子「兎」

「愛の生活・森のメリュジーヌ」（講談社文芸文庫）所収

●絵と文＝さえ

ある日、私が雑木林の中で出会ったのは私と同じくらいの大きさの白い「兎」。兎、いや、彼女に招かれて荒れ果てた家の中へ入るとそこは、床には兎の毛皮、壁には剥ぎたての兎の生皮が釘でとめられた異様な空間だった。

そして彼女は、一人の少女がいかにして兎の姿に変貌していったのか語り始める…。

兎を絞め殺しては調理して食べる。徐々に、ただ殺すという快楽に溺れていく少女。最初は裸で兎の毛皮を直に感じながら絞め殺し、兎の血を全身に浴びる。そしてついには鞣していない兎の毛皮を縫い合わせたぬいぐるみに身を包み、自らを兎の姿へと変貌させた。

可愛らしい兎の姿に相反する残忍で野蛮な行為は、理性ではなく少女の持つ野生から生まれた狂気からなのだろうか…。鼻の奥にこびりついて取れない血生臭さを感じつつも、物悲しさもある作品だった。

実際のサバイバル体験に基づく野生との対話

息子と狩猟に

服部文祥

新潮社、1600円

★文明や社会といった「つくりごと」の中だけで完結する人生を外れて、思いきり大自然の環境に身を任せてみたい。誰しも一度は、そのように考えたことがあるのではないか。とりわけサブカルチャーを愛好する今の若い世代に、その傾向はますます強くなっているように思う。近年において「狩猟」や「キャンプ」を題材とした作品が話題に上りやすくなったのも、その一端だ（岡本健太郎のエッセイ漫画『山賊ダイアリー』や〝あfろ〟氏によるコミックを原作としたテレビアニメ版『ゆるキャン△』など）。

とはいえ「釣り」や「キャンプ」といった趣味と比べて「狩猟」という行為に一定のハードルを感じてしまう人も、少なくはないだろう。猟銃を手に、獲物を求めて山へと入っていく週末ハンターたち（専業ではなく、週末の趣味として狩猟を嗜む人々）は、どのような理由から猟に惹かれ、狩猟という行為に手を染めるのか。服部文祥の小説『息子と狩猟に』は、猟師の視点から「野生」との対峙やそこで想定される極限状況を描き出した、優れたフィクション作品だ。

主人公の「倉内」は、会社員でありながら休日には自前の猟銃を担いで山に入ることもある週末ハンター。ある日、かねてより猟への同行を希望していた小六になる長男を連れて、狩猟に出ることになる。ところがそのタイミングで、山に死体を捨てにきた詐欺集団のリーダーに出くわしてしまうという最悪の事態が発生。息子を人質に取られた倉内は、誰も見ていない山中で究極の決断を迫られるのだが……。

作者は「サバイバル登山家」でありリアル猟師でもあるという、特異な経歴の持ち主。実際に山に登る人間が書いた登山小説が細部までその迫力に満ちているように、実際に猟を行う人間によって書かれた本作もまた、猟師ならではの洞察と並外れた直感に裏付けられている。たとえば作中で倉内が、自分で仕留めた獲物を前に「いま、目の前にある大きな肉の塊は、その存在が過ごしてきた時間とこれから過ごすはずだった時間の塊だ」「己の生をただ生きているケモノに、なぜ、自分は圧倒的な暴力で介入することが許されるのか」と考えて立ち止まってしまうシーン。少なくとも筆者は狩猟という行いを、そのようなものとして捉えたことはなかった。

人間社会が「人間のルール」によって運営されているように、自然界にもまた「自然のルール」があり、山には山の「掟」がある。深い山中で、倉内は詐欺集団のリーダーを相手に優先すべき「ルール」の適用を迫られることになるが、それは同時に子を持つ親として、あるいは一匹の「ケモノ」として、自らの内に存在する「野生」と対峙することでもある。

本書には表題作のほかに「K2」という短編も収録されていて、そちらも雪山の登攀中に起きたある極限の状況を切り取った作品。実際のサバイバル体験に基づく野生との対話を通して作品を創ることのできる希有な作家として、今後の活躍にも期待したい。（梟木）

犬たちに喰われる瞬間に目覚めた野生

★およそ芸術とは、風土に胚胎されることで生を享けるとされる時代があった。しかし、現在は正反対で、むしろ風土性を意識した作品の方が少数派だ。長らく北海道の別海町で、文字通りの「羊飼い」を続けながら小説を書いていた河﨑秋子の小説は、とりわけ北海道という風土を強く意識した作品となっている。しかも本作は、一見して「父との対立」という昔ながらの近代文学の伝統に則っているかのようですらある。

河﨑秋子
肉弾
KADOKAWA、1600円

　父親は地元・茨城の土建会社の社長で、狩猟を趣味とし、装備を揃えるには金に糸目をつけず、獲物を剥製にして応接間に飾って取引先に自慢するという、わかりやすい「俗物」だ。キミヤは暮らしのなかで豪放磊落な父親との軋轢を深め、父親の運転する車が事故を起こしたことで、やりがいを見出していた高校陸上部に居場所を失い、さらには父親の後妻にベッドへ誘われて傷ついた過去すら持っている。大学を中退し、部屋に引きこもっていたキミヤだったが、その様子を心配した父に北海道での狩猟に誘われた。二人で山に入ったとき、事故に見せかけて父を銃殺すれば……という思いが、ふと脳裏をよぎるのだ。

　しかし、実際に手を下したのは野生のヒグマであった。人間としての成長過程において、いわば象徴的になされる「父殺し」を経ず、着の身着のまま自然に取り残されたキミヤ。それを取り囲むのは、人間のエゴによって山に捨てられ、あるいは人から逃げ出して自由を求めた犬たちだった。一度は自殺を考えたキミヤだったが、まさに犬たちに喰われる、その瞬間において、自らの奥深くに眠った本性としての生存欲求、すなわち野生に目覚める。

　この段階において、本作は近代文学や「エンタメ」の規範から、大きく逸脱する。もともと、本作の合間には、犬たちのリーダーであるオオカミ犬のラウダや、可愛らしくも逞しいチワワなどの犬たちの来歴が挟まれ、しかも、ありがちな擬人化を経ることなく綴られていたのだが、やがて、ラウダとキミヤは出逢い、喰うか喰われるかの死闘を通して互いを知る。なまなかな相互理解ではない。命を奪うことの意味を、身体から認識したがゆえでなされる、生命そのもの尊重なのである。

　特筆すべきは、家父長制の原理へ力づくで「ずらし」を加える野生の描出に、テクストが成功している点だろう。風土性を記号として受け止めているのではないわけだ。だから本作には、狩人の訓練を受けていない素人が、「丸腰」でヒグマの襲来に立ち向かうという、「リアリズム」からすると荒唐無稽な展開を可能にするだけの膂力が備わっている。その根底にはうわべだけのマチスモへの批評がある。それでいて、熊の側からの視点の描出にも説得力がある。動物はあくまでも他者であり、そのことを忘れるのは傲慢でしかない。そのように風土を「情報」として受け止めてしまう、頭でっかちな作家ではこうは書けない。（岡和田晃）

猫の失踪が引き起こした、涙滂沱にまみれた狂気

内田百閒
ノラや

中公文庫、724円

★幻想的な短編小説や、鉄道旅行や貧乏話などを諧謔的な文章で綴った随筆で著名な作家の、いささか異様な印象を与える愛猫記。行方不明になった家猫「ノラ」と、病没した「クル」の二匹について書いた一種の喪失譚、あるいは「不在」をめぐる「愛の物語」であり、事実を観念として受け取る作家の資質を直裁に示した傑作である。

冒頭の野良猫が家に住み着いて「ノラ」と名付けられ可愛がられる顛末を描いた「彼ハ猫デアル」では、水甕から救い出されるエピソードが漱石『猫』を想起させ、猫の生き生きした様子を活写する筆致には、動物を飼い始めたばかりの好奇心と愛情が入り混じった作家らしい観察眼を感じることができる。しかし、続く「ノラや」以降では、雨の日に出て行ったきり帰ってこない猫に対する嘆きや狼狽が延々と書き連ねられることとなって様相が一変する。この日録風の文章の奇妙さはちょっと他に類を見ないもので、例えば迷い猫の広告に付けられたノラの特徴に関する箇条書きの記述のナンセンスな異様さには、思わず笑ってしまうような哀切さがある。

解説を執筆している平山三郎は、師の衰弱憔悴ぶりに驚き訝しんだ当時の気持ちを伝えているが、実際作家自身の記述や周囲の証言から推しても、ノラがいなくなったからこそ、百閒の愛情は異常に強まったとしか見えない。二匹目の猫である「クル」は、ノラの不在の間に家に出入りするようになり、そのうちに馴染むのだが、ノラに気兼ねしてか百閒は最初あまり可愛がらず、ようやく受け入れるとまもなく死んでしまう。

ノラの時もそうだったように、何気ない日々の暮らしの中で、家の隅々に刻み込まれた猫の記憶が幽霊のように蘇ってきては百閒を苦しめる。

その涙滂沱にまみれる狂気じみた記述の数々は、当時狷介な人柄で知られた作家の意外な一面を示すものとして驚きとともに好意的に受け止められたりもしたが、その愛情は、まさに対象の「不在」にこそ向けられており、生きている猫との現実的な関係というものが欠けている。

百閒は猫について「人生に飛び込んできた運命のようなもの」と語っている。ノラが失踪した前後、百閒の周辺は暗かった。親友の箏曲家宮城道雄や、取材旅行に同行したカメラマン小山清が相次いで奇禍に遭って若くして亡くなり、妻が大病を患って入院するなど、みずからの思うにまかせない「運命」を切実に感じさせられた時期であり、猫の事件にそのような観念的な意味合いを読み取っていたのではないかと察することができる。

それはちょうど、彼が書いた多くの幻想的な小説に登場する幽霊や怪異の、また名作「山高帽子」に登場する芥川龍之介の「狂気」が現れきたるところのものだろう。猫についてあられもなく嘆き悲しむ自分自身を書きながら、人生における愛や恐怖などの感情の源泉となる、生きることそのものの無意味さ、その醜悪さと残酷さと滑稽さと美しさを、百閒は不気味なまでの正確さで示したのだ。(渡邊利道)

ジャングルの中で無為自然の生活を送った老人

★二〇一九年某月。筆者は西表島にいた。

沖縄県は八重山諸島の玄関口である石垣港離島ターミナルから、高速船で揺られることおよそ四五分。国土の九〇%を亜熱帯の原生林が占めるというその島はなるほど一歩足を踏み入れただけで「秘境」の感動を旅人に与えてくれるが、観光向けにリゾートホテルや各種ツアーが整備された現在では、それを目当てに訪れる客も珍しいかもしれない。島のホテルで天然温泉の湯に浸かり、次の日はテーマパーク化された植物園のある由布島へ……。そんなふうにして島を去っていく人が、おそらくは大半なのだろう。

しかし、それでも。

水田耕平

イリオモテのターザン

南島独居譚

南山舎、1900円

「ここに"ターザン"がいたんだ」

そう呟かずにはいられなかった。

『イリオモテのターザン』は、沖縄の南山舎から出版されている、ノンフィクションのルポタージュ作品。西表島にかつて実在した、ジャングルの中で自給自足の生活を送る「ターザン」と呼ばれる老人と、彼に憧れて島まで押し掛けてしまった作者との心温まる(?)交流の日々を描く。なぜ愛媛で中学校教員をしていた作者が「ターザン」のことを知り得たかといえば、九〇年代に某テレビ局の特集で見たとのことで、その頃からすでに一部には知られた存在だったようだ。ともあれ、老子の研究者でもあった作者は「ターザン」の生活の中に究極の『無為自然』を見出し、メンター(精神的な指導者)を求めるような気持ちで彼と寝食を共にするようになる。まあ、思いつきでそんな計画を実行してしまえるあたり、作者もかなりの変人にはちがいない。

さて「ターザン」とは何者か。作者の取材によって明らかになったところでは、出身は沖縄県の宮古島。本名を「砂川恵勇」といい、近所の人からは親しみを込めて「恵勇爺(ケイユージイ)」または「ターザン」と呼ばれている。若い頃から職を転々とし、流れに流れて今の生活へと落ち着いたようだ。早い話が、ただのホームレス? いやしかし、海岸線の日の出とともに寝床から起き出し、夜は夜で釣った魚や貝、畑から収穫してきたサツマイモを肴に泡盛を飲み明かす。その生活の、なんと豊穣なことか。なにより人を寄せ付けないジャングルの中で人間としての生活を成立させている、それだけでもひとつのミラクルといえるのではあるまいか。

作者が沖縄から帰り、西表島での体験談を小さな本に纏めると、読者からは意外な反応が上がった。作者の思惑とは裏腹に、読者は若い人ほど熱心に本を読んでおもしろがり、逆に老人は顔をしかめたという。おそらく老人は、自信をもって答えることができなかったのだ。彼らの世代が一生をかけて積み上げてきたものと「ターザン」の実践する『無為自然』の生活と、どちらが尊いのかを。

現在、沖縄は急速に変わりつつある。新空港の設立やそれに伴う観光客の増加(船便の増設)は離島へのアクセスを容易にし、どの島も多くの旅人で賑わうようになった。かつて作者が旅の中継地点として立ち寄った西表島西部の船浮集落も、昔の面影を留めながら観光地としての整備が進められつつある。しかし船浮集落からイダの浜へ、イダの浜からウダラの浜へと至る道は、今も「ターザン」が暮らしていた野生の原生林へと続いている。(梟木)

澁澤龍彦が自らの心の内に温めていた植物への愛情

澁澤龍彦 フローラ逍遥

平凡社ライブラリー、1456円

★一九六〇年代から七〇年代までの活動を通して、澁澤龍彦という作家を世に知らしめたキーワードに「異端」と「偏愛」がある。それが意図して作られたイメージであったことは、作者自身が自らの著作に与えたタイトルからも明らかだろう。ヨーロッパでも並外れて特異な人物の評伝ばかりを集めたエッセイ『異端の肖像』。日本のものを対象に著者が昔から偏愛してきた作家について綴った『偏愛的作家論』。あるいは『毒薬の手帖』や『秘密結社の手帖』のような、自らの嗜好や正統派の文学に対する異端性を前面に押し出した著作群……。大衆の生きる社会に背を向け、ヨーロッパ異端文学やオカルトの世界に耽溺する著者のスタンスは、いつしか作家自身の印象として定着し、語られるようにもなった。

そんな澁澤が後年に自らのイメージを離れ、自由気ままに記憶の中を散歩するような著述のスタイルを選択するようになっていったのには、いかなる理由があったのだろうか。真相は不明だが、一九七〇年代に龍子夫人を伴い、書物ではない現実のヨーロッパを旅して回ったのが直接のきっかけとなったことは確かなようだ。念願叶って訪れたサド侯爵ゆかりの地で、澁澤は目の前に聳える古城の見学もそこそこに、夢中になって足下に生えている草花を摘み続けた。遠く憧れた文学者より、身近に咲く現実のフローラ……。もちろんそこに、順序による価値の優劣などありはしまい。しかしそれでも澁澤龍彦という作家の変貌について考える上で、なにやら象徴的なエピソードではある。

『フローラ逍遥』は、そうしたスタイルの変遷を経ていよいよ円熟の域へと達しようとしていた晩年の澁澤によって書かれた、植物をテーマとしたエッセイ集だ。単行本の冒頭に置かれた「水仙」から最後の章を飾る「蘭」まで、扱われている植物はどれも日本人なら身近に感じられる種類の草花ばかり。しかしそこに古今東西の作家によるフローラへの言及が引かれることで、澁澤は自らの心の内に温めていた植物への愛情を、普遍的なモチーフへと高めることに成功している。

なかでも筆者が気に入ったのは、単行本の十六番目に置かれたトケイソウという植物に関しての記述。平和ボケした(?)日本人にとってはアナログな置き時計の見立てとしてしか映らないこの花が、西洋では「キリスト受難の花」と解され、布教活動の材料にされてきたという事実。アナロジーによる観念への昇華は、単純な見立てとして人々を楽しませることもあれば、他の文化を弾圧するための武器にもなりうる。

「ともすると書物の中で出会ったフローラ、記憶の中にゆらめくフローラが、現実のそれよりもさらに現実的に感じられる私の気質にとっては」と、あとがきの中で澁澤は自らの植物愛が根っからの観念的なものであったことを認めていう、「あえていえば、個々のフローラに直接に手をふれることなどはどうでもいいのである」と。だが、本当にそうだったか。少なくともヨーロッパ滞在中にサド侯爵ゆかりの地で出会った「現実のフローラ」は、十数年後の作者をそのような自己規定の外側、エキゾティシズムの彼方へと連れ出すことには成功していたようだ。(梟木)

草花が全ての生命をひとつに繋げる

大島弓子
全て緑になる日まで
白泉社文庫、581円

★「彼女たちにはどうやら世界は、歴史や経済活動や思想や社会制度の連なりとしてではなく、日々に姿を変えるひとつの生命体のように見えているらしい。ちょうど大島弓子のまんがに描かれる世界が、コマ割りのすき間をぬい、枠線をのり越えて生い茂る木々や草花、乱舞する花びらに埋めつくされているようにだ」（村上知彦「大島弓子によれば世界は…」より／『たそがれは逢魔の時間　大島弓子短編集2』小学館・一九八九＝所収）

大島弓子論というと、故・橋本治の『花咲く乙女たちのキンピラゴボウ』の最後を飾る「ハッピイエンドの女王」があまりに有名だが、こちらも名文であり、前述の文章で語られているように、大島弓子のまんがにおいて、草花の存在は見過ごせない。どころか、それらは主人公達に、また、彼らに共感する読者にも等しい、〝生命〟そのものだった。

「アポストロフィS」（一九七六）の、「椿の一枝髪にそえ　あなたと　接吻いたしましょう」という締めくくりで知られる詩において、少女の心の揺れ動きが様々な花の開花になぞらえられたように、季節風にのって舞い散る花びら、葉っぱ、茂る草木は、作中の登場人物達そのものであり、同時に彼女ら彼らに共感する読者の分身だった。一夜で満開となり景色を変える桜の花、または霜がおりても季節のふたたび儚く散ったとみえても季節が巡ればまた頭をもたげる、げにしたたかな、やわらか緑の秋の草の如き存在として。

「父さま　桜は毎年　大泣きして散るわね　さくらって　いったい　何がそんなに悲しいのでしょうね　父さま」（『なずなよ　なずな』、一九七四）というネームがきれる大島弓子のフラットな視線の前では、人や植物の間に境界線など無きがごとしなのだ。かつて、『綿の国星』（一九七八）で、須和野チビ猫がエプロンドレスを着た、猫の耳がついている以外は人間の幼女そのままの姿をした〝子猫〟として登場したとき、少なからぬ読者が驚愕したが、そこには、「（人と猫との）形態の分母をそろえる」という発想の大胆さへの驚きがあっただけではなく、猫と人が等しく〝生き物〟である（＝でしかない）という事実が、あらためて可視化されたことへの衝撃も含まれていたように思う。

そんな大島作品に、のびやかな草花が最も溢れていた一九七〇年代の作品を今読むにあたり、お薦めしたいのがこの文庫。前述の「アポストロフィS」が入っているし、漢字を変えて野に花になるという言葉つかいの妙、芙草の君がよりかかって歩く一輪のバラも印象的な「リベルテ144時間」（一九七五）も収録されている。何より『全て緑になる日まで』という表題作のタイトルがいい。鳥は鳥に、猫は猫に、人は人に。しかし全ての生命は、コマの枠線を超えてゆく緑のようにひとつに繋がっているのだ。少なくとも、大島弓子の透徹したまなざしの前では。（三浦沙良）

野生的なパワー、勢いで描く、野に生きるということ

谷岡ヤスジ のんびり物語

ソニー・デジタル「谷岡ヤスジ全集22」所収

★ぜんぜんのんびりしてない物語だ。恐竜は吠えるしサメはサカナを食い荒らす。怒るときには「バータチー!」と叫び、キャラクターはみなデッパ。いつもの谷岡ヤスジって感じですね。

ヤスジ世界の住人たちには、野生的なパワー、勢いが強くある。70年代は欲望あふれる生徒・教師たちを描いた「ヤスジのメッタメタガキ道講座」がヒットした。「ヤスジのポルノラマ やっちまえ!」という怪作映画も、日本では公開一週間でうちきられ、アメリカで十五億もの興収があった。80年代は牛や馬、ブタなどが暮らす「村」を描いた作品が売れた。ペタシという仙人きどりのもいるが、やってることはほぼ我利我利亡者だ。

90年代のヤスジ作品は、あまり単行本化されてない。89年に「ヤスジのド忠犬ハジ公」最終巻が刊行されてから、連載は多いが本になってない。94年にようやくでたのが、このモーニング連載の「のんびり物語」だ。

ほぼ全ページフルカラー、大判カラーで全三冊。谷岡ヤスジのマンガには激烈な迫力があるが、カラーだとさらにスサマジイ。一〇〇八ページの傑作集「谷岡ヤスジのギャグトピア」もどおーんとした出来だったが、それに次ぐくらいのものだ。古書価も高騰していたが、「谷岡ヤスジ全集」の一冊として出た。オンデマンド印刷版はモノクロだが、電子書籍版はカラーで読め、そのドギツイ魅力が味わえる。

タコの父親が、子供たちを連れて陸に上がってくる。「陸へ上がった時のつーいをひとつ」、「敵が現れたら絶対動いてはいけませんよッ」、「エサだと思って食べられちまうからね」。

果たして、キョロキョロえさを探すトリが現れる。タコたちは最初ピタッと止まるが、そのうち子供たちは「おどーちゃんごわいよー」とガタタタふるえだす。ふるえた子から次々に喰われる。「ワッワッ」、「だぢげぢぐぢー」と泣きながら喰われる子供たちを尻目に、タコの父親は最後までジッ……としている。そしてトリはバサバサと去っていく。

これが野に生きるということだ。自分の子が喰われてても、動いたら自分が喰われるのである。だからひたすらジッ……としているのである。なんとスサマジイ傑作か。これが第一話で、タイトルは「子ダコのガタタ」。はじまりは「あるどーでもいい日でした」。このすべてがすばらしい。タコの子供三人が喰われた日を、どーでもいい日といってしまう。子ダコがガタガタふるえたから「子ダコのガタタ」。もう天才としかいいようがない。

谷岡ヤスジの遺作は、「ノホホンごっち」。「南の島のどっか」で、カニがねている。のどかな島だが、「シカシきっと何かあるぞ」、「地球とはそゆとこなんだ」。そしてもちろん何かある。それこそ「どーでもいい」何かが。野生に生きるということは、何かがあるのを前提に生きることである。これは、全集24巻に収録されている。まだまだ未収録作品はあると思うから、ぜひ商品化してほしいところだ。(日原雄一)

キビシイ環境の中、不器用に生き抜く

キューライス
ネコノヒー
KADOKAWA、1〜3巻、各1000円

★ネコノヒーとは何か。ノヒノヒノヒノヒネコノヒーである。ネコネコネコネコネコノヒーだ。どうやらネコの名前らしい。呼びかたは「マシュー・マコノヒーのマコノヒーの発音で」と、作者いわく。マコノヒーってのも誰だよと思ったら、映画「マジック・マイク」や「評決のとき」とかに出てるアメリカの映画俳優らしい。ちょっとイケオジ感ある人物だ。ネコノヒーのほうはだいぶちがって、なんだかしょぼくれたネコだ。

ネコノヒーは野良ネコでない。家にいるネコである。一人暮らしで、料理も自分でつくる。一人暮らしのしょぼくれた男とやってることはほとんど変わりない。ごはんに生たまごかけようとして、ツルリとごはんの上をすべり落ちる。カップヤキソバのフタを最初にぜんぶあけて、あとから、湯切りはどうしようと気づく。ゆでたまごのカラを剝くときも、もちろんボロボロになる。基本的にぶきようで、いろんな場面で失敗するのだ。そういう見ばえ悪いゆでたまごでも、食べればやっぱりおいしくて「success!!」と笑顔になる。

なんだこいつ、と最初のうちはウザく感じる。しかし、だんだんこの「success!!」が楽しみになってくる。日々の小さなよろこびを、「success!!」とちゃんとよろこぶことのだいじさを教えてくれる。

ネコノヒーは、やりたいことをやりたいようにやる。その姿はいかにもネコという感じがする。と同時に、僕らもそうだったと気づく。私たち人間も、ネコノヒーのように野生動物なのである。キビシイ環境のなかで生き抜かなければいけない生きものなのである。

牙をもがれた野獣になるな。と、映画「金田一耕助の冒険」のテーマ曲にもあった。ネコノヒーにも牙はある。ふだんはつかわなくても、いざというときのために研いでおかなければならない。

ネコノヒー、ふだんは牙なんていらないようなたこ焼きとかばかりたべているが、時にはカヌーで転覆したりする。雪山で遭難したりもする。海で浮き輪に乗ったまま、無人島に流されもする。島にいたカニをつかまえようとしては、ほっぺたつかまれて泣き叫んだりする。牙を抜かれた野獣である。それも含めて僕らと同じである。そんな窮地のときはけっきょく、テテーンウサギが助けてくれるのだ。ネコノヒーもネコノヒーで、テテーンウサギがオニギリだのカラアゲだの運んでくれるのを待ち望んでたりする。いっしょにマジックの舞台に出て、ネコノヒーが帽子からテテーンウサギをひきだして喝采をあびたこともあった。

裕福で礼儀正しくて、実業家で仕事も忙しいテテーンウサギと、冴えないネコノヒーがどうして仲がよいのか不思議だった。三巻のおわりには、その秘密もちょっぴり明かされる。

ネコノヒーの日常は、笑い転げてやがて哀しい。そしてそれは、われらの日常に言えることでもある。（日原雄一）

冒険を介して、犬の視点を人が追体験できるRPG

エディ・ウェブ

パグマイア RPGルールブック

ベーテ・有理・黒崎＆グループＳＮＥ訳、安田均監修、発行・グループＳＮＥ、発売・書苑新社、5000円

★ＲＰＧは「役割を演じる遊び」だと言われるが、キャラクターが身近な存在から離れれば離れるほど、演じるのは難しくなっていく。まして、人外のキャラクターを、わかりやすい「モンスター」から離れたものとして演じることを可能にするためには工夫が必要になってくる。単なるイロモノで済まされない世界設定や、相応の理論的な裏付けが要るのだ。

　緻密なＲＰＧ批評で知られる吉里川べおは、世界で二番目に古いＲＰＧの『トンネルズ＆トロールズ』を分析する際に、「悪の種族」と「モンスター」の間に〝ゆらぎ〟を与える世界観の妙に着目した（「トンネル・ザ・トロール・マガジン」創刊号、二〇一六年）。本作『パグマイア』のデザイナーであるエディ・ウェブが関わる『ワールド・オブ・ダークネス』シリーズは、人間社会の裏で陰謀を巡らせるヴァンパイアをはじめとした人ならざる者を描いているが、多様な氏族や派閥のしがらみやいざこざがあり、かえってヴァンパイアじゃない者にも馴染みやすい。

　児童文学や漫画・アニメにおいては、『ウォーターシップ・ダウンのうさぎたち』、『冒険者たち（ガンバの冒険）』、『銀牙―流れ星　銀―』、宮崎駿監督版『名探偵ホームズ』など、動物を擬人化した名作は多い。ただ、ＲＰＧになると、日本語では有坂純＆門倉直人の「ラビッツ＆ラッツ」や、秋田みやび＆友野詳とグループＳＮＥの『ガープス・バニーズ＆バロウズ』リプレイ、『ナイトメアハンター＝ディープ』の追加ルール（小林正親著、「Role&Roll」Vol.39）。日本語で紹介された作品はあまりにも少ないのが現実だ。

　そこに投入されたのが本作『パグマイア』である。本作は知性化（アップリフト）された犬をプレイするＲＰＧになっており、骨のあるＳＦ設定を背景に有しながらも、あくまでも世界観の屋台骨に留め、オーソドックスな中世風ファンタジーとしてプレイすることができる。

　ルールは『ダンジョンズ＆ドラゴンズ』第5版のオープン・ライセンスを採用していてわかりやすい。職業に相当する「天命（コーリング）」と「血統」を決めれば、すぐに「ヒトの遺産（マスターワーク）」の探索や邪霊の退治、猫の陰謀を解き明かすための冒険に出かけられるという塩梅だ。日本語版では「ウォーロック・マガジン」や「Role&Roll」でのサポートが厚く、とりわけ日本オリジナルのソロ・アドベンチャーはありがたい。

　面白いのは、プレイヤーが一緒に暮らした犬をキャラクターとして登場させることが許容（推奨？）されている点だ。つまり、飼い主が愛犬に成り代わって、その視点を「想像」できるというわけである。ＲＰＧの世界を介して、人と犬との新たなコミュニケーション方法が模索されていて、それが日本語版の人気の秘密にもなっているのだろう。（岡和田晃）

人間と犬の愛情関係から説く、異種間社会性

ダナ・ハラフェイ
伴侶種宣言 犬と人の「重要な他者性」

以文社、2400円

★アメリカの生物学者、科学史家でフェミニストの文化批評家ダナ・ハラウェイの文名を広く江湖に知らしめたのは、一九八五年に発表した「サイボーグ宣言」である。このごく短いテキストは、〈フェミニズム・社会主義・唯物論〉をモチーフに、生物と機械のハイブリットである〈サイボーグ〉という概念を通して、虚構と現実を貫く〈女性性〉に関する想像力を大きく拡張してみせた。八〇年代のフェミニズムに決定的な影響を与えたこの論考は、難解なレトリックと強烈なアイロニーで彩られた文体でも大きなインパクトを与えた。そのため、二〇〇三年に出版した本書が、人間と犬の愛情関係というまるで日常的なテーマを選び、著者自身の生活やライフヒストリーへの言及を含む、親しみのある率直な筆致で描かれているというそのこと自体が静かな衝撃を読書界にもたらしたのだった。

ハラウェイ自身によれば、この「態度（文体）の変更」は、二つの「宣言」がまったく異質な問題を扱っていると示すわけではない。第一の「宣言」は「皮肉な奪用」の精神に基づき技術的人間中心主義を解体し、「サイボーグに棲まう」ことを目指していたが、新しい「宣言」において、重要なのは「共棲や共進化、具体化された異種間社会性」である。両者は、「人間と非人間、有機的なものと技術的なもの、炭素とシリコン、自由と構造、歴史と神話、多様性と枯渇、自然と文化とを、予想もしないかたちで結びつける」試みとして共通の地平にある。

「サイボーグ宣言」において、〈虚構〉が大きな鍵になっていたように、「伴侶種宣言」では、〈愛〉が重要な問題となる。ハラウェイによれば、愛とは何より「現実的な関係性」である。「諸存在は相互の関わり合いに先んじて存在することはない」と彼女は断言する。あらゆる存在は、自己を、他者を、それが何であるのかを誰もあらかじめ知ることはできない。互いに敬意を持って接する行為の中で、人と犬はお互いを見出し、愛は生成する。そしてみずからの人生に現れた犬たちについて語っていく。

コロラド州に地元紙のスポーツ記者だった父と熱心なカトリック教徒だった母の間に生まれた痕跡を、ゲーム（ここでは犬の競技）を「物語」として語るスタイルや、トマス・アクィナスをはじめとする哲学者たちの〈種〉をめぐる議論に結びつける。その中で、当時動物についての議論で大きなインパクトを与えていた「動物の権利」を批判し、また動物を無償の愛の対象として捉えるような姿勢も断固として拒絶する。端的に言えばそれらは、動物を人間中心的なヒエラルキーに巻き込んでしまうからだ。そこでは自己と他者は固定された役割にすぎないものとなってしまう。〈自己／他者〉の関係は、それが固定化された時、容易に〈友／敵〉に転化する。人と犬との関係を、人類と自然と置き換えれば、ハラウェイの思考の射程のアクチュアリティは明らかだろう。（渡邉利道）

変わらぬ風景と対照される、人生の軌跡

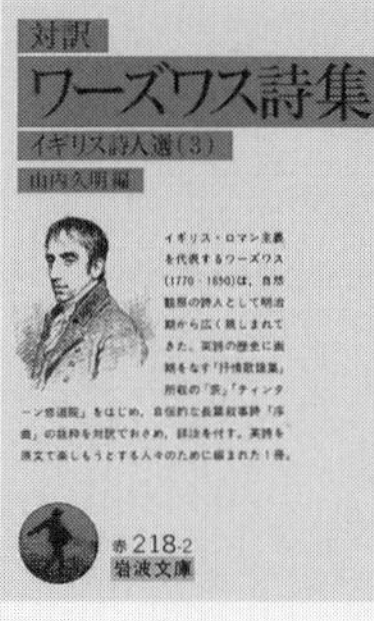

対訳 ワーズワス詩集 イギリス詩人選（三）

山内久明編、岩波文庫、660円

★ワーズワスの詩をある程度きちんと読んだのは大学生の時だった。有名な「水仙」に歌われるように、光を受けた湖面とその傍に咲く鮮やかな水仙の花がきらきらと輝き、その美しい風景が心に染み渡ってずっと残り続ける、そういう詩を書く詩人としてのイメージが強かった。あるいは、本書に収録されている「ルーシー詩編」のように、詩人の愛する妹ドロシーを連想させる女性ルーシーを登場させ、その女性がひっそりと亡くなり、今や丘と湖に囲まれた湖水地方の風景と一体となった心象風景を提示する、そんな切なくも美しいイメージを紡ぎだす詩人としてのイメージは、彼の魅力の一つでもある。

もっとも、思索的な、あるいは歴史的な問題を扱った作品も豊富にある。けれども、今回は本書と共に、特にワーズワスの自然への憧憬を込めた詩を、私自身の実体験に即してもう少し語りたい。

ワーズワスの作品は、折に触れて同じものを何度か読み直しているはずなのだが、その中で最近、必要あって本書に収録されている「ティンターン修道院上流数マイルの地で――」をしばらくぶりに再読したところ、面白い感覚を味わった。

随分前に読んで、その時にしっかり内容を把握していたつもりが、改めて新鮮な感覚を味わって気付くことがあった。昔に読んだ時には、楽しんで感じ入るために読むというよりは、内容を理解するための勉強として読んだという部分が大きかった。それが今、これまでの生活の中で得た色々な経験、社会や人間との関係の中で味わった悲喜こもごもを経て読み直してみると、同じ作品であるのに、それを読む自分のものの感じ方の方が変化していることに気付いたのだ。

そして、この詩のテーマもまさにそれだ。詩人は五年の歳月を経て題名に示されている場所を再訪する。ウェールズの修道院の廃墟から川を数マイル上った地を抒情的に描き出し、その風景が五年の間も心象風景として詩人の精神の中に生き続け、支えていた。美しい情景が人間を精神的に支え続けるのである。

今や、その地を五年ぶりに辿り直すと、再び同じ風景が見えるのであるが、対照的に詩人は自分が変わってしまったことに気づくのである。

あの時代は去ってしまった、
あの頃の疼くような
　喜びはもはやなく、
目眩く歓喜ももはやない。
　そのことで
消沈せず、悲しまず、
　かこつこともない。天からの
別の賜物が授けられたのだから。
　喪失に対しては
充分な償いがあると信じよう。
（八三―八八行目）

若い読者には説教臭く感じられるだろうか。だが、この感覚は少し時間をおいて同じ風景を再訪し、幾年かの自分の人生の軌跡を振り返ることでこそ味わうことができる。私はそれをこの詩の再読によってメタ的に感じ取った。この詩集をさらに五年後に読み直した時、また違う感動があるかもしれない。

このような詩集は読み切り、読み捨てるものではなく、長い期間そばに置いておくものだ。ワーズワスが見ている自然風景と同じく、本の中身は変わらない。変わるのは我々だ。

（市川純）

野生の存在を足掛かりとし、目に見えない真実を志向

★イギリス・ロマン主義の詩人パーシー・ビッシュ・シェリー（最近は『フランケンシュタイン』の作者である彼の妻の方が知られるようになってきているが）の一八二〇年に刊行された詩集が全訳され、その難解な詩の理解を助ける散文『改革への哲学的見解』の翻訳と共に二〇一七年に刊行された。

パーシー・ビッシュ・シェリー

プロミーシュース解放
およびその他の詩集 附『改革への哲学的見解』

原田博訳、音羽書房鶴見書店、3500円

本書に収録されている壮大な詩劇『プロミーシュース解放』はこれまで単独で訳されて文庫にもなり、その他の詩も別のシェリー作品と共に訳されてシェリー詩集として編集されているものもある。改めて当初の詩集の構成に沿って読むことで、個々の作品の内容が照応し合っていることがわかり、詳しい解説や訳注もその助けになる。

この詩集にはシェリーが動植物をテーマに独自の詩的世界を展開する作品が収められている。ここでは「含羞草（ねむりぐさ）」と「告天子（ひばり）へ」の二作品を紹介したい。

ネムリグサ、あるいはオジギソウといえば、触ると敏感に葉を閉じるあの植物のことである。ネムリグサは派手な色合いの植物ではないが、ネムリグサの生えている花園には多くの花々が咲き乱れている。次々に花の名前が登場し、文字通り百花繚乱の視界が広がる。あまりの色鮮やかさに目も眩むほどであるが、対照的に地味なネムリグサはそんな視覚的喜びをもたらさない。それでもネムリグサ自身は愛に満ちた存在だという。

このような花園を世話する神秘的な女性が登場するが、やがて彼女は死に、庭に死の影が迫る。季節も夏から秋、さらに冬へと移行する。かつて鮮やかで香しかった場所はすっかり廃れ、不気味でグロテスクなまでの光景が描き出される。ネムリグサもまた朽ち果てる。結局私たちが見ていた百花繚乱の美しさと喜びは仮象に過ぎない。それらが死んで無残になることもまた仮象である。「愛と　美と　喜びには／死もなければ　変化もありません」（結び、二一—二二行目）という。シェリーは目に見える自然の美しさを描いても、そこに真実の美や喜びがあるのではない。抽象度の高い世界を志向しなければ、それらはつかみ取れないのだ。

もう一つのヒバリを歌った詩は、鳴き声は聞こえても姿の見えない、天高く飛翔するヒバリを讃えるもの。「御身は目には見えず　されど我には聞こゆ　御身の玲瓏たる喜びの声が」（二〇行目）とあるように、出会ったヒバリを見たままに描き出してもシェリーの考える真実には到達しない。真実は見えないところにある。見えない高次の存在から聞こえてくる歌が、その喜びを劇的に高める。

目に見えないものは言葉にするのも難しい。このヒバリを表現するために詩人はいくつもの比喩を繰り出す。詩人、乙女、蛍、薔薇……シェリーが繰り出す比喩は鮮やかである。けれども、肝心のヒバリは見えない。真実とはそのようなものなのだ。

シェリーはプラトンの著作の英訳もしており、その影響も色濃い。野生の存在を歌いながらも、そこを足掛かりとし、目に見えない真の存在を志向する彼の思想が表現されている。（市川純）

野生との連帯と裏切り
——大江健三郎の「野生」への嗅覚

◉文＝梟木

大江健三郎という作家にとって「野生」が創作上の重要なモチーフとなり続けてきたことは、これまであまり注目されてこなかった。しかし大江の実質的な文壇デビュー作である短編「奇妙な仕事」（一九五七年）を見るだけでも、この作家が並々ならぬ「野生」への関心を抱いていたことがわかるだろう。

大学生の「僕」がアルバイト募集の広告を見て「犬殺し」の仕事に参加するも、途中でクライアントが逃げて報酬も貰えずに終わるという、作中で起きた出来事だけを並べるならば本当にただそれだけの物語。ただし作者の興味は明らかに人間よりも犬側、都会の片隅で声を上げることもなく抹殺されていく「野生」の側へと向けられており、大江の分身的存在である「僕」もまた、自分たち学生と犬とがどこか似た存在であることを悟る。

どこが似ているのだろうな、と僕は思った。全部、けちな雑種で痩せているというところか。杭につながれて敵意をすっかりなくしているというところか。きっとそうだろうな。僕らだってそういうことになるかもしれないぞ。すっかり敵意をなくして無気力につながれている、互いに似通って、個性をなくした、あいまいな僕ら、僕ら日本の学生。（「奇妙な仕事」）

これでもし、犬たちへの勝手な共感を抱いた「僕」が、犬殺しの現場から彼らを外へと逃がしてやる——というような結末になっていたら、社会からの解放のために種族（党派）を越えて連帯し、闘うことの必要性を象徴的に描いた、非常にわかりやすい作品になっていたことだろう。だが実際のところ、いずれの党派にも属さない「ノンポリ」の学生である「僕」による「野生」との連帯の予感は、作中のある出来事によって粉々に打ち砕かれる。「犬殺し」の現場を仕切る専門の業者でもなければ犬を中途半端に打ちのめした私大生の男でもなく、あろうことか犬への共感を深めつつあった「僕」こそが、病気の赤犬に腿を噛まれてしまうのだ。余談だが、本作のもととなった大江が学生時代に書いた戯曲のタイトルは「獣たちの声」だった。

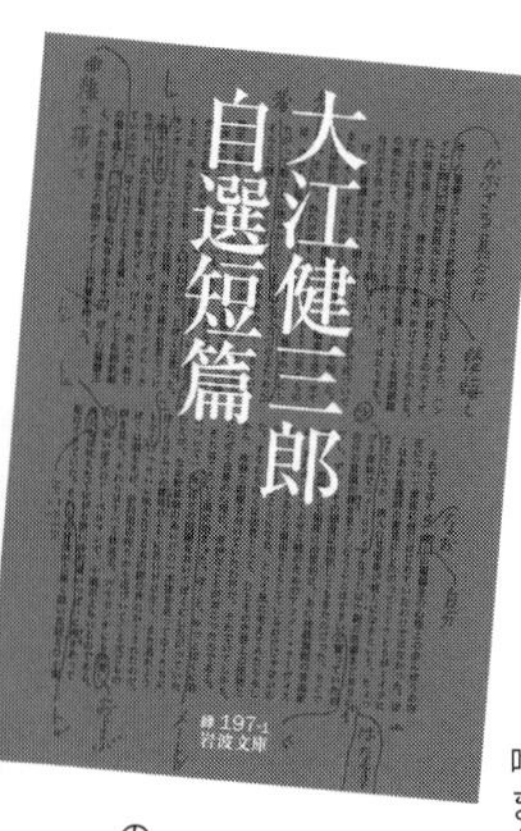

「奇妙な仕事」以外にも、大江の初期作品に動物をモチーフにしたものは多い。運搬中のニシキヘビの脱走を描いた戯曲「動物倉庫」や仔牛の肉を運ぶ主人公の周りに野犬たちが群がってくる場面で終わる「運搬」がその例だが、それらはあくまで人間社会の正常なルールの中で抑圧され衰弱していく、獣たちへの憐憫に溢れたものだった。大江がこのテーマをさらにパワフルに発展させていくためには、芥川賞を受賞した五八年の「飼育」、そして大江初の長編小説となる同年の『芽むしり仔撃ち』を待つことになる。

「飼育」と『芽むしり仔撃ち』には、いくつかの共通点がある。まずは作中の舞台が後の大江文学の典型となる「谷間の村」（「山奥の村」）に設定されていること。そして「人間社会のルール」の適用から外れた例外状態の中で、ささやかな「野生」との共生の可能性がもたらされることだ。すなわち「飼育」では谷間の村に墜落してきた黒人兵が、『芽むしり仔撃ち』では疫病の流行によって村人から見捨てられた感化院の少年たちが、それぞれ豊穣な「野生」の象徴として、村社会からの抑圧を離れたところで

★大江健三郎『大江健三郎自選短篇』（岩波文庫）／「奇妙な仕事」を収録

束の間「僕」との祝祭的な時間を過ごす。

> 僕らは黒人兵をたぐいまれなすばらしい家畜、天才的な動物だと考えるのだった。僕らがいかに黒人兵を愛していたか、あの遠く輝かしい夏の午後の水に濡れて重い皮膚の上にきらめく陽、敷石の濃い影、子供たちや黒人兵の臭い、喜びに嗄れた声、……（「飼育」）

だが連帯の悦びは長くは続かない。ある日、県の指令で黒人兵の移送が決定すると、黒人兵は友情を感じていた「僕」の身柄を人質に取り、村の大人たちを相手に獣のような抵抗を見せる。怒りに燃える「僕」の父親が振り下ろした鉈は、盾にされた「僕」の左手ごと、黒人兵の頭部を粉砕する……。「僕」はここでも連帯するはずだった「野生」にひどく裏切られ、敗北してしまう。

その後の大江の足取りについても、簡単に見ていこう。

大江にとって初となる長編『芽むしり仔撃ち』は、大人が消えたことで「野生」の状態に戻った村の中で少年たちが自由を謳歌するさまを、鮮烈なタッチで描いた作品だった。だが『芽むしり仔撃ち』のあと「野生」との接近遭遇によって人間の本質を捉え直すような創作の試みは、ぱったりと途絶えてしまう。これにはいろいろ理由が考えられるのだが、同じことを繰り返すまいとするプロとしての計算や私生活上の変化（障害を持った息子の誕生）が大きな影響を与えていたことは、間違いないだろう。大江の中で、このテーマが新しく小説を書くために必要なものとして活き活きと蘇生してくるのは、自らの郷里である「四国の森」をモデルとした谷間の村を舞台とする、巨大な作品群においてだ。

『万延元年のフットボール』（一九六七年）は、前作『個人的な体験』からおよそ三年もの準備期間をかけて構想・執筆された、大江の代表作として取り上げられることの多い長編だ。作中では「谷間の村」を経済的に支配する「スーパー・マーケットの天皇」に対する住人の略奪行為が、万延元年に起きたとされる一揆と奇妙に重ねられるかたちで、中央よりの使者に対する「野生」の側からの抵抗として語られていくことになる。文化人類学者である山口昌男の「中心と周縁」理論を下敷きに、現代のトリックスターとして蘇った「野生」が既存の秩序を揺るがしていくさまの、なんと痛快なことか。この祝祭的な暴動は、一九七九年の『同時代ゲーム』でも「壊す人」や「木から降りん人」のような神話的な登場人物とともに大日本帝国との「五〇日戦争」の記憶として反復され、『懐かしい年の手紙』（一九八七年）であらためて振り返られたのち、谷間の村で「ギー兄さん」と呼ばれる人物が人々の希望となる宗教を新たに立ち上げようとする『燃え上がる緑の木』三部作（一九九三年～九五年）において大団円を迎えるに至る。

ただし『燃え上がる緑の木』の執筆後、社会を動揺させたオウム事件への応答の必要に迫られた大江の関心はより身近なものを見つめ直すことへと向かい、その小説世界からもかつてのような野蛮さは失われていく。そして二〇二〇年の現在まで、大江の「野生」に対する嗅覚を鋭く引き継ぐような純文学の作家は――中上健次のような、大江の直接的な影響下にあった作家を別とすれば――残念ながら現れていない。それでもいつか、大江健三郎を超える「野生」の書き手が令和の日本文学に誕生してくることを、願ってやまない。

★大江健三郎『芽むしり仔撃ち』（新潮文庫）★大江健三郎『死者の奢り・飼育』（新潮文庫）

誰がゾウたちを殺したの？

――「ゾウのはな子」の贈り主が戦中に書いた小説

◉文＝宮野由梨香

★吉祥寺駅前にあるゾウのはな子の銅像

どんなに長く付き合っても、はな子の目の底には、どうしても読みきれないものがあるのです。

（山川宏治『父が愛したゾウのはな子』（＊1）一二六頁）

「ゾウのはな子の贈り主のプラ・サラサスさんって、『運命の河〈東へ帰る〉』の著者と同一人物ですか？」と尋ねるために、井の頭自然文化園の事務所のドアをノックした。

「ゾウのはな子」は二〇一六年に六九歳で世を去った。日本で飼育された最も長寿なゾウで、井の頭自然文化園で六十二年間を過ごした。

文化園の中の看板に「はな子」が日本にやってきたいきさつが書かれていた。「タイ王国調達庁長官プラ・サラサス氏」らの厚意によるとのことだった。

たまたま『運命の河〈東へ帰る〉』を読んだばかりだった私は、それを見て公園の事務所を訪ねた。その場ではわからず、職員の方がプラ・サラサスのお孫さんに問い合わせて下さった。確かに同一人物だというお返事を戴いた。

○

「ゾウのはな子」は、きわめて知名度が高い。二〇一七年に完成した吉祥寺駅前の銅像も、全国から集まった寄付で設置されたという。その銅像のプレートには、次のような説明がなされている。

昭和24（1949）年、推定2歳の幼いゾウは、戦争で傷ついた日本の子どもたちの心をいやすため、タイ王国から上野動物園にやってきました。

戦時中に猛獣処分の対象となった同じゾウの「花子」の名前にちなみ「はな子」と命名されました。

銅像になった「はな子」は二代目であることがわかる。

先代「花子」が日本に来たのは一九三五年のことだ。タイ国王ラマ八世・アナンダ陛下と、タイ国少年少女団からの寄贈だった。その「花子」は一九四三年、猛獣処分のために飢え死にさせられた。その先代「花子」の死の六年後に、二代目「はな子」が日本にやってきた。ゾウのいない東京の動物園を嘆く子供たちの声に応えて、タイの高官たるプラ・サラサスらが私費を投じて贈ってくれたのだった。

さて、どうして彼はゾウを我々に贈ってくれたのだろうか?

彼にとって、ゾウとは何だったのだろう?

○

戦時中の猛獣処分は、土家由岐雄『かわいそうなぞう』によって、よく知られている。そこに描かれた三匹のゾウの中の「ワンジー」の愛称が「花子」だった。

その『かわいそうなぞう』には、重大な事実の歪曲が二つあることが、既に指摘されている。

一つ目は、連日の空襲のさなかにゾウたちが殺されたように描かれていることだ。一九八一年に発表された評論「ぞうもかわいそう――猛獣虐殺神話批判」(*2)で、長谷川潮は「(猛獣たちの)虐殺のあった一九四三年には、ただの一度も(東京に)空襲はなく、ゆえに爆弾も落とされなかった」(十五頁)とし、死んだゾウの上を「ばくだんをつんだてきのひこうきが、ゴーゴーと」飛ぶ『かわいそうなゾウ』のラストシーンを批判した。

二つ目は、ゾウたちの死を「ぐんたいのめいれい」によるものとしていることだ。「史実には、どこを探しても「軍の命令」などは存在しない」と、上野動物園飼育課長であった小森厚は述べている。一九四三年七月に「初代都長官に就任」した「内務官僚の大達茂雄」が、同年八月に園長と園長代理を呼び出し「一か月以内にゾウと猛獣類を射殺せよ」との命令を下したのだ。

> 世間ではこの処分の命令は「軍」によるものとしたがるようだ。何もかも悪いことは「軍隊」のせいにして、己の口を拭い、戦後も羽をのばしてぬくぬくと生き延びようとした風潮の成せる業といえるであろう。
>
> (小森厚『もう一つの上野動物園史』
> (一九九七年・丸善ライブラリー)六二頁)

地方の動物園に受け入れ先を捜し、運ぶ手筈までとりつけていたのに、「都長官の激怒」によって反故にされた。何とかして動物達を救おうとした努力はすべて踏みにじられた。その過程で、空襲時に危険云々というのは建前にすぎず、真の目的は戦意高揚であることを悟らざるを得なかったという。

それは「軍の命令」ではなくて、行政側の「軍への忖度」によって行われた。

これに先立つこと二年、一九四一年に配給制度が始まっている。最初は米だったが、だんだん物資が不足してきて、代用食としてイモや大豆が配給されていたという。犬肉が食用として公式に認められたのも、一九四一年である。飼い犬を食肉や毛皮のために供出しないと「非国民」の扱いを受けたという。

> どこの家も夫や息子が出征し、働き手を失って苦しい生活をしている。食べる物もない。そんな時に犬猫などを飼っているのは非国民なのである。それで、「うちは供出したのに、お宅はどうしてまだ飼っているのか」という犬好きからの非難もあった。――中略――こういう時には必ず「忖度」する人間が出てくる。――中略――「時代のせいだ」「そういう空気だった」ということになる。
>
> (川西玲子『戦時下の日本犬』
> (二〇一八年・蒼天社)二二三頁)

ゾウたちの命が絶たれたことは、そうした流れの中で理解すべきことなのだろう。人々は愛する家族まで赤紙一枚で「供出」させられていた。それに協力しないのも「非国民」だった。

愛とは、理屈を超えた感情である。人間に残された最後の「野性」のようなものだ。

戦時下において、人々は自らすすんで「野性」を殺していったのである。

○

プラ・サラサスは、一八八九年にバンコクで生まれた。若くして最高学府を卒業し、外交官となってヨーロッパへ赴く。パリ赴任中に起きたタイでの政変によりフランスへ亡命し、革命を物心両面から支援する。革命後に政府支援のために帰国し、経済相と農業相を兼任するが、再び政変により一九三三年に日本へ亡命し、ほとんどいなかったタイからの留学生を百人以上に増やすなどの活動をする。以来、一九四五年までの大部分を日本で過ごし、戦後、日本とタイとのかけ橋として活躍する。

彼の書いた小説『運命の河〈東へ帰る〉（原題Whom the Gods Deny）』の中で、ヒロインの王女の育ての親である大臣は次のように嘆いている。

「民のこころを穢し、自由を奪ひ、思想を堕落せしめ、民の努力を遮つて一律に束縛し、かくて民意を殺し、輿論を麻痺せしめ、行動を盲目にする、國民自身よりもはるかに卑劣なかの神を、民が崇めてゐるのを何故に黙視しなければならないのか。あ、國民は魔神の心をもつに至り、鈍感な全くの自動人形と化してしまつた」（一四二頁）

「神」とは、この小説の舞台であるミサプウル国の王のことである。時代は近代なのにもかかわらず、彼は「余は神であつて、人ではない」（一三八頁）と言うのだ。その彼を崇めて、人々は野性を失った「鈍感な」「自動人形」になってしまったと、大臣は悲憤慷慨する。

プラ・サラサスは、一九三六年頃の日本において、英文でこれを書いた。

★プラ・サラサス（左）と、その著書「運命の河〈東へ帰る〉」（文林堂双魚房）

『運命の河〈東へ帰る〉』は、ミサプウル国という架空の王国をめぐる物語である。

政変が起きたミサプウル国から、王位継承者の赤ん坊の王女をスーツケースに入れて、大臣が連れ出す。二十歳になった王女は、圧政下に置かれたミサプウルの民を救う決意をし、正体を隠して王権簒奪者の息子である現在のミサプウル国の王に接近する。

「姿美しく、またきわめて怜悧」（一四七頁）なこの王女は、弁が立つ上に運動神経抜群である。

王との初対面はこうだ。彼女は警備を突破して、王の乗るロールス・ロイスの進行を、背の低い競争車で遮る。舌鋒鋭く警備のあり方を難じ、「現代にあつてこのやうな國家は時代錯誤です」と「怖れることなくしつかりした口調で」言い、顔につけていた「ヴェエール」を外す。そこで「國王は自然が精巧をこらして創った美の女王のような少女が、彼の前に立つてゐるのをみて、その繊細な美しさにたぢたぢとなつた」（一六六頁）となる。

かくて王は彼女に一目ぼれしてしまう。そして、妃の一人に加えようとしても「殿下の王位は私の与（あずか）り知らぬことでございます」（一九三頁）と応える彼女を、ますます深く愛するようになっていく。

その王を、彼女は次のように分析する。

「國王の心は善良で親切だけれども、精神は僭王の例にもれずすつかり毒されてしまってゐるのだわ――中略――國王は側近の人たちの貪欲と愛欲に導かれて自動人形となってゐる」（二〇八頁）

人々を「自動人形」と化している彼自身が「自動人形」なのだ。

にもかかわらず、王女も王を愛するようになっていく。そして、そんな自分を不思議がる。

「心では反抗していたのに、魂がこつそりと呼びあつたのかしら？」（二四六頁）

魂こそ、野性の発すべき処であろう。

結局、王は王女の手によって死ぬ。そして、王女も自らの命を絶つ。

『運命の河〈東へ帰る〉』は、一九四〇年にロンドンの出版社から上梓された。しかし、サラサスの政治的立場の関係で発禁になったという。また、フランスで映画化が計画されたが「大戦のため中止」になったそうである(＊3)。

一九四二年二月に、和訳本(中西武夫・河田清史訳)が文林堂双魚房から出版された。表紙には「泰國前経済相兼農業相　プラ・サラサス著」と書かれ、巻頭にプラ・サラサス自身の「序文」がある。

> 私が日本で得た知識と經験は、日本がきはめて人道的で、自然な政治形態にあることを知らしめました。私は、故國の政府も、日本を倣ふべきだと信じます。(一頁)

この「序文」の横に「ラビンドラナト・タゴールへ」という献辞がある。その中に「彼の友は彼を知らず、彼の敵も彼を見出し得ざりき」とある。

プラ・サラサスの韜晦を、ここから読み取っていいだろう。

この作品は「東へ帰る」というタイトルで、一九四二年四月に宝塚で上演されているが、それも「大東亜共栄圏シリーズ　泰國大使館御後援」と銘打たれている。タイミングから考えると、宝塚の上演の方が先に決まり、和訳本はそれに合わせて出版されたのだろう。当時としてはギリギリの、かなりの覚悟をもっての上演であり出版であったと想像される。

一九四二年といえば、二月には坂口安吾が「日本文化私観」を、六月には小林秀雄が「無常といふ事」を発表している。同じ年に、このような作品も翻訳され上演されていた。これは記憶されてよいことだろう。

タイ国王らの寄贈した「花子」が来日した時も、また「猛獣処分」の対象になった時も、彼は日本に居住していた。「花子」の命を救うために奔走していた動物園関係者が、プラ・サラサスに助力を求めた可能性もある。だとしても、その時の彼には「花子」の命を救う力はなかったと思われる。

「花子」を救えなかった悼みを抱えていたからこそ、彼は戦後「日本の子供たち」のゾウを求める声を聞き、私財を投じてゾウを贈る気になったのかもしれない。子供たちの声がどこから発するものであるか、彼にはわかっていたからであろう。

○

現在、ほぼ忘れられた存在になっている『運命の河〈東へ帰る〉』であるが、SF作家の光瀬龍は十四歳の時(一九四二年)にこれを愛読したという。「まことに波乱万丈、息をつかせぬ物語だった」「何度くりかえし読んだかわからない」と述べた上で、次のように書く。

> 太平洋戦争直前の大日本帝国は、しきりに南進政策をとり、今のベトナムやカンボジャであるフランス領インドシナや、タイ国を圧迫した。とくに弱小国であるタイ国は、強大な日本の軍事力の前に、屈服せざるをえなかった。――中略――そんな状況の中で書かれた『東へ帰る』だったのだ。(「アンドロメダ・ストーリーズ」
>
> (「光瀬龍　SF作家の曳航」二五九頁))

プラ・サラサスの日本への愛憎の念は、そのまま王女が王に抱いた愛憎の念なのだろう。

その王女は、姿を変えて光瀬龍の代表作の中で活躍している。

戦中に育ち、動物学科を卒業し、動物園の飼育員になることを志望していた光瀬龍は、猛獣処分の真相を知っていたし、プラ・サラサスがゾウの寄贈にこめた思いも察していたかと思われる。

光瀬龍は、愛犬を「はな」と名づけ、『よーすけとはな』(＊4)という作品で、この「はな」が「政変によって自分の星から逃れてきた王女の世をしのぶ仮の姿」という物語をつづった。そして、「はな」の死の三日後に、この世を去った。

(＊1)二〇〇六年・現代書林。
(＊2)『戦争児童文学は真実を伝えてきたか』(二〇〇〇年・梨の木舎)所収。
(＊3)『運命の河〈東へ帰る〉』巻末所収「プラ・サラサスのこと」(中西武夫)に拠る。
(＊4)一九九〇年・ペップ出版。

けものフレンド・オブ・ア・フレンド
——動物フォークロア今昔

◉文＝阿澄森羅

1 友達の友達が

各種メディアで繰り返し紹介されたことで、都市伝説が世間に認知されて久しい。怪談・奇談の類に然して興味がない方でも、『ピアスの白い糸』『ベビーシッターと二階の男』『腎臓泥棒』『ルージュの伝言』といったタイトルを聞けば、大体の内容が思い浮かぶはずだ。

こうした都市伝説やフォークロア（民間伝承）を見ていくと、動物が登場するネタに高頻度で遭遇する。有名どころでは『下水道の白いワニ』や『電子レンジの中の子犬』、変り種としては『ミミズバーガー』などもこのカテゴリーだろう。

都市伝説はその殆どが「怖い話」か「笑い話」なのだが、動物がメインだと怖さより不気味さが前に出ていたり、失敗談が予想外の惨事につながったりと、妙に居心地の悪いテイストに仕上げられたケースが目立つ。それが何故なのかを考えている内に、動物に託したメッセージが潜んでいるように思えてきたので、今回は「何故その動物が物語の構成要素として選ばれたのか」に注目し、奇妙な噂の裏にある含意を探ってみたい。

2 あなたも狼に変わりますか

フォークロアの歴史を遡ると、社会に多大な影響を与えた『人狼（狼男）』の存在に行き当たる。各種創作への登場や『汝は人狼なりや？（Are You a Werewolf?）』を嚆矢とする人狼ゲームの流行もあって、それなりの知名度は有しているものの、かつてリアルな恐怖や忌避の対象であったことは、あまり意識されていないように思える。

ゲームの中で人狼だと決め付けられると問答無用で処刑されてしまうが、それは実際に行われた状況の再現であり、魔女裁判などと同様に人狼裁判についての詳細な記録が残されている。その一方で人狼の仕業とされる異様な殺人・食人・誘拐も多発しており、これを発見し討伐することは生活を守るための行動でもあった。

人狼が恐れられた理由については、様々な角度からの説明が可能だろうが、なるべくシンプルにまとめるならば三点に集約できる。

◎生命や財産への損害
◎常識を揺さぶる怪奇
◎平穏を破壊する侵略

この三点はホラーやサスペンスには欠かせない要素で、恐怖や不安を煽ることを目的にした物語だと、少なくとも一つは含まれている（少数の例外はあるが、大抵は前述の三点を「予感」や「想像」させる構造になっている）。そして、動物の登場する都市伝説の大部分にも、これらの要素は内包されている。

次項からは、動物の登場する都市伝説を『損害』『怪奇』『侵略』に分類して紹介しつつ、その中で何が暗示されているのかを見ていこう。

3 『損害』——得体の知れないもの

生活環境における動物との距離は遠くなり、人間を殺傷しようと襲ってくる存在は既に人間くらいしかいない。では都市伝説の中の動物がどんな損害を与えてくるかといえば、「密かに体内に入り込む」形が主となる。ダイエットの特効薬と称して寄生虫を飲まされる、海で泳いでいたら子宮にタコの卵が着床して妊娠、みたいなトンチキ話も流布していたが、この分野を代表するのは有名ファストフード店が登場するものだろう。

ある夫婦が、テイクアウトしてきたフライドチキンを車の中で食べていたのだが、妻の方は「味がおかしい」と文句を言い続ける。あんまりうるさいので夫が車内灯を点けて確認してみると、妻が齧っていたのはチキンではなくてネズミのフライだった。夫はショック状態に陥った妻を大急ぎで病院に運び込む。チキン店はすぐさま弁護士を立てて夫婦との示談交渉に入り、病院にも口止め料が払われ看護師には緘口令が布かれた。

入院中に妻が死亡して状況が複雑化するなどのパターンもあるが、この話の基本ラインは「おぞましいものを知らず知らず食べさせられる」となる。チキン店に関しては他に、提供される部位にモモ肉が多すぎることから、遺伝子操作によって誕生した四本足のニワトリが使われているといった噂も確認されているが、これも根底にあるのは「何を食わされているのかわからない」のに由来した不安だろう。このような心情が、より一層あからさまに反映される食物がある。材料が原形を留めていないハンバーガーだ。

有名ハンバーガーチェーンは、この手の噂を何度となく流されている。最もメジャーな異物はミミズで、他にはネコやカンガルーなどが材料の候補にされていた。個人的には、「宣伝文句に100％ビーフとあるが、あれは牛肉ではなく『100％ビーフ』と呼ばれる怪生物の肉のことだ」という悪フザケ感あふれる説が強烈に印象に残っている。

実際のところは特殊な材料を使うより、安価な牛肉を使う方が確実に低コストで済む。ミミズは一見すると肉がみっちり詰まっているように思えるが、中身は殆ど泥と糞で可食部はかなり少ない。味については、世間で食用として扱われていない動植物を調理して実際に食べている、チャレンジ精神に溢れすぎた奇書『「ゲテ食」大全』（北寺尾ゲンコツ堂・データハウス）の記述によれば、「ほぼ無味無臭で旨みに乏しい個性のない肉」だそうで、処理の手間を考えるとワザワザ使用するメリットは皆無だ。

こうした都市伝説が生まれるのは、前述の「何を食わされているのかわからない」状況に、どこで食べても同じ味がするレディメイドの不気味さや、安すぎる価格設定への疑念などが加わることで、不安感を更に悪化させるからだろう。実際問題、チキンナゲットに「ピンクスライム」と呼ばれる謎物体が使われていたり、フィッシュバーガーに不気味な深海魚を使っていたりの事実もあった。最近では、説明されても理解の難しい遺伝子組み換え作物の問題なども燻っているし、このジャンルで形を変えて新ネタが生まれ続けるのは想像に難くない。

4 『怪奇』――不安を映し出すもの

正体不明の存在が、目的不明に出現し、理由不明な行動をとる――怪異譚を成立させる要素として「不明瞭」が果たしている役割は大きい。都市伝説では種明かし的なオチが用意されていることが多いが、疑問が放置されたまま終わるものも散見される。それによって生じた不安は、独自の解釈や強引な説明を元の話に追加させ、対象をワケのわからない複雑怪奇なものに変質させてしまう。

都会の深夜、路地裏を歩いているとレストランのゴミ箱を漁っている野良犬がいる。追い払おうとして「シッシッ」と声をかけると、犬がこちらを振り向いて言う。「ほっといてくれよ」――犬の首から上は、中年男の顔になっていた。驚きのあまり立ち竦んでいると、オッサンの顔をした犬は猛スピードで逃げ去っていく。

80年代末から90年代初頭、昭和から平成へと変わる時期に登場したのが、この『人面犬』に関する噂だ。雑誌・TV・ラジオなどが大々的に取り上げた結果、爆発的に知名度が高まりブームと呼ぶべき状況が発生した。

有名都市伝説の常で、人面犬にも多数の設定が盛られている。140キロで高速道路を爆走、口から火炎を吐く、見られると犬になる、噛まれると体が腐る――等々、結構なデタラメぶりだ。

誕生の理由に関しては、某大学の遺伝子操作実験によって作られたキメラ、特殊なウイルスに罹患した犬に噛まれた人間が変態したもの、散歩中に暴走族に轢き殺された犬と飼い主の怨念が融合した悪霊、などの説が語られていた。更には、人面犬は口裂け女の飼い犬、なんていう都市伝説コラボまで発生した記録が残っている。

人面獣身の怪物は各地の伝承に残っているが、その中で都市伝説的なエピソードを残しているものといえば、まず『件(くだん)』が思い浮かぶ。内田百閒の『件』や小松左京の『くだんのはは』といった小説、それに様々な漫画作品に登場する、牛の体に人の頭部がついた(牛の頭に人の体な逆パターンは主に『牛女』と呼ばれる)怪物、それが件だ。

件の最大の特徴はパンチの効いたヴィジュアルではなく、「予言をする」ことにある。凶作や豊作、疫病の発生、戦争の勃発などの予言を行い、その内容は必ず的中するとされている。件に関する噂が大々的に流れた最後の例は、太平洋戦争における日本の敗色が濃厚になった昭和十八年から二十年にかけてのこと。戦争が終わる時期や空襲を避ける方法などが件の予言として流布し、警保局保安課(特高警察はここに属する組織)が発行した『思想旬報』には「四本足の牛のような人が生まれ、『戦争は間もなく終わるが、戦後に疫病が流行る。しかしニラと梅干を食べれば防げる』と言い残して死んだ」といった内容の噂が記録されている。

件の予言が、都市伝説が有している「人々の不安や恐怖を代弁するもの」という側面を端的に表していたように、人面犬もまた「科学の暴走に対する不安」や「バイオテクノロジー全般への不信」が噂の広まる土壌となっていたのだと思われる。いつの世も理解が及ばないものに対する恐怖が、怪物が出現する余地を生み出すのだろう。移植手術用にヒトの臓器を豚の体内で養殖するような、ホラー映画の導入部めいた研究も進んでいる現状からして、この方面からも新たな動物奇談が登場する可能性はある。

5 『侵略』――外からやってくるもの

民俗学者のジャン・ハロルド・ブルンヴァンは、新聞のコラムや『消えるヒッチハイカー』などの著作を通じて世間の怪しい噂を紹介し、「都市伝説(Urban Legend)」という言葉を一般化させたフォークロア研究の第一人者だ。そのブルンヴァンの本のタイトルにもなっている話に『メキシコから来たペット』がある。

カリフォルニア州サンディエゴ在住の婦人が、メキシコのティファナ(距離としては隣町)へと遊びに行き、そこで自分に懐いてきた野良犬を連れて帰る。数日後、犬が病気になったようなので獣医のところに連れて行くと、「あなたはこの犬をどこで手に入れたのか」と詰問される。検疫やら何やらで面倒なことになると思った婦人は、自宅近くで拾ったのだと言い張るが、相手はそれを信じようとしない。仕方なく事情を説明すると、獣医は「これはメキシコに生息する巨大ドブネズミだ」と犬の正体を告げてくる。

間違えても仕方ない要素をつけるため、ネズミが長毛種の設定になっていたり、野良犬がチワワやメキシカン・ヘアレスになっていたりの類話もあるが、基本は「海外から得体の知れない生物を連れて来てしまう」設定だ。

この話は各国で様々なバリエーションが語られており、主にドイツで流布している都市伝説を集めた『ヨーロッパの現代伝説 悪魔のほくろ』(ロルフ・W・ブレードニヒ、白水uブックス)には、インド(アルジェリア・モロッコ・韓国などに変わる類話もあり)から密かに連れ帰った仔犬がペットの猫を食べてしまい、どういうことかと獣医に相談に行ったら「これは犬ではなく巨大ネズミだ」と告げられる話が掲載されている。

共通して話の中心となっているネズミが、採話地から未開・後進と見做されている地域の産物であ

★（上から）小松左京「くだんのはは」（ハルキ文庫）、ジャン・ハロルド ブルンヴァン「メキシコから来たペット」（新宿書房）
ロルフ・W・ブレードニヒ「ヨーロッパの現代伝説 悪魔のほくろ」（白水Uブックス）

ることからは、「ロクでもないものはロクでもない場所からやってくる」との明け透けな差別意識が読み取れる。身も蓋もなく言ってしまえば、ネズミが象徴しているのは「外国からの移民」に他ならない。無害な犬のフリで入国しておきながら、その正体は病原菌を撒き散らす凶暴なドブネズミ——この構図は移民への嫌悪や恐怖として非常にわかりやすい。元からいたペットが食われてしまうドイツ版の展開には、外国人犯罪への不安が反映されている様子もある。

この「生活圏の外から来る擬態した獣」の扱いには、かつて人狼に向けられていた悪感情の名残も色濃い。森と外国、狼とネズミという違いはあれど、核にある部分はどちらも排他主義や排外主義に属するものだ。『メキシコから来たペット』の類話が増えることはもうないかもしれないが、移民に難民にまつわる諸問題や彼らによる犯罪やテロを報じるニュースが毎日のように流れ、日常で外国人相手のトラブルに巻き込まれる確率が高まり続けている環境は、「他所から来た厄介な生物」が活動するには最適だろう。

6 ホントにマックで面白会話してる女子高生いたもん！

口コミで拡散されていたフォークロアは、ネットに流れて一気に拡散されるネットロアへと変化したことで、話題を集めた怪現象や怪生物はすぐさま検証され、瞬く間にその正体を暴かれる状況になった。説明のつかない現象や怪異は『SCP財団』のように最初からフィクションとして語られる話や、調査捕鯨船が遭遇したとされる巨大生物『南極のニンゲン』のような、検証困難で特殊な状況下の体験の中にしか居場所がなくなっている。

一方、『損害』と『侵略』で見てきたような噂は、現在ではデマと真実のハイブリットである新種が次々に生まれ、驚異の繁殖力で類話をバラ撒きながら人口に膾炙している。

今更『ミミズバーガー』を本気で信じている人間などいないだろうが、これが「中国から輸入された養殖ウナギは人糞を餌にしている」だと話は変わってくる。『下水道の白いワニ』の話は既にギャグに近い扱いになっているが、これが「猛毒を持つ外来生物によって毎年複数の死者が出ているが、パニックを恐れた政府は事実を隠蔽している」ならば、馬鹿げた与太だと笑い飛ばすのを躊躇せざるを得ない。

こういった話に関しては、ウナギや外来生物の噂が事実かどうかは大した問題ではなく、発信者の目的は「中国産の食品は怪しい」「政府は何かを隠している」といった主張をすることにある。いつの時代でも、都市伝説に登場する動物は現実にある不安や恐怖を体現（或いは反映）する存在であり続けるようだ。

最後に一つ、大きく変わったものについて触れておきたい。噂の出所についてだ。都市伝説に分類されるような話では、発信者の「友達の友達（friend of a friend）」が情報源になっているのが定番だった。しかし今では発信者の友人知人の体験談であったり、本人が直接に見聞きしたとの設定で語られていることが殆どだ。

真実味やメッセージ性を曖昧にする距離感が失われたことで、都市伝説は確実に変質を遂げて別物になりつつあるのだが、それを何と呼ぶべきかはまだわからない。

カノウナ・メ

——可能な限り、この眼で探求いたします

第38回 象・別訳な現実

加納星也

■象は静かに座っている

2020年の始まりに何を書こうかと考えている。そこで……。

というのは、全くの偽りである。

自明の理であるが、これを書いているのは2019年の年末。締め切りに滑り込みする体制でこれを書いているのだ。

しかも、今年も眼を思い切り酷使したせいで、目の前には白い靄がかかっていて、キーボードの文字もかすんでいる状態だ。それにしても、最近はネットフリックスの登場もあり、長尺物の映画も多い。辛口でいえば、そんなに時間が必要なのか？テレビドラマのスペシャル版より意味がないと思える映画も多く、静かに座っているときに実人生を考えてしまう瞬間も多い。

そんな中で是非、映画館で見てみたいという映画に出会った。

■4つの物語

映画というフィクションは、お約束が事前にあり、そこから成長したりするものなのだが、ここで取り上げる物語は少し違う。

何が違うかと言えば、何かが違う。では、その何かとは？ それが何かを探すための旅の過程自体が、いわばこの映画のテーマなのだろう。

作品はドキュメンタリーではなく、フィクションであるのだが、そこでの違いはこうした違和感に根差している。違和感というものは、冒頭で挙げた時制の差でもあるのだが、そうとも言い難い。

この映画での話者は一人ではなく、主に登場する、お約束では主人公と呼ばれる俳優は、4人。その4人が個々の眼でみた個々の物語であるはずだ。はずという、曖昧な表現で語りだしたのは意味がある。

彼らは、それぞれ自身がいる環境からはみ出している。はみ出していくという欲求とともに、自身がおかれている場所への愛ゆえに、行き場をなくすのだ。

まず、この4人が住む中国の小さな田舎町。そこは、かつて炭鉱業が栄えていた町であるらしいが、特に名前は明かされない。主人公たちも同様に名前はつけられているが、それはただの記号に過ぎない。どこにでもあるさびれた土地での匿名の人間なのだ。

全体を通してその画面は薄暗く、いつも曇り空でどんよりしている。主人公たちは、このさびれた町の片隅で生きている。あるものは学生として、あるものは町のアウトローとして、また核家族の邪魔者として。

少年は不良少年のたまり場になっている学校の学生。友人の少女は、お金儲けしか生きがいがない母親との生活を送るしかない。この二人の関係は、あの台湾のエドワード・ヤンの傑作『牯嶺街少年殺人事件』のムードに似ているかもしれない。

ある日、主人公の少年は友達をかばい、不良のボスである同級生をあやまって階段から突き落としてしまう。それが発端で彼は街を彷徨い歩く。

その同級生の兄は、やくざまがいの仕事で生計を立てている。親友である女と関係し、その親友を死に追い込んでしまう。

また老人の男は、娘家族に邪魔にされ、老人の施設に追いやられようとしている。

この4人の物語が初めは断片的に、やがてその周りの人物たちを巻き込み、物語は進んでいく。

■象は静かに座っているか？

この物語のキーワードとして、タイトルにある『象は静かに座っている』がある。これは村上春樹の『象の消滅』にインスピレーションを受けている。サー

カスにいるだろう、ずっと座っている象。それに会いに少年は、2300キロ離れた満州里に向かう。その話はやがて、少女に、そして孫娘を連れた老人の放浪譚へとつながっていく。

満州里にいる象とは、ここではないどこかのことで、一日中座っているだけのサーカスの象とは、結局どこにもいけないが夢想する人間の象徴であろうか?

ともあれ、映画は物語を語れば語るほど、映画の本質から離れることがある。この映画は、そうした種類のものである。この映画には考えてみれば、ほとんど説明的なセリフがない。登場人物たちは、他者に言葉をなげかけるが、それは他人に対する強要ではない。少女が母親失格の実母をなじるシーンや、極道の男が少年や老人を脅す場面であっても、彼らの言葉は社会に向かうのでなく、ただ目の前にある崩れかけているが今なお眼前にある壁に向かって吐き出されるだけなのである。

それにしても、このどよんとした時の流れはなんであろう。カメラは基本長回しで登場人物の行為を追う。人物は目的をもって走りもしなければ、重要な事件が起こったであろう瞬間はカメラの枠外で起こる。えてして現実のアクシデントとはそんなものだ。他人の行動とは不可解さに満ちている。だれもが自分の心がわからず、虚構の中にある映画の主人公のように、確信に満ちている行動などありえない。事故とは、自身のコントロール外で起こるもの。そんな人生観に満ち満ちている。

この映画に対するローリング・ストーン誌の評は「傑作!!」。この映画監督は弱冠29歳で自ら命を絶った天才フー・ボウ。しかもこの映画、彼の長編デビュー作にして遺作。魂の234分といわれる力作である。

本作には先人たちからの影響もみられ、新鮮な魅力というより、ノスタルジックな雰囲気を醸し出す。同時に、現代映画といわれるあらゆる巨匠たちの批評性も含む作品ともいえる。それゆえ、デビュー作にして、すでに高い完成度を備えている。タル・ベーラ、ワン・ビン、ガス・ヴァン・サントス、ホウ・ショシェン、アン・リー、イチャン・ドンら世界のビッグ・ネームが絶賛するのは当然といえよう。

それにしても、こうした才能が消えてしまう現実。

これを映画館で見る私たちは、ただ、象のように静かに座っていてよいのだろうか?

象の消滅を見届けてしまった今、まさに映画館の外に飛び出し、目的もなく彷徨うリスクをおかして、世界の現状を語るべきではないか?

冷たい冬の雨が降り続く、この外の世界ではクリスマスウィークの喧騒が他人事のように響いている。

さて、明けて2020年の初頭、注目すべき映画が公開される。カンヌ国際映画祭・ドキュメンタリー賞受賞作『娘は戦場で生まれた』。これは、未だ解決をみない未曾有の戦地シリアで生まれた娘のために母親がカメラを回す作品だ。

この作品に期待を込めて、2020年の希望としよう。

★「象は静かに座っている」
中国北部の地方都市に暮らす男女4人の1日を4時間近い長尺で描いた傑作。第68回ベルリン国際映画祭国際批評家連盟賞、最優秀新人監督賞受賞。

★「娘は戦場で生まれた」
2020年2月29日より、シアター・イメージフォーラムほか全国順次公開

バリは映画の宝島〈カルト編・5〉

友成純一

《ホラー女王スザンナ》5
スサンナ——もう一人のホラー女優

スザンナの作品群、夜店のいかがわしいDVDで仕入れていると前に書いた。現地通貨で一枚一万ルピア、日本円で八十円くらい。一枚買うと、六作品から八作品収録されている。

変な作品も一緒に紛れ込んでる。ホラーはホラーで、〈スザンナDVD集〉に入っているし、いかにもスザンナ作品っぽい題名で内容なんだが、スザンナがなかなか出て来ない。変に思って、クレジットとかネット情報でよくよく確認してみると、主演はスザンナ Suzanna でなくスサンナ Susanna だった。別人の作品だったのだ。

スザンナにまつわるいかがわしいDVDを、十枚ほど仕込んであるのだが（複数のDVDに同じ作品が重なって収録されている）、その中にスザンナならぬスサンナ作品が、計三本ほど紛れていた。おそらくこのいかがわしいDVDを作って売っている人間も、作品内容をいちいち仔細に確認しているわけではないだろうから、"スザンナ"と"スサンナ"とがゴッチャになっているに違いない。「同じような映画なんだから、どっちでも良いだろう」てなもんで。

スザンナの名前は、Suzanna（Suzzanna とも）Martha Frederika van Osch、オランダ人との混血である。こちらはSusanna Ceicilia（Ciciliaあるいは Cecilia とも）。インドネシア語のWikipediaには彼女の項目もしっかり用意され、フィルモグラフィーも紹介されている。

見た三本を、紹介しておこう。

「生ける屍（または深夜の絶叫）Mayat Hidup (Jeritan Malam)」(81)

重病で昏睡状態に陥った妻スシを救うべく、夫は優秀な博士を訪れる。この博士は、超常現象や超能力、魔法や魔物にも通じていた。博士は血液を入れ替えることによって治療は可能だが、そのための薬は大変に高価な上に米国にしかないと、キッパリ。夫はどうしたものか悩むが、博士の助手が狡い奴だった。自分にお金を弾んでくれれば、博士に内緒で処置してやろうと申し出る。夫は喜んで助手に全てを託すことにした。

二人がコソコソそんなことをしている間に、夫に伴われて来た使用人二人は暇を持て余し、博士の研究室に無断で入ってみる。そこには、骸骨もあればターザンみたいな格好の原始人もおり、トゥユル Tuyul という赤ん坊の妖怪も、血塗れ女妖怪クンチルアナック Kuntilanak も、死装束幽霊ポチョン Pocong もいる。皆、剝製みたい固まって台座の上に立ち尽くしていた。二人はその場にあった実験機器を勝手に操作してしまうが、そうすると機械の作動するリズミカルな音に合わせて、展示されていた様々な研究素材も、手を振り肩を揺すり、踊り出すのだった。

弟子は治療を安く上げるため、博士のコレクションの一つであるクマンマン Kemangmang という怪物の血をスシ夫人に輸血する。クマンマンは、人間の脳味噌を貪り食って生きる妖怪である。輸血と治療は成功に終わり、スシ夫人は生き返った。が、正気は完全に失われ、まさに怪物のような形相で怪力を発揮、暴れ回った。抑えようとした弟子は、脳味噌を食われてしまう。夫人もクマンマンのような怪物となってしまったのだ。

夫の使用人たちがラジオの音楽を聞かせると、スシ夫人は困惑の表情を浮かべた後、明るく楽しく踊り出した。夫はその隙を見て使用人たちに手伝わせ、ようやくスシを屋敷に連れて帰るのだった。ちなみに夫は、治療に関するノートを弟子に見せてもらっている。

スシは夜毎、屋敷を抜け出しては夜の街を徘徊し、老若男女を問わず襲って、脳味噌を啜っていた。召使いにはこの秘密を守ることを条件に、給料を十倍に上げてやる。そこに愛娘リニが、退院した母の面倒を見るために帰って来る。母に会いたい一心で帰って来たリニだが、昼間は目を大きく見開いたまま死んだように無表情な母に、まだまだ回復は遠そうだと嘆き悲しむ。

リニはセクシーで美しかった。召使いは、リニの世話をするのが嬉し恥ずかし、楽しくてならない。若い現代娘らしく夜遊びが大好きなのだが、酒場に入れば男たちが群がって来る。リニの家まで押し掛けて来たり、付け回したりする。そんな奴らが、片っ端からクマンマン＝スシ夫人の餌食になって、脳味噌を吸われて死体になってしまう。リニに言い寄った男ばかりが異常な死に方をするので、リニが殺人鬼として疑われたりする。

ついにある夜、クマンマン＝スシ夫人は、付き添っていたリニに襲い掛かって脳を食おうとする。が、召使いたちの機転で、音楽を聞かせて踊らせ、リニから引き離すことに成功。ここで突然、夫は、弟子から受け取った治療のノートに、どうすればクマンマンを倒せるか記されていたのを思い出す。頭の天辺に五寸釘みたいな串を刺せば良いのだ。スンデル・ボロンやクンチルアナックの倒し方と同じである。きっとインドネシアの怪しくて危ない存在は皆んな、頭に太い串を打ち込めば滅びるのだろう。

音楽に合わせて踊るスシの頭に、串を刺して、メデタシ、メデタシ。

ちなみに、本作にも幕間狂言として、スザンナ映画でお馴染みのボキール Bokir が登場。病院の待合室に寝泊まりしようとして追い出されたボキールが、眠るために潜り込んだ先が死体安置室。ここで、本筋に関係ないどうでも良いドタバタ・ギャグがある。

この旦那さんは、たとえ奥さんが怪物となって誰彼の見境なく脳味噌を食いまくっても、隠しおおせればそれで良いと思っている節がある。大金持ちなのに、お金をケチって弟子へのコミッションで妻を治療しようとするような人だ。愛娘の身に危険が及んで初めて、クマンマン奥さんを倒す。それも、唐突に弟子から貰っていた本の存在を思い出して——このバカバカしさ、いい加減さが面白い。

街中で夜毎、老若男女が脳味噌を食われている、それも後半はリニの周囲に限って。周囲の人間は皆んな、リニを怪しむのだが——警察は動かないのだろうか——八〇年前後のインドネシアの警察なら、動かなくても不思議はない。彼らが働くのは、賄賂をくれる相手に対してだけである（そうか、旦那は警察をすでに買収していたのかも）。誰も端から、警察を当てにしてはいない。

天才マッドサイエンティストの博士は、冒頭に出て来て、「治療にはお金が掛かります」と言っただけで終わり。弟子が真っ先に姿を消し、続けてこんな連続猟奇殺人が起きているのだから、何が起きているか当然知っているはずなのだが、以降は全く姿を見せず。まあ、天才マッドサイエンティストだから、そんな俗事はどうでも良いのだってことで。

スンデル・ボロンでも黒魔術でも蛇王女でも虎女でもない、脳味噌食い怪獣クマンマンの存在、この映画で私も初めて知った。

監督はM・アブナール・ロムリ M. Abnar Romli。我らがスサンナが演ずるのは、もちろん遊び人のセクシー娘リニでなく、クマンマン＝スシ夫人である。

「南の海の王妃 Ratu Pantai Selatan」(80)

冒頭で、若いカップルが海岸で飛んだり走ったり、イチャイチャしながら青春恋愛している。そこに突然、津波のような大波が襲い掛かり、二人は飲まれてしまう。この二人の水着姿から、本作は時代物でも架空ファンタジーでもなく、八〇年前後当時の現代の話だと判る。この冒頭シーン、本編には全く関係なし。たぶん、水着の女の子（と男の子も）を冒頭で見せて、観客の目を惹きたかっただけだろう。

海の中の竜宮城では、女王ニ・ロロ・キドゥルの娘ブロロン（スサンナ）が、海の一族の掟に反して、陸に上がって人間と一緒に暮らしてみたいという望みを抱いていた。が、いったんそれをしたら、二度と魚に戻れないし海に帰って来れなくなると、ロロ・キドゥルに止められる。しかし、ブロロンは——

さて、陸の上の田舎の漁村では、昔ながらの暮らしが続いている。漁師は丸木舟を海に浮かべ、釣り糸一本で魚を獲り、生計を立てている。二枚目ながら頑固者で生真面目な、漁師コシムもそう。思い掛けないことに、鯉みたいに大きな金色の魚を釣り上げる。不思議に思ってじっと見つめていると、この黄金の魚、口をパクパクさせて何か喋っているではないか。びっくりして逃がしてやるのだった。

コシムの丸木舟は、網元からの借り物だった。借り賃を払わなければならないのだが、頭のイカれた母と二人暮らしのコシムは貧しくて、払えないでいる。網元は、年増ながらセクシーで美しい熟女だった。コシムと一緒になりたい一心で、ちっとも借り賃を払ってくれないのに、船をずっと貸してやっている。借金を返せないなら、自分と結婚しろと強く迫るのだった——一緒になれば良いのに、私などそう思ってしまう。タダで船もお金も貸してくれ、ついでに身体も貸してくれるというのだ。しかも、こんなに一途にカシムを思っている。対するコシムは、借金は全く返さないくせに、威張って求愛も拒む。実に傲慢である——などと思いながら成り行きを見守っていると……

コシムのお母さんは、もはやお婆さんなのだが、いつもケバケバの着物を着て濃厚な化粧を。もはや化け物である。猿を飼っているのだが、この猿まで、ピエロのようなメイク。言動が異常で完全にプッツンしているのだが、コシムの苦境をモノともせず、お祭りで元気よく村の衆と踊り狂ったりしており、能天気で憎めない。

コシムが市場を通り掛かると、あの逃がしてやった黄金の魚が、売りに出されていた。黄金の大きな魚なので縁起が良いと、大変な値段で。村のお金持ちが買おうとするが、金魚はすぐにコシムに飛び付いて来ては、死んだ振りをする。コシムは自分の船と交換に、この魚を自分のものにするのだった——交換にって、借り物なんだぜ、この船。呆れた奴である。これを知っても、熟女網元は強く結婚を迫るばかりで、船を勝手に売られたこと自体には怒らない。良い人である。

黄金魚を持って帰ると、イカれた母が腹が減ったと言い張る。コシムは鉢に魚を移したまま、裏山に芋掘りに出掛けた。が、その間に母は空腹に耐えかね、その魚を焼いて、ムシャムシャクチャクチャ、意地汚く食ってしまうのだった。コシムが帰って来たら、魚は哀れ食い散らかされ、無残な食いカスとなってしまっていた。コシムは哀しみに打ちひしがれ、魚の残骸を海に返してやる。コシムは気付いていないが、魚は生き返って元の姿に戻り、泳ぎ去るのだった。

黄金の魚を食べて以来——あらあら不思議、たちまち母の脳の病は癒え、正常に戻っていた。そしてコシムは海に出るたびに、大漁に恵まれるのだった。女網元の求愛と求婚は、ますます激しくなるのだが、コシムは借金を返し、頑なにこれを断り続ける。借金を返されると愛を迫れなくなるので、網元はお金を受け取ろうとしない。女網元はコシムへの思いのあまり、だんだん般若のような形相に変わり果ててゆく。一緒になってやれよ、コシム。

母には、頭がイカれてた時から言い寄って来る若造がいた。正気に返るや、若造はますます熱心に言い寄り、老いた母も嬉しくなってこれに応えてしまう。コシムを叱咤し、お金を取り上げ、若造に貢いでしまうのだった。間もなく老母と若造は、海岸でイチャイチャ乳繰り合っていて大波にさらわれ、行方知れずになってしまった。

コシムはある夜、夢を見る。あの黄金魚が美女に変身して、自分のところに嫁いで来る夢だった。独り暮しになったコシムが、漁を終えて家に戻ってみると、あらあら不思議、着る物は洗濯して畳まれており、豪華な食事の用意もされている。毎日のようにそれが続くので、ある日、漁を早々に切り上げてこっそり忍び足で家に帰ってみた。すると、夢で見たあの美女が、歌を歌い踊りを踊りながら、洗濯や料理をしているではないか。

そこにコシムが姿を見せる。金魚姫は素性を明かし「人間になってあなたと一緒にいたいんだけれど、そしたら竜宮城に帰れなくなる」と打ち明ける。コシム、「帰らなきゃいいじゃないか、ずっと一緒にいてくれ」。かくして二人は一緒になるのだった。

さあ、怒ったのは女王ロロ・キドゥル。コシムの村は大嵐と大波に襲われ、壊滅的な打撃を受ける。たくさんの村人が死に、飢え、悲しみと苦しみが村を襲う。

女網元は、自分を袖にしてどこの何者とも知れぬバカ娘と一緒になったコシムに、激しい怒りを燃やす。村が滅びつつあるのも、こいつらのせいだ。巨乳をブリブリ揺すりながら激しく黒魔術の踊りを踊り狂う。黒い祈祷が効いて、コシムの頭に大串が刺さり、ブゥードゥー教のゾンビのような魂を失った人形にされてしまう。そして金魚姫を殺しに家に帰って来るのだが、金魚姫は直ちに事態を見抜いた。コシムが魂のない人形にされてしまったのは、頭に刺さった大串のせいだと。金魚姫は「えい、やっ、おっ」と大串を抜き、コシムを正気に戻す。

海の女王の怒りで、女網元は報いを受ける。全身が炎に包まれ、大火傷を負った爛れ女にされてしまうのだった。なんと哀れな。

コシムと金魚姫はめでたく結ばれる。が、子を産んだ後、海からやって来た黄金の馬車に乗って、金魚姫は赤子と共に海に還ってしまうのだった——メデタシ、メデタシ。

監督はアキル・アンワリAckyl Anwary。

「蛆虫祈祷師 Dukun Lintah」(81)

本作も同じく、アキル・アンワリ監督作品。スサンナは、この監督とよく組んでいるようである。

ハニー(スサンナ)とヌルディンは愛し合っていた。が、ハニーの父ルスタムは二人の結婚に反対で、事業仲間ヒダヤッの息子ヘンドラと結婚させようとしていた。ハニーは進学試験に失敗するのだが、ルスタムはそれをヌルディンとの恋愛のせいにし、二人の仲を裂こうとする。ルスタムはヒダヤッに莫大な借金があったため、娘ハニーを嫁入りさせてそれを帳消しにしたかったのだ。ヘンドラはヘンドラで、ハニーを自分のモノにしたいという邪まな欲望を抱いていた。

ルスタムから結婚の申し出があって以来、ヘンドラはハニーを口説こうとしきりに屋敷を訪れた。ついには催眠術まで使ってモノにしようとするが、ヌルディンの邪魔が入ったりなんたり、どうしても上手く行かない。借金もハニーも思うようにならないストレスで、ルスタムはついに脳梗塞の発作を起こし、倒れてしまう。その隙に、母とヌルディンの両親の祝福を受け、ハニーは正式にヌルディンと添い遂げる。二人の結婚に反対していたのは、父ルスタムだけだった。

ヌルディンの両親は、決して豊かではなかったがきちんとした家柄の出で、堂々とした性格の素晴らしい人たちだった。

ヘンドラはハニーを奪われ、裏切られたように感じ、憤怒のあまり、蛆虫魔術を使う祈祷師（ドゥクンdukun）を訪れる。これが、踊る祈祷師。踊りながら空中浮遊をしたり、自分に逆らう者を小人に縮めて瓶詰めにしたりする。踊って空中に浮き上がり、口から炎を吐いたり吸ったりしながら、蛆虫を生み出す。

夜、眠っていたヌルディンの元に蛆虫が押し寄せ、ヘソや口から体内に入り込んだ。ヌルディンは倒れ、病院に連れて行かれるが、打つ手はない。医療が役に立たないならと、オンドンOndongという祈祷師オババを呼んだものの、このオババも逆に蛆虫に取り憑かれ、血を吐いて悶死する。享年六十三だった。

このオババを取り殺した蛆虫が、墓から這い出して今度は村人を襲い始めた。病に伏せるヌルディンは、突然発情したかのようにハニーの唇を求めた。思わずそれに応えたハニーだが、この接吻により、口移しに蛆虫がハニーに。ハニーは蛆虫に祟られ、狂犬のように暴れ出した。

この蛆虫は、接吻や性交によって感染するらしい（本作公開時、エイズが世界的な問題に）。村のあっちでもこっちでも、身体を絡め会い、縺れ合い、村人の間に急速に蛆虫病が拡がって行く。症状は狂犬病に似て、感染した人々は口から泡を吹きながら暴れ、蛆虫をそこいら中に広めてゆくのだ。

最初に感染したのがヌルディンであり、ハニーにも激しい症状が現れたため、ハニーとヌルディンの一家は、病原菌のように村中から嫌われ、憎まれる。感染した村人が、ゾンビのように両腕を前に突き出し、ハニーの両親に襲い掛かってくる。

この時、イスラムの老学者が、怪しい空気に吸い寄せられるように、村を訪れていた。ハニーの両親はこの老学者に助けを求める。老学者は、この病の正体を知っていた。優れたイスラム学者なのだから、何でも知っている。

老学者の祈祷が嵐を呼び、悪意の張本人ヘンドラと蛆虫祈祷師に襲い掛かる。ヘンドラは嵐から逃げ惑い、森で川に落ちたが、川に棲む大量の蛭にたかられ、死んでしまうのだった。蛆虫祈祷師も、嵐の中、倒れた大木に足を潰され、何処からともなく飛んで来た二本の串に両眼球を貫かれ、嵐のせいで掘られた墓穴に落ちて、死んでしまう。

ヘンドラと蛆虫祈祷師の死により、村人はたちまち病から回復。ヌルディンのお腹に棲み着いた蛆虫どもも、偉大なるイスラム老学者の祈祷で駆除される。かくして村に平和と安心が戻り、ハニーとヌルディンも幸福な結婚生活を送れることになった――メデタシ、メデタシ。

この三本に通じているのは、怪奇現象にも超常現象にも踊りを伴うこと。天才博士の部屋に陳列されている妖怪や怪物も、クマンマンも、音楽が聞こえて来ると踊り出す。蛆虫祈祷師の祈祷は、文字通りの踊りだった。田舎の漁村でも、女網元は黒魔術のために踊るし、金魚姫は歌って踊りながら家事をする。イカれたコシムのお母さんも、ケバい着物とメイクで踊ってばかりいる。

八〇年代の欧米ホラーは、特殊メイクの急速な進歩を生かしつつ、ついには笑ってしまうグロテスク映像でヒットを重ねた。一方、同じ時期のインドネシアなどの東南アジアのホラーは、リアルなグロや恐怖でなく、素朴なメイクやコスチューム、意表を突いた道具立てで、観客の度肝を抜く。それに歌や踊りを合わせることにより、アジア的なファンタジー・ホラーを演出していたのだと思う。

スサンナは、一九五五年五月二十五日生まれ、二〇二〇年現在六十六歳だから、私と同世代である。一九四二年生まれのスザンナより、一回り若い。映画初出演は一九七七年で、「白鷺の一撃 Pukulan Bangau Putih」「若き妊娠 Hamil Mudah」「九人の未亡人の恋愛遊戯 Sembilan Janda Genit」と三本の作品に立て続けに出演している。題名から察するに、ホラーでなくエロチック・ラブコメだろうか。二十二歳だった。

俳優として活躍した期間は短く、八一年までの五年間、計十一本の映画に出演しているだけだ。この三本しかまだ見れていないので確言はできないが、スサンナもスザンナと同じく、ホラーと、セクシーなラブコメと、双方に持ち味を発揮したのではないだろうか。

スザンナ作品を見るつもりで、思いがけず他の女優のB級ホラーに出合ってしまった。いずれも愉快な作品だった。八〇年代インドネシア・カルトの、裾野の広がりを垣間見た気がする。

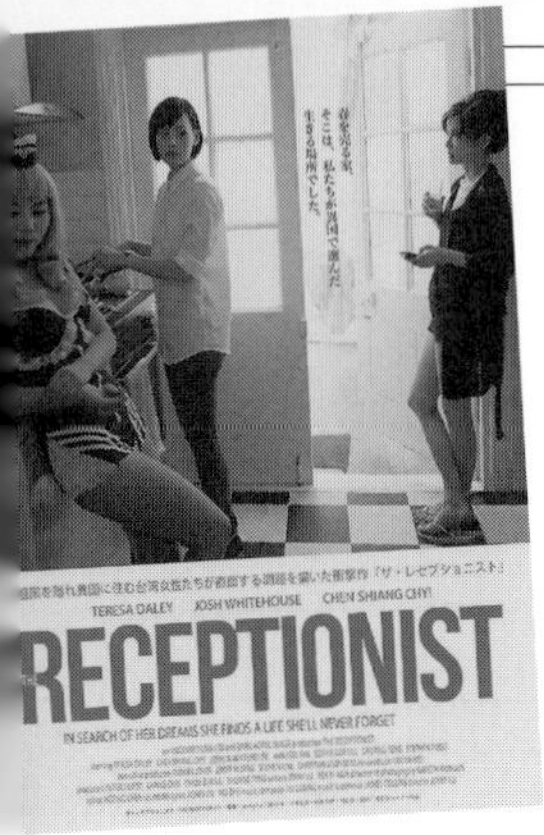

movie

よりぬき［中国語圏］映画日記

小林美恵子

エクソダスの時代の故郷

——『ザ・レセプショニスト』『熱帯雨』『自画像：47KMの窓』

秋の映画祭シーズン、いくつかの映画祭で、そしてそれ以外にもたくさんの映画を見た。その中で気になったのは故郷から異国に出た女性たちの姿を描く映画が目立ったこと。さらに彼女たちがさまざまな生活を経て故郷に戻っていく姿も描かれ、移動・出国（エクソダス）の時代に、女性にとって故郷が意味するものって何だろうと考えさせられてしまう。

★ザ・レセプショニスト（二〇一六／監督＝ジェニー・ルー／台湾・英国）

イギリスに住む台湾人の若い女性監督のデビュー作である。イギリスで大学を卒業したものの就職先のない台湾人女性ティナ。彼女は、台湾人女性経営の違法マッサージ店に受付係として就職する。映画はそこでの女主人や同僚たちの危うげながらもたくましい日常を描く。中でも吝嗇で他を蹴散らして生きているようでもありながら、存外親切で、ナニーに息子を預けて稼ぎ仕送りをしているササ（陳湘琪）の存在感がさすが！ こんな環境に白シャツ・細身のパンツですっきりと舞い降り、なじまぬ清潔感でたたずむヒロイン・ティナのテレサ・デイリー（紀培慧）とともに目を離せない吸引力をこの映画に与えている。

とはいえ、監督の主眼はあとからやってきて住み込み、ササの金を盗んだ疑いをかけられ（実は盗んだのはティナ）追い出されて、行き場を失い死ぬ出稼ぎ娼婦アンナにある。監督の実在の友人がモデルだそうで、映画の末尾には亡くなった友人への献辞が入っている。

アンナだけでなく、若い男との情事にふける女主人も、実はこの家が売春宿であることを家主には隠しており、その上家賃を滞納し結局追い出されるし、ティナも同棲している無職の恋人に代わり家賃を稼ごうと必死でこの仕事に就くのだが、結局それが原因で恋人に追い出されてしまう…と、行き場なくここに吹き寄せられた女たちが、さらに行き場を失っていく姿が痛々しい。静かにだが、切々と、画面は移民のおかれた状況を訴える。

そのティナが台湾に帰り、ササにも帰郷を呼びかけるのが映画のラスト。台湾の景色のまぶしさがイギリスのくすんだグレーとは対照的で、幸福感があふれるが、ン？それで本当にいいの、解決するの？という思いも呼び起こされる。

★熱帯雨（二〇一九年／監督＝アンソニー・チェン（陳啓藝）／シンガポール・台湾）

アンソニー・チェン監督の長編デビュー作『イロイロ』（二〇一三）は経済不安のシンガポール、ふてぶてしいまでにわがままな少年ジャールーの変化と魅力に目をひかれた映画だったが、高校生になった同じコ・ジャールー（許家楽）を起用し、当時母親役だった楊雁雁が今回は中国語担当の教師役。ジャールーは本作でも、よく言えば純真、一本気に、悪く言えば図々しさ全開で教師に迫る。

マレーシアから来てシンガポール人と結婚し、男子高校の中国語教師をするリン。シンガポール人の中国語能力は決して高くはないということだが、学校の中でも中国語は軽視されていて、教師の七割以上がマレーシア人や中国本土からやってきた人だという。やる気のない生徒たちを教えながら、リンの周辺には、つらい不妊治療と非協力的な夫、リンが在宅介護している半身不随の舅、理解のない夫の家族、マレーシアから、何かとどうでもいい電話をしてくる母や、金をせびりにくる弟など問題が山積み。これらが雨季の熱帯雨に煙り、湿気が染み出すような画面で、リンを、観客を追い詰める。やがて、舅の死、一家の財産争い、その上夫の浮気まで発覚して、ストレスまみれのリンにとっては比較的真面目に補習授業を受けにくる教え子ウェイルンだけが一種の心の支えにもなる。——これって教師の心情としてはよくわかる。ただ好意で普通よりはちょっと丁寧に面倒を見ているだけなのだが、生徒のほうは何を勘違いしたのか、どんどん甘えて、踏み込んできて、あげくの果てに…というわけでリンは職を失い、住処も夫も失うという事態になってしまう。

それにしても驚く（そしてこの映画のよくも悪くも特質になっている？）のは、この映画の情感的な解決？のしかた。大雨の中、リンの拒絶に怒りふてくされて、乗せてもらっていた彼女の車から去るウェイルンを、リンは心配して追い、雨の中彼に抱きすくめられる。なんとも美しいビジュアルだが、これが二人の別れ？ そしてマレーシアに帰ったリンは赤ん坊を生むことに。えぇ？そんな！ マレーシアの明るい陽光と、母と洗濯物を干したりして幸せそうなリンを見ながら、どうにも宙ぶらりんという気持ちにさせられてしまう。多分食べるためもあっていったんは捨てた故郷である。帰ってひと時は母に抱かれ和むかもしれないけれど…彼女はこのあとここでどんな人生を送るのだろう。ちょっと悩みながら劇場を後にする。

帰郷はしても、そこには想い出以外には何もない？ そういえば、話題となったアニメ『幸福路のチー』（宋欣穎／一七台湾）や、東京フィルメックスの上映作品『ニーナ・ウー』（ミディ・ジー／一九台湾ほか）でもヒロインは故郷に帰るのだが、やっぱりそんな感じだったなあ…。

★自画像：47KMの窓（二〇一九年／監督：章夢奇／中国）

最後にひと味違った「故郷」もの。作者章夢奇も若い女性で、故郷「47KM」は父の生まれた湖北省の村。彼女はこの村を題材にすでに八本のドキュメンタリー連作を撮っている。

一昨年山形国際ドキュメンタリー映画祭で上映された『自画像：47KMに生まれて』（一六年）は作者がひたすら自分や自分の周辺をのぞき込み、それを田舎の小村の景色に投影した断片の集積という感じで、評判は高かったものの、観客の共感を拒むようなものさえ感じ、私にはどうもなじめなかった。今秋の山形では次作の『自画像：47KMのスフィンクス』（一七年）と最新作の本作が上映された（評判の高さがわかる）が、一作ごとの完成度の進化に驚く。村の風景や、そこに現れる点景としての人物の描写などこの作者得意の描写がきわめて精密に整理され、一コマ一コマの意味がとてもよく伝わってくる作品だった。

この連作は人々の姿を通して村の歴史を語るというテーマで貫かれているが、今回は売られた子どもで物乞いもしたという貧しい少年時代から、解放後に土地をもらい、幹部に抜擢される一方、結婚への干渉や政治的な批判も受けたという老人の自分史の語りと、村のさまざまな壁に、老人たちの姿を描く方紅（ファンホン）という一四歳の少女とを交互に描き、合間に中間世代の農民男女やその請負主の「政治」演説風景とか、水道に関する村の会議など、そして作者得意の、木の枝に数珠つなぎに並ぶ鳥とか、花火とかの風景も交え村の現在と過去、それに少女の目を通してみる未来までが描かれている。少女の存在——しかも村のいわば過去である老人の姿を描く——が言ってみれば過去の閉ざされた村と、村の外にある世界をつないで開いていく。実は作者は村の外の人間ともいえるが、その作者と村の中にある過去や伝統を担う老人たちの世界が、今すでに村のうちに目を向け、さらにこれから村の外の世界にも出て行くであろう少女によって結ばれている。それは多分、村に帰っていくことによって癒されるが、その後の暮らし方を模索しなくてはならないであろう『ザ・レセプショニスト』のティナや『熱帯雨』のリン、幸福路のチーやニーナ・ウーたちをもつなぐものとなるのかなとも、ちょっと楽天的すぎるかもしれないが、思われるのである。

FICTION

中国SFを知るための最新参考書はこれだ！

中華圏小説の蠱惑的世界

立原透耶

中華圏のSFやミステリが話題になる昨今、こんな日が来るとは誰が想像しただろうか。追っかけとして作品を読み続けてきた一ファンとしては信じられないほど嬉しい。このブームを機に、多くの読者を確保して、ぜひ研究者や翻訳家も続々と出てきてほしいものである。

さて、そうなると「中国SFに興味を持ったものの、どこから始めればいいの？」「どういう作家や作品があって、どんな歴史なの？」と疑問を持たれる方も少なからずおられるのではないか。

日本語で読むことができるのは『中国科学幻想文学館』（武田雅哉・林久之／大修館書店）で、この本で基本的なことはほぼ網羅されている。こちらは最近、中国語訳も出て、増補版になっているとのことなので、日本語・中国語の両方を揃えて参照するのも良いかもしれない。

とはいえこのコラムは「日本語訳されていない本について書いてほしい」ということなので、上記の日本語での書籍についての説明は割愛する。ぜひご自身で手にとってご覧いただきたい。

今回ご紹介するのは『中国百年科幻史話』（董仁威・編著／清華大学出版社／二〇一七年）である。この出版計画を知った時から楽しみにしていた待望の最新中国SF参考書である。この百年を振り返り、歴史的な流れ、作家、作品、専論など学術書としての価値も高い、すばらしい一冊。

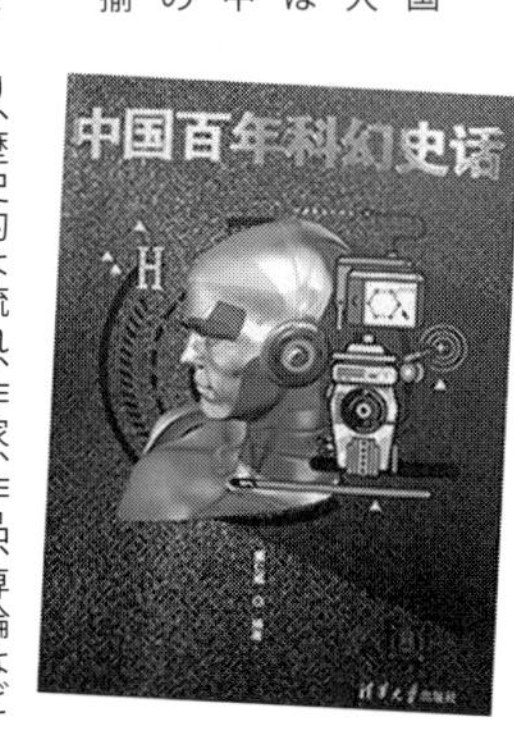

本書はもともと董仁威老師によって企画され、広く資料を収集し、まとめられた一冊である。董氏は長年中華SFに対し物心両面で多大なる貢献を続けてきた立役者であり、例えば中国初のSF博物館、時光幻象科幻博物館を建設したり、全球華人科幻星雲賞を設立した中心人物であったり、その功績をあげると枚挙にいとまがない。本書の前言によると「博物館の内容がいささか物足りない、史料性のあるものを添える必要がある」と思われたことがきっかけで、この大著が完成したとのこと。

大きく分けて四つの内容に分けられる。第一巻「大事記」は（巻と書いてあるが、全部で一冊の書物であり、分冊ではない）、「内地科幻初創期」、「内地科幻発展期」、「内地科幻成熟期」、「内地科学幻黄金期」、「香港科幻大事記」、「台湾科幻大事記」、「海外華人科幻大事記」となっており、「内地」とは中国大陸のことを指す。19世紀90年代初期からの中国SFを紹介するところから始まり、年表的に重要項目が記されていく。これは本当に読みやすく、一目で時代背景も読み取れる優れた手法だ。

これらによると1950年が中国SF第一次ブーム、文革の終わった1976年から第二次ブーム、1984年から停滞期、1991年から成熟期が始まり、この頃に四天王である韓松、何夕、王晋康らが次々と銀河賞（中国国内のSF大賞）を受賞しているのがわかる。1999年に劉慈欣が「鯨歌」（ピノキオをもっとSF的にした短編小説で、皮肉が効いていて大変面白い）で「科幻世界」（中華圏で最も歴史ある、権威あるSF専門雑誌）にてデビュー。2010年より黄金期とする。××年×月、何が起きたのかが詳細に記されているため、超一級の史料であることは間違いなく、10年中華SFを追いかけてきても見落としていた項目やイベントが山のようにあり、まさに伏して拝む心境である。同様に、香港と台湾のSFについて、また海外の華僑についても具体的な資料が記されている。華僑で判明しているので最も古いのは1977年だそうだ。もちろん中心となるのは、テッド・チャンとケン・リュウではあるが。リリー・ユー、ジョン・チュウ、アリッサ・ウォンなど近年大いに活躍している作家たちの名前ももちろん漏れはない。

第二巻は「中国科幻人物長廊」で、原生代（1902〜1949）、中興代（19

49～1983)、新生代(1991～2000)、更新代(2001～2010)、全新代(2010～現在)と時代ごとに区分した上で、各時代の代表的な作家を写真付きで紹介。四天王が登場し、現在の大御所的な作家たちはほぼみんな新生代であることが見て取れる。日本でも人気のスタンリー・チェン(陳楸帆)、夏笳、郝景芳などはその一つ後の更新代にデビューしている。また最近、日本でも注目を浴びている宝樹はさらにそのあとのデビューで全新代出身であることもわかる。また華僑作家、研究者についても漏らすことなく網羅している。さらに中国では児童文学が従来のSFと分けて考えられているらしく、「中国当代少年科幻作家」という別枠でコーナーが設けられているのも興味深い。振り返るに、日本では無意識にSFジャンルに児童文学を入れるのを怠っているのではないだろうか。

そればかりか、なんと優秀なSF編集のコーナーまである。これはいい。裏方で目立たない編集が前面に出てきて評価される、読者と交流する、というのは中国SFの非常に良い現象の一つとも言えよう。他にも「中国当代科幻理論界十二傑」のコーナーでは評論家や学者が紹介されているが、中にはすでに作家として紹介された人も少なくなく、創作と理論の両輪で活躍している人材の豊富なことに驚かされる。また貢献者の欄もあり、まさに至れり尽くせり。作家でも編集でも学者でもない、けれどもSFを愛し、SFの為に尽くしてきた人たちが評価され、一冊の本に集まる……泣かせるではありませんか!(ちなみに貢献者コーナーの黄海老師の写真は私がかつて撮影したものでした・笑)

第三巻は「中国科幻名家評伝」で、四天王と呉岩(SF作家、評論家、学者、教育者!!)、鄭文光(中国SFの父)、童恩正、葉永烈、劉興詩、王晓達、楊瀟、姚海軍(「科幻世界」主編)らについて詳細な評伝、時には作品の一部抜粋などを行って紹介している。

第四巻は「中国科幻百部精品故事梗概」で、その名の通り100編の作品のあらすじを記している。優秀な中国SF100本の内容がここだけでわかるのだからありがたい。中国SFを翻訳紹介したい編集者や出版社にとっても必読の一冊ではないだろうか。

あらゆる方角から見ても全く隙のない本書は、現時点で最高の中国SF資料であり参考書であり入門書である。……どこかで日本語訳出させていただけませんか?

DANCE

ダンス評［2019年10月～12月］

現代を撃つ舞踊
ケイ・タケイ
東雲舞踏、川本裕子
ティーラワット・ムンウィライ

志賀信夫

ケイ・タケイは当初、武井慧（ケイ）と名乗り、モダンダンスを、日本舞踊の家元の家に生まれた児童舞踊の先駆者、檜健次に師事し、藤間喜与恵夫人から日本舞踊を学んだ。それが六〇年代に米国・ジュリアード音楽院舞踊科に留学し、マーサ・グレアムらに学びケイ・タケイとなった。

米国では当時、ポストモダンダンスが隆盛。イヴォンヌ・レイナー、トリシャ・ブラウン、アンナ・ハルプリンなどが、ジョン・ケージの影響などで踊らないダンス、自然の中のダンスなどを模索した。ケイはその影響下で独自なダンスを創り出し、米国で一世を風靡した。それは一九六九年に始まり、ライト（LIGHT）シリーズとして現在も続く。

両国のシアターχ（カイ）は一九九一年に開かれた劇場だが、ケイ・タケイは当初からここで毎年末公演を行っている。二〇一九年一二月二九日の冒頭、『米を洗う女』（LIGHT, Part28）はケイの代表的なソロ作品の一つで、二〇〇七年の大野一雄百歳の記念公演で、筆者は初めて見た。大劇場に浮かび上がる小さな姿が、次第に大きく迫ってきた。

小さな木椅子に観客に向かって座り、米を洗う動作をする。それだけだが、動きは多種多彩である。マイムでなく具体的な動きを抽象化したようなもの。さりげない、気のないそぶりから次第に入り込み、米を洗う動きがパッションとともに盛り上がる。トントンというパーカッシヴな音がそれを高め、引き込まれる。気のないそぶり、日常の義務化された仕事の動きから次第に入り込むという、ケイの求める踊りの本質が感じられる。

新作「LIGHT, Part50」は二部作で、最初の「破れ凧」は中央に置いた木の台の上に立ち、上半身、首と手、腕などだけで踊る。昼光色の照明に「朝だ」「昼だ」「夜だ」という声を時折発することで、時間経過を示しつつ、生活と一体になったダンスを示す。畳半畳の限られた空間で可能なかぎりの動きを生み出すところに、ケイの創造力を感じる。次の「なんの為に」は、まとった白い衣装の肩を片手で上に引っ張り続け、反対や各部分を引っ張る。天からの力に引かれるようで、自分の身体は自由ではないことを示すようだ。龍笛（りゅうてき）と太鼓を使った宗誠一郎の音楽が、和でありながらミニマルというケイのポストモダンな感覚を引き立てる。

最後の「LIGHT, Part8」は、白い腹掛けにパンツのケイが、般若心経の声とともに、中央に堆く積まれた白い衣装を一つずつ身につけていくものだ。上衣だったり下衣だったり、いずれにも中央に頭のような球体が縫い込まれており、「ひとがた」のように見える。一つひとつ人の身体や魂を体にまとっていくようなのだ。般若心経の朗唱がその印象を強め、人の業や罪障をまとい続けて、最後にケイは動けなくなる。

ポストモダンのミニマルな音と行為でありながら、和や古代も思わせるケイの踊りには、何か祈りのようなものがある。大野一雄や大野慶人（＊）にも感じる「祈り」は人間のための祈りであり、ケイの踊りは大いなる人間賛歌とでもいうべきものだ。逼塞感や政治の果てしない不毛感が支配する現代に一筋の光を与えるのは、こんな踊りなのかもしれない。

砂埃の漂う舞台中央、横長の木製テーブルで三人が砂利に埋もれて動かない。一人は傾いた椅子から落ちそうで、女性に見える。あのポンペイ噴火で埋もれ、その姿のまま遺跡に残った灰色の人々のようだ。やがて静かに動き出す身体。その動きを、タイのカモンプット・ピムサーンの暗いノイズが高めていく。アコースティックギターを時に弓で弾くなど、実に巧みだ。これが二〇一九年一二月一七日、シアターχで行われた東雲舞踏『クワイエットハウス(Quiet House)』の舞台だ。

三人は舞台の右から左へゆっくり何度も移動する。同じ動きのバリエーション。何かに抗い闘っているような動き。女(川本裕子)が見えない敵に石を投げ始めると、突然、上から砂利が大量に落下する。天からの声か。不条理さが漂う。

暗転後、テーブル上で半裸にドレスを着た男が踊る。かぶった白布袋を振ると砂利がジャラジャラと強い音を立てる。そしてテーブルの面をこちらに向けて立てると、その天板に張り付けられ、男に縁取りされる川本。やがて三人が絡みながら泣き合い、笑い合い、死体となって横たわり、置き直されたテーブルの上下で入れ替わる。次第にスピードが上がる生と死の往還。舞踏らしいコンセプトを具現化する。

男二人がかぶった砂利の入った白布袋をテーブルに執拗に打ち当てると、川本が入ってきて同じ行為をするが、鈍い音しかしない。その袋を開けると、真っ赤なプチトマトがテーブルに一気にあふれ、三人はむさぼるようにそれを食べ続ける。

★Photo:大洞博靖

すると、真上から大量の砂利が落下!この最後の場面は衝撃的かつ暴力的で、クライマックスといえる。ピナ・バウシュは大量の土や水を使い、舞台上で巨大な石壁を壊したが、このように砂利一トンを使った舞台は初めて見た。

土方巽の『静かな家』(一九七三年)から名前を借りたのだろう。近年、『大野一雄について』で注目された川口隆夫と田辺知美の『シックダンサー』は、土方の『病める舞姫』の訳だ。本作もシンプルな英語で、土方作品を想起しなくても、独立した作品として評価される力がある。

東雲舞踏は、土方後期の弟子、和栗由紀夫の弟子女性三人が二〇〇〇年に結成した。やがて二人は離れたが、川本一人残り、ソロや出演者を集め公演を行ってきた。これまでも海外とのコラボレーションを含めて意欲作が多かった。そして前作は、若い女性二人を従えて新たな東雲舞踏の結成を感じさせた。だが、海外の二人を交えた本作は、コンセプト・完成度ともに群を抜いている。

今回は川本の演出・振付に、出演したタイのティーラワット・ムンウィライが振付で加わり、もう一人はラオスのエージェイ・ポティサン。当初、ラオスの障害者が出演予定だったが果たせず、ダンス経験者が登場した。そして両国のシアターχが全面協力したことで、この過激な舞台が成立した。これは、どこの国際舞踊フェス、演劇フェスに出しても歓迎される、とても力のある作品だ。実際にラオスの爆弾・地雷跡をテーマにしたプロジェクト「ボンビー・プロトコル」に招聘され、三月に公演予定だという。

人はなぜ石を投げるのだろう。そしていったい何に向かって。武力を持たぬ人々は、この理不尽な社会に石を投げるしかない。固く握り締めたもの、それは私たちの強い意志だ。川本裕子がこだわり続けて、背負い続けた「東雲舞踏」のさらなる活躍は間違いない。

(*)大野慶人さんは一月八日逝去された。
天上で一雄さんと共に。合掌

「コミック・アニメ・ゲーム」×ステージ評

イノサン、四十七大戦 信長の野望、さらざんまい

高 浩美

STAGE

2・5次元舞台が大流行りな2019年であったが、2020年もこの流れは変わらない。その中でも意欲的な作品があった。坂本眞一原作の「イノサン」のミュージカル化だ。原作のビジュアルにこだわらずに世界観を舞台上に表現、しかも今年はフランスでも上演するという。死刑執行人が主人公だが、死刑の場面を見せ場にせずに、生と死を観客に問いかける作品として仕上げていたのが印象的。そしてミュージカル仕立てにすることによって重すぎないように工夫していた。演出は宮本亞門。

★ミュージカル「イノサン」
©Shinichi Sakamoto／SHUEISHA

47都道府県のゆる神様たちが次の「首都」を争う都道府県擬人化バトルを描いたマンガ『四十七大戦』。この舞台化が抱腹絶倒もので、戦い方がとにかく面白おかしく、中国地方内でのバトル、しかも人口の少ない県ばかり（失礼！）。鳥取さんは自他共に認める『ビリッケツ』で、人口は日本で一番少なく、しかも減少傾向。しかし「鳥取愛」は日本一、砂丘と松葉ガニが名物。バトルは映像で勝敗を見せ、相手の人口を減らした方が勝ち。敗者は勝者に統合されるというなかなかにシビアなもの。みるみるうちに人口が、増える！減る！鳥取さんは鳥取砂銃に松葉ガニ、島根さんは出雲大社宝仏殿、漆黒の緞帳、岡山さんは蒼天結界、機微弾殺、ただただ笑って見ているうちに現代の日本の地理の知識もついてくる、というおまけつきの舞台だった。

★舞台「四十七大戦」
©舞台「四十七大戦」製作委員会

地理とくれば歴史、シリーズを重ねてきた「信長の野望」は、今回は「桶狭間の戦い」を題材にした展開、タイトルは「信長の野望・大志－零－桶狭間前夜〜兄弟相克編〜」。現代の記憶を持っている、という設定で、つまり、自分がどうなるのかわかっている。拝見したのは〈SIDE 織田信長〉。織田信長と織田信行、兄と弟だが、この2人は仲が悪い。信行は信秀の三男として生まれ、信長はすぐ上の兄、母親は同じで正室の土田御前であった。史実では父の信秀の生前から、尾張国内に判物（公的文書の一種）を発給するなど一定の統治権を有しており、信秀の死後は末森城主となって兄の信長と尾張の支配権を巡って争い、信長にとって大きな脅威であった。一時は信長に代わって弾正忠家の当主を名乗ったものの稲生の戦いで敗北、その後、信長に謀殺された。信行は兄である信長に敵意を抱いていたとされており、また、父・信秀の葬儀の際には信長が仏前で抹香を投げつけるという不行跡を示したのに対し、信行は正装をして礼儀正しく振舞っていたとされ、この逸話はおおよそ事実と言われている。内容はもちろん「ＩＦ」の世界だが、こうした人間関係などは史実に沿っている。兄弟同士の争い、今川義元はこれを『好機』と捉える。『織田信長』であるためにはどうすればいいのか、

★舞台「信長の野望・大志 -零- 桶狭間前夜～兄弟相克編～」

どう考えればいいのか、内面が変化していく。そして桶狭間の戦いへと進んでいくのである。「天下を取るのは桶狭間の後だ!」と叫ぶ信長、この『IF』こそがこのシリーズの真骨頂である。

そして日本古来のカッパが出てくる、舞台『さらに「さらざんまい」～愛と欲望のステージ～』。原作はテレビアニメで、浅草を舞台に中学生の矢逆一稀、久慈悠、陣内燕太が、謎のカッパ型生命体〝ケッピ〟にカッパに変身させられゾンビの尻子玉を奪うため奮闘するなかで、人間の〝つながり〟と〝欲望〟を描いた物語。とにかく〝アニメ〟感満載、キャラクタービジュアルがそのキャラクターを表現しているので、徹底したこだわりと演劇的な掛け算で、見た目はとにかく可愛く、愛嬌たっぷり。それでいて中身もしっかり。どんなことをしてでも手に入れたいもの、誰かを想う気持ち――テンポも良く、楽しく見られる作品であった。

２０２０年も多くの２・５次元舞台が予定されている。舞台「新サクラ大戦 the Stage」など、目が離せない。

★舞台「さらざんまい」

CULTURE

ケロッピー前田

最近、バロウズ研究にハマってます（続編）
「カットアップ」の音響作品と「第3の心」

とにかく、ここ一年は、十数年ぶりにウィリアム・バロウズ研究にハマっている。それについては前号でも書いた。

今回は、バロウズの音響作品、さらにバロウズに「カットアップ」を伝授したブライオン・ガイシンについて紹介したい。

ご存知の通り、バロウズは、アレン・ギンズバーグ、ジャック・ケルアックと並ぶビート作家として、53年に『ジャンキー』でデビューする。だが、彼は筋金入りの麻薬中毒者で、前年には実弾を用いたウィリアムテルごっこで妻を射殺しており、それは〝事故〟として処理されたものの、アメリカを離れ、メキシコ、南米、果てはモロッコのタンジールにまで逃亡した。そのタンジールで運命的に出会ったのが、画家のブライオン・ガイシンであった。

ガイシンは、1916年生まれのカナダ人で、30年代にパリで美術を学び、著名なシュルレアリストたちとも関わったが、第二次大戦ではアメリカ兵として従軍した。戦後は日本の書道を学んだり、奴隷制度の研究のために奨学金をもらったりしていた。50年、ガイシンは人気作家ポール・ボウルズを追うようにモロッコのタンジールに渡った。当時のタンジールは国際管理地帯で麻薬も売春もやり放題の享楽街となっていた。ボウルズはそこで著した『シェルタリング・スカイ』(1949)でベストセラー作家となっていたのだ。

地元ジャジューカ村の民族音楽に感動したガイシンは、54年に観光客相手にその演奏を披露するレストラン「千夜一夜」をオープンする。ジャジューカの音楽は奏者は男性のみ、シンプルな太鼓のリズムに、高い倍音が響く笛でそれぞれ異なるフレーズを反復して無限に続くハーモニーを作り出していく。確かに民族音楽のひとつだが、音のそのものに意識が持っていかれる麻薬的な音楽である。57年にタンジールでガイシンと知り合ったバロウズは、ジャジューカ村のミュージシャンたちが大麻樹脂ハシシでラリってばかりなのをみて、麻薬中毒者が聖者のように崇められていると驚いている。

★モロッコ・タンジールの伝統的なドラッグ音楽ジャジューカ
『Brian Jones Presents the Pipes of Pan at Joujouka』

元ローリング・ストーンズのブライアン・ジョーンズもジャジューカの虜となったひとりで、68年には自らそれを録音し、音響加工で現場の臨場感をくわえて、フィールドレコーディングの傑作アルバム『ザ・パイプス・オブ・パン・アット・ジャジューカ』(1971)に仕上げている。だが、58年、ガイシンのレストランは倒産し、バロウズとともに、パリへと移動する。

彼らはのちに「ビートホテル」と呼ばれる激安ホテルに住み着き、「カットアップ」と呼ばれるコラージュ技法で、実験的な小説ばかりか、音響作品にも着手していく。

「カットアップ」とは、すでにある素材をバラバラにして自由に組み替えるコラージュ技法。たとえば、小説なら一枚の原稿を四分割にして、それらの位置を入れ替えて、つなぎ合わせる。ここでのポイントは、単語の途中で切れたもの同士が接合されて〝新語〟が生まれてくることだ。カットアップで意味不明になってしまった文章が、その〝新語〟にどういう〝意味〟を想像するかで新たな解釈によって生まれ変わるのだ。さらにバロウズはそのカットアップ文章を朗読し、オープンリールに録音し、さらに切り貼りして、音響作品に仕上げていた。60年代から、それらの技法で具体的な音源を制作し続けていたことが、のちのパンク世代に引き継がれていくことになる。

そんなバロウズとガイシンの音響実験を大いにサポートしたのは、エンジニアのイアン・サマーヴィルだった。ガイシン自身も音響作品を多く手がけており、1960年、イギリスのBBCラジオ放送のために、カットアップの作品数曲がスタジオ録音されている。《I am》《Pistol Poem》などの作品はネットですぐに見つけられるはずだ。

彼らは、61年には「ドリームマシーン」と呼ばれる円柱形の走馬灯を回転させて光の明滅を生み出す機器も開発した。それを使えば、サイケデリックドラッグで見える幻覚体験を再現できるという。それらの技術はのちに「シンクロエナジャイザー」「ブレインマシーン」などにも応用されており、実際に効果がでている。

彼らにとっての次なる転機は、74年だった。その年、バロウズは、ギンズバーグから大学講師の職を斡旋され、NYに移住する。学生たちの馬鹿さ加減に大学講師はさっさと辞してしまうが、ビートの若き信奉者ジェイムス・グラウアーホルツを秘書に雇い、アンディ・ウォーホルを始め、NYシーンの有名人たちと交流していく。それに対して、ガイシンは不幸なことに大腸癌が発覚、その後、86年に亡くなるまで闘病生活を余儀なくされる。それでも、78年、バロウズがジョン・ケージやティモシー・リアリー、フランク・ザッパらと協演する「ノヴァ・コンベンション」が開催されると、ガイシンもこれに参加し、バロウズ再評価を盛り上げた。

★「ドリームマシーン」による光の明滅で幻覚を体験するバロウズ(右)とガイシン

それに続き、81年、イギリスでジェネシス・P・オリッジが主催で「ファイナル・アカデミー」が開催された。ジェネシスはインダストリアル・ミュージックの創始者として知られ、バロウズの音響作品『ナッシング・ヒア・ナウ・バット・ザ・レコーディング』も自分のレーベルから発売している。このとき映像作家デレク・ジャーマンもバロウズの映像作品に着手し、アメリカ西海岸のサブカル雑誌『RE/search』(前号に画像あり)も同行して取材した。この一連の過程で、デビッド・ボウイをはじめ、様々なミュージシャンがバロウズとのコラボレーションを望んでいく。さらに94年には、バロウズ本人がナイキのCMに出演して朗読まで披露している。もちろん、クローネンバーグの映画『裸のランチ』(1991)がバロウズ人気を再燃させた効果は絶大だった。

★バロウズとガイシンの共著『The Third Mind』

こうみてくると、バロウズとガイシンとの関係もよく見えてくるだろう。ところで、「カットアップ」は欧米の言語を使って、未開部族の呪文を生み出す技法でもあるという。ここで思い出されるのは、レヴィ=ストロースが『野生の思考』で説明した未開人の創作技法「ブリコラージュ」である。これは、あり合わせのもので作ることを意味するが、「カットアップ」とは似ていないだろうか。

実は、『野生の思考』の英文タイトルは『ザ・サヴェージ・マインド』(仏語62年、英語66年)、バロウズとガイシンの共著となるカットアップの解説本は『ザ・サード・マインド』(仏語77年、英語78年)、ともに仏語版が先行しているところでも無関係とは言いづらいだろう。

カットアップvs野生の思考、まだまだバロウズ中毒を抜け出せない。

チェーザレ・ロンブローゾの思想とその系譜〈35〉

「天才は狂気なり」という学説を唱え犯罪人類学を創始した奇矯な精神病理学者

村上裕徳

民衆に蔓延する宗教的熱狂の舞踏病的症状

ロンブローゾは、前に述べた民衆の宗教的熱狂について続けて言う。

この種の不思議な狂気は、このように真の伝染病であるかのように（辺境地の）全村レベルから全国民へ、子供から老人まで、（信仰心のある者はもちろん）信仰心の無い者も最も頑固な懐疑主義者も含めて伝わっていった。「悪鬼狂」は多少「色欲亢進」および「痙攣」と関係がある。そして巫女のような者、あるいは悪魔に憑かれた者を生み出すのである。こうした錯乱は（症状として）最も淫猥な幻覚となって現れる（原註・特に悪霊および、それを表す獣類との性交）。そして神聖なる物（原註・たとえば「聖骨」のような物）を嫌悪する。彼等（宗教的熱狂者）は、そのうえ知力においても腕力においても著しく発達し、かつて経験したはずのない言葉を話し、「最も相距り複雑せる記録」（経歴からはありえないような知識や経験のような「最も現実から掛け離れた複雑怪奇な記憶」の意味か？）を呼び醒ます。この「狂気」は特に色欲興奮および局部の麻痺を伴い、しばしば（その際に）他殺および自殺の傾向を現すのである。また時には、激しい恐怖のために恐れおののき、陰鬱な幻覚を示すこともある。しかし彼等の（信じる）真理に対する確信は常に深いために（周りがどう諭しても）動かしがたいのである。

セヴェン人（フランス中部から南部にかけて広がるセヴェンヌ山脈周辺の山岳地帯にすむ人々を指すか？）の中に「預言的熱狂」が起こると、（その対象者は）女の場合も子供の場合も（分け隔てなく）すべての者が「熱に浮かされて」太陽や雪の中に神からの「御託宣」を読み取るのである。（そして）「数千の」婦人は誰彼の区別なく「絞殺」されても、決して、その預言と（それへの）頌歌をやめないのである。全市はことごとくが悪魔に憑かれたように見えたとヴィラニは言っている。

翻訳者の辻潤が「ヴィラニ」としているのは、イタリアのフィレンツェの銀行家で政治家の上に歴史家であったジョヴァンニ・ヴィッラーニ（一二七六ないしは一二八〇～一三四八）のことである。ジョヴァンニの父もフィレンツェの有力商人で、市の行政委員としてダンテの同僚でもあった。そのジョヴァンニの歴史書『フィレンツェ年代記』は全十二巻の大著で、前半六巻はバベルの塔からフリードリヒ二世の時代まで、後半六巻は一二六六年のシャルル・ダンジューのシチリア王継承で始まり、父親やジョヴァンニの目撃してきた時代までを克明に描き、一三四六年までの歴史を記している。この著の詳細な記述は、後年の歴史家ブルクハルトにも高い評価を得ているという。一三四八年にフィレンツェを襲ったペストのためジョヴァンニは亡くなるが、未完成だった、その後の年代記を引き継いだのが三弟のマッテオ・ヴィッラーニ（一三六三年没）とマッテオの息子フィリッポ・ヴィッラーニで、ロンブローゾの記すのはジョヴァンニだろうが、そうでなくても親族のいずれかであろう。「太陽や雪の中」に神の啓示を読み取るというのが、よく理解できないが、太陽を直視した後に白い雪を見ると、反転した残像としての太陽黒点が黒い太陽の中に白く浮かび上がるのであろうか。そこに神の暗号を見出し、その啓示に基づき預言がなされたのであろう。占星術にも傾倒したジョヴァンニならではの着眼点である。酸素の薄い山岳地域であること、そのためオゾンの増大と晴れ間の太陽光の強さなどが、ロンブローゾによる高地における精神病者と天才の発生頻度の増大という説と軌を一にしている。「熱に浮かされて」という表現は熱病のせいではなく集団的熱狂のせいなのだが、そこにロンブローゾが体温の上昇と天才発生を夢想していることは間違いないと思われる。

ロンブローゾは続けて言う。

一三七四年にエイクスーラーチャペル（どこの教会か、あるいは地名かは不詳）で一種の舞踏病が流行した。衰弱した老人をはじめ妊娠した女に至るまで、すべての人がこの病気にかかった。患者たちは「Here saint Johan. so so, vrisch und vro!」（聖ヨハネを親しく称える囃子言葉か？）と叫びながら市街を練り歩いた。この症状には宗教的幻覚が伴っており、彼らはそこに天国の門が開かれて、門の中に幸福な人々の集団を幻視したのである。この患者たちは赤色を嫌った。それは狂的に赤色を熱愛するタランチュラ患者（舞踏病の一種。クモ毒による症状と、舞踏の動きがクモ毒症状に似る精神疾患の場合があるが、この場合ロンブローゾがどちらを指したかは不明）とは正反対の症状を示した。この舞踏病はコロン（フランスのメーヌ・エ・ロワール県の一部を指す行政区画ケルンないしは、ドイツの都市ケルン）まで拡がった。そこでは五百人ほどが感染した。そこからメッツ（フランス北東部の都市メス〈Metz〉のこと。ドイツ語ではメッツ）に伝わり千百人の舞踏病者が生まれた。ストラスブルグやその他の場所にも伝染した。それらは一時的なものではなく、以来次々に周期的に発生した。ヴィダス聖者の日（聖人名を含め不詳）には数千の舞踏者が「聖物（リレックス）」（聖者の遺品や遺骨の一部を宝物として祀った、小型の塔や宝箱の場合が多い）のそばで踊った。（発生から三百年近くたった）一六二三年になっても、なおその流行は治まらなかった。

少年十字軍

ロンブローゾは続けて言う。

中世において少年たちに起こった聖地巡礼熱は（宗教的熱狂の）最も奇妙なものだった。一二一二年に聖地を失って人々が悲しんでいた時、ヴェンドム（北フランスの地域名か？）のクロース（地名か？あるいはキリスト教徒を表す隠語か？）の少年牧羊者が、自分を神からの使者と考えるようになった。（そんなある日）神が見知らぬ人の姿で彼の前に現れパンを恵んでくれと乞（こ）うた。そして王に宛てた手紙を彼に託した。（こうしたことで）やがて近隣の牧羊者たちが彼の周りに集まり彼の弟子になった。すると間もなく八歳の預言者が出現して説教をしたり奇跡を起こしたりした。そしてクロースの「新聖徒」に熱狂した少年たちを集めた。（そして）彼等はマルセイユに出発する。そこ（マルセイユ）では（海を隔てた）エルサレムに彼等を渡らせるために（モーゼの奇跡のように海の）波が二つに割れるはずであった。（しかし）王や両親の反対をものともせず海まで突き進んできた少年たちは、二人の悪質な商人に騙されて船に乗せられ、そして東洋へ奴隷として売り飛ばされてしまった。

民衆の無知による宗教的熱狂

ロンブローゾは続けて言う。

「躁狂」による「伝染病」の最初の衝動は「病気」（前記「伝染病」と同じく「宗教的譫妄（せんもう）」を指す）に侵された個人に対する尊敬の念である。そして（「病気」の伝播した）人々は誰もが、それ（先行する「宗教的譫妄者」を指す）を模範として自分からそれを学習しようとするのである。

しかし、さらに（こうした「宗教的譫妄」の）深い原因は、当然に、（人口の少ない辺境地の民衆の）野蛮に伴う孤独と無知である。（対して都市部の文明社会においては）文明が進み多数の個人が互いに接することで、相互の利害、野心、疑惑、猜疑心、嘲笑（などの体験）によって自己を鍛え上げ、これによって初めて個人の自覚が確立するのである。このように感覚も思想も絶えず千変万化する。そのため（都市においては）大多数の人々が同一の運動に影響されるだけでなく、集団で運動の渦に巻き込まれるようなことは、ほとんど無くなるのである。実際、精神病の流行は文明の中心より遥かに離れた地方、あるいは無知な「群衆」の間にしか起こらなかった。それはまた、主として山岳地帯にのみ多かった（原注・ひとつは大気の影響並びに孤独なため）。コーンウェル、ウェルス、ノルウェイ、ブリタニイ（原注・例――ヨセリンの吠える女）、アメリカの植民地、フランスのモルジイヌの谷、イタリアのヴェルセグニス（北部の山岳地帯にある人口九百人の基礎自治体ヴェルゼーニスのこと）のアルプス峡谷（原注・フランゾリニがそれを非常に詳しく書いている）などがその（山岳地帯の）例である。

訳者の辻潤が「フランゾリニ」と記すのは、イタリア貴族のフランゾーニ家歴代の誰かで、三千メートルクラスの山々に囲まれたスイスの秘境マッジャ渓谷の、その中心として栄えた町チェヴィオ（海抜四一八メートル）にはフランゾーニ家の宮殿（たぶん避暑の別荘）があった。このチェヴィオは一五世紀以降に、この渓谷の中心として栄えた町で、そこはミラノの貴族ヴィスコンティ家（ルキノ・ヴィスコンティはミラノの一族ではないが、同じヴィスコンティ一族の分家の末裔）の最初の在任地であった。チェヴィオは渓谷の入り口を大きなマッジョレー湖で塞がれた文字通りの秘境だが、現在でも宮殿のほかに行政官の館をはじめ、裁判所、礼拝堂など古い立派な建物がのこり、当時の町の繁栄を伝えている。チェヴィオの西には湖を南にして、スイスからイタリアに抜ける小さな谷セントヴァリ（「百の谷」を意味する）があり、湖と数多くの谷に囲まれた、この山岳地帯はフランゾーニだけでなくロンブローゾにとっても、彼の説を補完する意味で理想の町だったに違いない。

山岳地帯に次々に現れる「聖者」

ロンブローゾは続けて言う。

こうして（山岳地帯の）モンテアミアタ（原注・近くにラザレッチが現れた）では、

非常に不潔な生活をしていたオウディベルチ（不詳）という男が、この理由（精神病の流行は辺境地か無知な群衆の中、ないしは山岳地帯に多いという説）により聖者として尊敬されたということを歴史家が記している（フィレンツェとローマの中間地点、トスカーナ地方南部にあるモンテアミアタは、同名の火山〈海抜一七三八メートル〉を近くに持つ火山地帯で、世界的にも地熱発電の発祥地のひとつ。ロンブローゾは火山地帯と天才発生の関係について、やや懐疑的であったが、ここには、その可能性の余地を残している）。

　ここから、さほど遠くない場所に一六世紀の終わり頃、バルトロメオ・ブランダノ（不詳）というオリヴェタン僧（一五三五年ごろ、宗教改革のために既存のカトリックの物ではなく、直にヘブライ語からフランス語に翻訳した、反カトリックの教派〈すべてがプロテスタントではなく、それ以外も含まれる〉のための聖書が多量に秘密出版され、その著者は無名の教師ルイ・ロベールだが、難を逃れるためのペンネームがオリヴェタンで、「オリヴェタン僧」はその聖書の信奉者の意味であろう）の小作人が、（推測すると）たぶんスペインの軍隊が駐留中にイタリアが滅亡することを悲観したのであろう、（それを理由に）「宗教狂」に罹って自分自身を（キリストを）洗礼したヨハネだと信じた。（そして）ちょうどヨハネのような姿の、膝まで垂れる毛皮をまとい、手には十字架を持ち、頭蓋骨（サロメによって斬首にされたヨハネの首を騙った「聖骨」であろうか？）を抱えた裸足の姿で、説教したり預言したり奇跡を行ったり信者を作ったりして、シェナ地方を歩いた。それから彼はローマに行きセント・ピーターの十字街（ローマの一部であるバチカンの「サン・ピエトロ寺院近くの十字街〈交差点そのものではなく、人の集まる街頭を指す〉という意味か？）でローマ法王や僧正連中を攻撃（演説）した。しかし（時の法王だった）クレメンス七世は、彼を絞首刑にしないで「トルディナの牢獄」（不詳）に送った。当時、「狂人」はたいていが、そこに幽閉されたのだ。（その後）彼は放免されてシェナに帰った。そして（そこでも）スペイン軍の司令官ドン・ディゴオ・メンドザを何度か（街頭で）悪罵した。しかし司令官は彼が聖者か、預言者か、「狂人」なのか判別がつかないので、それを知事に判定させるため彼を捕えて「タラモンの牢獄」（不詳）に投じた。知事は別段、彼にかまわずに「もしも彼が聖者なら、聖者をガレー船〈囚人を漕ぎ手とする船〉に送るということはない。預言者ならば罰する理由がない。もし狂人ならば、これは国法の圏外のことである」と言った。ブランダノは、このようにして、すぐさま赦免された。そして囚人たちに説教した後で、そこを去って（街頭で）預言と悪魔調伏をやり始めた。

★チェーザレ・ロンブローゾ

　ロンブローゾは続ける。

　近頃ピードモント（スイス国境に近いミラノの北西にあるマッジョレー湖の西岸地域のこと。山岳地帯でピエモンテとも言う。アメリカにあるピードモントではない）のバスカの村に聖者が二人現れた。一人は二十年間、獄中の人であった。そして、もう一人は三百人の会員を有する修道会の長であった。（その他にも）一八八七年には、そこから、あまり遠くない「モンテネロのアルペン村」（不詳。遠く離れたイタリア中部にある「モンテネロドーモ」とは別のようである）に、キリストの再来だという「伝染的狂者」が現れた。それを拝みに三千人以上もの人々が（山岳地帯の）雪をものともせず、その村に集まった。同じ頃、「浮浪救世主」がアブルズイ（アドリア海沿岸のアブルッツオ州（Abruzzo）、別名アブルッツイ（Aburuzzi）とも呼ばれる地域のこと。アペニン山脈の中央部から海岸線まで拡がる縦長の地域）のヴェゾラで捕えられた。

　こうした宗教熱に対してロンブローゾは、次のように言う。

　知力の退行的変質は文明人よりも野蛮人において、その段階が少ない。野蛮人は一般に現実と幻覚を混同し、幻覚と欲望を区別せず、可能（な現実）と（不可能な）超自然とを同一視する。そして（それを）彼等の想像に（現実として）延長させるのである。

各種の伝染的な宗教的精神疾患

　ロンブローゾは続けて言う。

　一八四二年におけるノルウェイの「説教病」は、一般にヒステリー症の婦人および「下女」その他、下層の子供たち（当時、貧しい子供の女子の多くが「下女」をしていた）が多く罹ったのでMagdkrankheit（訳者による註・下婢病）と名付けられた。レッドルッツ（不詳）の伝染病は「知力の最も低い段階の」人々の間に拡がった。近年、磁力病（磁力が医療など、一九世紀の科学史だけでなく一般にも注目される中、数々の現象に対して病気を含めて磁力のせいと考えるような、極端な信仰的「磁力に対する妄想」のことか?）と、さらに馬鹿々しいコクリ病（西洋の通俗オカルト「コックリさん」占いのことか?）が流行した時、彼らは一般に蔓延っている迷信以外には、何らの（病的な）特色を表さない（表層的なだけでなく、よくある一過性の流行の）ものだった。この種の精神異常は、ただ孤独な人々（「自閉的」というような過大なニュアンスでなく「単なる暇人」という意味か?）だけを犠牲にし、それをもって（病気の威力を?）誇示するのである。

恐怖と迷信の発生

近頃ハイチの黒人が、木に掛った衣を聖者の姿に見間違ったという話がある。ニュビア人（国名ないしは地域名として漢字で「努皮亜」と書くようだが、不詳）はグロテスクな岩石の割れ目に神の姿を見るのである。このように最もつまらない原因が野蛮人に恐怖の種を与えるのである。恐怖と迷信は、ただ一歩の差に過ぎない。文明人の論理と風刺の前に消え失せる、こうした迷信が、狂気の発達には最も重要な要素となっている。一八四二年におけるストックホルムの伝染病をイデラア（不詳）は歴史上の事実として論じている。彼の説によると、病気（宗教的譫妄を指す）の発生地に長く住んでいた人心は、（長期にわたる）幾多の説教や幾多の敬虔な儀礼によって攪乱され、そのために興奮しやすく、したがって、その病気も瞬く間に、その数を増加させたのだという。

このイデラアの説を伝染病としては否定したうえで、群衆による異常心理の集団的発作をあらわす、記録としては肯定しながらロンブローゾは、次のように総括する。

これは古代と近代を通じ、突然に歴史上に現れ、足跡を残していく預言者の説明にもなっている。

ロンブローゾが「グロテスクな岩石の割れ目に神の姿を見る」と記したのは、日本の神道に紛れ込んだ土俗信仰（つまり、神道成立以前から崇拝されていた）にもみられるもので、陽物や女性器のような、または乳房や女性の臀部のような自然石は、安産や、子供を授かりたい祈願、その他の病気平癒のための、素朴な信仰対象として神社ないしは寺院に祀られている場合もある。ロンブローゾは知らないのかもしれないが、こうした、おそらくアジア全域にあるはずの「性神」は、汎神論や多神教を信じない西洋人のロンブローゾにとって、単に「野蛮人」の「迷信」にすぎなかったのであろう。

宗教的預言者の発生の内的および外的要因

ロンブローゾは続けて言う。

預言者と目されるのは野心狂、宗教狂にかかった多くの不幸な人々である。彼らの発作は、まるで神からの黙示であるかのように誤解されるのである。中世から近代にかけて宗教と自由の闘争を、さらに激烈にさせた幾多の（新たな）宗教は、こうした（野心狂や宗教狂の）狂気を原因としているのである。たとえば、かのピカアド（不詳）は新しいアダムとして地上へ送られた神の子であると信じた。彼は裸で婦人の会合に行くというような自然法を再設しようと企てたのである。彼は多くの信者と模倣者を得てアダム宗という一派をたてた。この一派は、一三四七年にHusites（訳者の註・ボヘミアの宗教家ジョン・ハッスの説を信奉する一派）によって撲滅された。しかし、その後になってTulupinsという名前で再興された。

ミュンステル（ドイツ北西部の地方名ミュンスター行政区を指すか?）、アペンゼル（ドイツ北部の自治体の一つアペンゼンのことか?）、ポーランドなどにおける再洗礼論者は、空中に天使とドラゴンが争っているかのような閃光を見たと信じた。そして彼らは、（ゆるぎない信仰を具体的にあらわす犠牲として?）兄弟や最愛の子供たちを殺すべきこと、あるいは（自分の命を惜しまず）数ヶ月断食するようにという命令を神から受けた。また彼ら「殺人狂」は（対する敵の）全軍を一呼吸、ないしは一睨みで麻痺させることができると信じた。その後、罪もない（人々の）血を数多く流したカルヴィニスト（宗教改革者のカルヴァンを信奉するカルヴァン主義者）、ジャンセニスト（カトリックからは異端とされたキリスト教思想。カルヴァンの影響を受けたオランダ出身の神学者ユリネウス・ヤンセン〈一五八五～一六三八〉を信奉する人々。ジャンセニズムまたはヤンセニズムとも呼ばれる。人間の意志の無力さを訴え、腐敗した人間の本性の罪深さを強調した）のような例も、カルメイル（不詳）の説明したように同一の原因によって（殺戮が）行われた。魔術師、悪魔狂の迷信（女性や乳幼児などを生贄とすることを指す）なども、このような衝動と同様の原因である。

ロンブローゾは凄惨な「殺戮」の生々しさを回避するために、曖昧で回りくどい表現を使っているが、カトリックだけでなく改革派（すべてがプロテスタントばかりではない）あるいは反キリスト教の悪魔主義者に対しても、批判の矛先を緩めることはなかったようである。

山野浩一とその時代⑽
高橋和巳VS大久保そりや

岡和田晃

『革命的暴力とは何か?』と高知聰

山野浩一の推輓によって「NW-SF」に謎めいた「共産主義的SF論」を連載し続けた大久保そりや。そんな大久保が「政治」と「文学（SF）」との間で戸惑う様が垣間見えるのが、全日本学生自治会総連合情宣部編『革命的暴力とは何か?』（一九七一）である。発行元は革マル派の領袖・黒田寛一が創設したこぶし書房。黒田が二〇〇六年に没した後も、黒田の初期ノートを出し続けている会社だが、近年の刊行物はあくまでもドイツ観念論やマルクス主義の受容をめぐる哲学的な内容であることからもわかるように、どちらかといえば硬質のアカデミックな著作を出す人文系の版元としての活動が主となっており、シェリング協会の学会誌も出している。現在進行系で革マル派のイデオロギーを喧伝する機関誌等の書物はKK書房（旧：あかね図書出版）からの刊行と、棲み分けがなされている模様なのだが——かつてのこぶし書房が出し続けていた——部外者には大同小異とも見える革マル派関係の著作のなかでも、ひときわ異様なのが『革命的暴力とは何か?』なのだ。

異様? いや、呪われた書物、と言ってよいだろう。同書は一九七〇年に八月に起きた革マル派の活動家・海老原俊夫（東京教育大生・当時）に中核派がリンチを加えて殺害した事件を批判したものなのだが、その実、革マル派の暴力については言及を避けることで、報復としての新左翼党派間の内ゲバを肯定したのである。

★『革命的暴力とは何か?』（こぶし書房）

内ゲバの壮絶な実態を先駆的に報告した立花隆『中核VS革マル』（一九七五）や、ハンディな概説書としてよく参照される絓秀実『1968年』（二〇〇六）では、海老原事件を一つのメルクマールとして、以後、それまでも小規模として存在してきたものの「偶発的」な「事故」として処理されていた新左翼党派間の内ゲバの性質が、ドラスティックに変化し、殺人をも含めた多党派への暴力は「革命的鉄槌」として許される、というロジックを形成するに至ったとされている。

★立花隆『中核VS革マル』（講談社文庫）

小西誠『検証内ゲバ——社会思想史の負の教訓』（二〇〇一）では、内ゲバによる死者は一一三人、負傷者は五〇〇〇人以上にのぼると計上されている。刊行後になされた内ゲバもあろうし、この数字はさらに増えるだろう。『1968年』では、『革命的暴力とは何か?』の実質的な編者は高知聰（聡）だとしている。高知は『異貌の構図——高知聡思想文学論』（一九六八）や、『都市と蜂起——高知聡評論集』（一九六九）の頃までは、批評家としての評価が高かったものの、とりわけ一九七〇年代からは革マル派に随伴するイデオローグとしての側面を強く打ち出すようになる。

　実際、『革命的暴力とは何か?』には高知の寄稿はあるが、そこでは、第三者としての評価よりも、いっそう踏み込んだ形で革マル派に肩入れした立場から、海老原事件をめぐるメディアの姿勢が一方的だとの苛立ちを隠さないものとなっている。高知は同書のなかで、自身に交流があった埴谷雄高の〈やつは敵である、敵は殺せ〉というテーゼにこだわる。なんとか、このテーゼを乗り越えようと足掻いている。ただし、対する埴谷は同書に収められたアンケートのなかで、「この問題は、革命運動を全体的、歴史的にとらえたうえで、そのなかで特殊な地位を占める学生運動を、深く検討しないことには結論が出ません」と、あくまでも海老原事件を一般化して捉えようとしているのが窺える。

梅本克己と高橋和巳

　知識人のなかには、海老原事件について、「内ゲバに麻痺した者たちの暴行の結果」(梅本克己の評)というように、本格的な論考をもって、党派の根本的な姿勢への違和感を表明した者もいたが、高知は彼らと直談判し、その様子をも本に収めている。『革命的暴力とは何か?』の参加者のなかで、とりわけ著名なのは梅本克己と高橋和巳で、刊行当時の読者には、名だたる知識人が革マル派のロジックの前に「論破」されたという印象を受けた者もいるかもしれない。梅本克己との「対話」や「反論」一つとっても、黒田寛一の先行世代で、主に一九五〇年代から六〇年代にかけて、独自のマルクス主義哲学の成果を発表し続けてきた名だたる学者を吊し上げる、という思惑が見え隠れする。ただ、いまの目で読み直すと、例えば高知と革マル派幹部の朝倉文夫に自宅にまで押しかけられて詰め寄られ、及び腰ながらも、粘り強く党派の問題点を指摘し続ける梅本の知的な誠実さに、むしろ静かな感動を覚える。梅本は当時五九歳。三年後の一九七四年に死去しているからだ。

★高橋和巳『わが解体』(河出文庫)

　『革命的暴力とは何か?』のなかには、梅本と並んで、高橋和巳の「内ゲバの論理はこえられるか」(「エコノミスト」一九七〇年一〇月二〇日号〜一一月三日号)を批判する文章が少なくなかった。同論文は、高橋が急逝して三ヶ月後に刊行された批評集『わが解体』(一九七一)に収められたこともあって著名になった。高橋は「造反教員」として京大の学園紛争の渦中を活き、体制側からも反体制側からも攻撃されたうえで、死に至る病を抱きながら、「自ら選んだ自己解体の道」として、内ゲバのメカニズムを分析したのだ。「内ゲバの論理はこえられるか」では、海老原事件についての報道の経過が克明に記され、海老原事件ほかの内ゲバがいずれも「報復の論理」に基づいたものにすぎない、と喝破されている。

> 対峙する勢力間相互が、この報復の論理に支配されている限り、内ゲバは論理的には永久に連鎖する可能性をもち、思想戦が存在の抹殺に墜落する悲喜劇は避けえないといわざるをえない。/原則論にいえば、報復の論理は、戦争の論理であっても革命の論理ではない。(「内ゲバの論理はこえられるか」)

　急所を鋭く突いている。けれども、『革命的暴力とは何か?』では、高橋の苦衷に対して想像力を働かせることはなく、「中途半端な自己解体」、「文学的夢想でしかない処方箋」などとの非難があちこちで投げかけられる始末であった。

「共産主義的共同体」の構築へ

　当時の革マル派は、ジャーナリズムや論壇で活躍する「知識人」の反応をことさら気にしたようで、海老原事件についての意見を求めたアンケートを二度にわたって行っている。それに真っ先に回答したのが、ほかならぬ大久保そりやであった。この文面は、大久保による他のいかなる文章にもまして、その「肉声」を赤裸々に伝えるものとなっている。題して「中核派は〝殺人者としての自己〟から逃げている」。

「人を殺す人」がいなければ「人は人に殺されない」ことは、当然です。それが偶然の無意図的な致死行為でないかぎり、「殺される」という被害者側の行為は、常に加害者側の「殺人者としての立場」＝「だれが、だれを、いかなる手段により殺人するかという立場」の直接または間接の結果でしかありません。そして、よかれあしかれ殺人行為がなんらかの意味をもたされるのも、この「殺人者としての立場」においてであると、私は、考えます。なぜなら、この立場によってのみ、殺人行為は「主体化」されるからです。（「中核派は〝殺人者としての自己〟から逃げている」）。

大久保曰く、中核派は「革マルを殺せ」というキャンペーンのもとに殺害を実施したのに、「殺人者としての立場」の主体化を拒んでいる。そのうえ、被害者が死んだのは「偶然」の「事故」だとして、責任逃れのための論理を弄んでいる……と、そのように整理されるわけだ。結局のところ、「偶発的」な「事故」であれば、それに「許し」を与えねばならない。しかしながら、「許し」を与えられないのは、それが「偶発性」を前提にしているからこそのことである——逆に、意図的な殺人であればこそ「許され」うる。実際、歴史的にはネチャーエフ事件（ドストエフスキー『悪霊』のモデルになった内ゲバ殺人事件）等を、その人道的な是非ではなく、政治的な企図に注目することで正当化がなされてきた——と。こうして革マル派は、立花隆が看破したように、「その革命性・思想性が真のマルクス・レーニン主義でつらぬかれているか」否かを、暴力を容認するための根拠としたのである。もちろん、自党派は「真の」マルクス・レーニン主義で、他の党派は「偽り」ということになる。

こうした革マル派の姿勢に大久保が理論的に〝お墨付き〟を与えてしまったのは、まず間違いないことだろうが、それは大久保だけではない。高知聰など輪をかけて露骨である。ただ、そのような危うさからしか見えないものもある。『革命的暴力とは何か？』の締め論文に相当する「環境・自己を変革する活動は何か」で、大久保そりやは高橋和巳が「内ゲバ」の歴史的な文脈を解説しているものの、高橋論文には暴力活動に対する以下のような「直接的・間接的な人間活動論的切開」が欠けているとの指摘があるのだ。

暴力的活動そのものは、人間活動と人間関係における矛盾の一つの顕在化した形態として生じるものであり、この矛盾自体は、社会のすべての矛盾がそうであるように、実質的には人々の個々の自己活動と、この自己活動自身によって形成されるところの現実的な人間関係としての交通形態とのあいだの相克にほかならない。（「環境・自己を変革する活動は何か」）

大久保はマルクスの「交通」概念を応用し、人間同士の活動の「矛盾」こそが、暴力を胚胎する重要な原因だと考えている。そこには、共同体に対する、構築主義的な問題意識が根ざしている。その背景には、大久保がその言語論の「陥穽」を厳しく批判した（「芸術・国家論集」1号、一九六七。『吉本隆明をどうとらえるか』、一九七〇所収）、吉本隆明の『共同幻想論』（一九六八）の影響が露骨である。

私は、たとえば自分の子供を理由もなく故意に自動車や強盗に殺されたとしたら、おそらく本気で復讐を決意すると、思います。しかし、現実の社会は、個人の復讐権を許さず、代わりに幻想的な共同性としての国家がこの権利を行使しています。だが、この行使がいかに幻想的であり、階級的であり、片手落ちであり、金銭的にゆがんだものであるか（たとえば、交通事故で人を殺しても、金を払えば済む）、知る人ぞ知るです。結局のところ復讐権は、現実的な共同体員だけがもつべきであり、幻想的な共同体としての国家がそれを代行すること自体、一つの犯罪だという気がします。

では、実際の社会で、現実的な共同体と呼ばれるべきものは、なにか。いまのところそれは、家族でしょう。

（……）

だが、家族としての共同体は、いくらそのものとして持続しようとしても、社会そのものを変革できないことは、明らかです。(「中核派は〝殺人者としての自己〟から逃げている」)

国家という幻想の共同体を最終的に「止揚」するためには、まずは「家族」が幻想としての国家の屋台骨を支えていると認識する必要がある。しかし、それだけでは社会を変革できないのであれば、「家族」という共同体を構成する人間の活動そのものに着目することで、「主体的」に「共産主義的共同体」のモデルを作ろうと考察しているのである。

本連載の前回で、大久保の活動の総体を概観すると、「その活動が革マル派の随伴知識人として断じてよいかは微妙なところ」と書いたが、こと『革命的暴力とは何か?』に限っていえば、随伴知識人としての立場性は否めないものになっている。ところが、立場性が明確であるがゆえに抽象性が噛み砕かれ、かえって大久保が〝何をやりたかったのか〟が、他の論文にもまして見えやすくなっているのも事実である。

高橋氏は、「内ゲバの論理はこえられるか」の考察の結語として、革命党派が新しい道徳性と人格性をもたなければならないこと、運動のなかで、「意識変革・自己変革」をはたしていく必要があると、説く。この一見だれの目にも受け入れられる内容を備えた主張はしかし彼が「内ゲバ」を考察した際に自らを陥れたと同じ思考の陥穽――共産主義的人間活動論から疎外さら捨象され「すくいあげられた」人間論――からの発想にすぎない。(「環境・自己を変革する活動は何か」)

このように大久保が高橋を批判するとき、革マル派の主張にシンパシーを感じた読者は、続く「(高橋は)プロレタリアートの活動者としての現代的状況、そこから必然的に規制されてくる解放運動の活動形態」を顧みていない、という批判に快哉を叫んだことだろう。しかし、いま読み直すのであれば、ここでさりげなく挟まれた「共産主義的人間論」からの「疎外」という見方こそが重要なのではないかと思われてならない。「革命的暴力とは何か?」の刊行と同じ一九七一年、大久保は『性活動論 共産主義的人間活動論』を刊行しているからだ。両者の議論は見えない糸でリンクしているのだろう。

また、大久保は高橋論文の末尾にある「今後のありうべき革命は、単に政治次元、社会次元にとどまらず、人間それ自体の変革が含まれていなければ」ならないとある点に着目し、その「人間それ自体の変革」に、現在の状況から遊離した抽象性を嗅ぎ取って批判している。すなわち大久保は、自らが理論構築を進めていた「交通」と「疎外」を軸にした「共産主義的共同体」の建設を軸にしなければ「人間それ自体の変革」はなしえない……そう認識していたことがわかる。正確に言えば、「人間それ自体の変革」と「共産主義的共同」の合間にあるものを大久保は探究していた。それが大久保にとっての「SF」だった。

一九七五年、高知らの奔走によって、埴谷雄高ら「知識人」一二人による「革共同両派への提言」が行われ、内ゲバの中止が呼びかけられた。しかし、中核派・革マル派双方ともに、まるで耳を貸さなかった。すでに「知識人」の〝お墨付き〟が求められる段階は通り過ぎていたのだろう。だからこそ、大久保は既存の党派ではなく、「NW−SF」に居場所を確保し続け、ありうべき「共同体」を、マルクス主義言語学を軸に模索し続けたのではないか。

ただ、「NW−SF」の寄稿者のなかでは、大久保のような対応は異例であった。3号(一九七一)に「座頭一―羽田に着き韃靼人と悪企み行動にうつすこと」を寄稿した平岡正明は、『革命的暴力とは何か?』に収められたアンケートに「回答の意志を有せず」とのみ答えているし、9号(一九七四)から18号(一九八二、※前号で一九七二とあるのは間違い)にかけて小説「街の冒険者」を連載していた児童文学作家の佐野美津男は、にべもない回答を残している。

なにもいまさら、自分のところで死人がでたからといって、騒ぎたてることはないよ。革マルのリンチによって、廃人に近い状態にされた人間が、かなりでている。どっちもイヤなことだし、人の命は大せつだけど、生きながらすべてを奪うこともヒドイのではないか。とにかく、あの陰惨な感じのする革マル派の内ゲバのほうこそ、やめにしてほしいな。

CREATION

いわためぐみ

歴史を題材にしたフィクションの真実と、そこに込められたメッセージ

弦巻稲日記

ふと気がつくと、映画にしても、TVドラマにしても小説にしても最近は、歴史ものや時代劇ものばかりに目がむいてしまっている。伝奇ルネサンスアンソロジー「妖ファンタスティカ」シリーズを編集するようになって、時代小説、歴史小説の作家作品を意識して読んでもいるということもあるだろうが、元々、大河ドラマを良く見る小学生だったし、架空戦記小説も読む高校生だったりもした。

小学生のころ、大河ドラマというものは、学校の先生にオススメされるような存在だったと思う。歴史を学ぶきっかけになったりするとして、学校で推薦された。けれど、今顧みてみると、本当にそのドラマが「歴史として正しいものであったのか」というと「歴史を題材にしたフィクション」であって、役者が演じるキャラクターは、歴史上の人物が登場したりはするが、物語が必要とする「人物」に脚色されているし、ときには物語が必要とする架空の人物が設定されていることもある。そのように「脚色されたものとして」消費するようにという教育がなされているか？というとそうではなく、たとえば「忠臣蔵」が「物語」として再生産され続けていたことを、普通は「本当にあったお話」として思われてきたのではないか。どこからどこまでが真実で、どこからどこまでが物語かも明確にされずに、発信されてきていた。

今になって、「本当は吉良上野介は名君だった」とか、歴史の新事実とか、新資料による真実とか、たくさんの資料が、気がつけば巷に溢れているけれど、歴史そのものは事象としてひとつしかないはず。資料によって、新事実と覆されていくことがニュースとして発信されて、子供のころの教科書と異なっているとか。これはもちろん、今に始まったことではない。そして、歴史的新事実の証拠が発表されても、学校で教えられる歴史が、変化してくのはゆるやかで時間のかかることでもあったりもするのだ。

ジョセフィン・テイの「時の娘」を読んだのはやはり、中学生の頃だったと思う。ハヤカワ文庫の初版は一九七七年だからおそらく発売まもなくだったのだろう。探偵小説として存在するこの小説は、捜査の途中でマンホールに落ちて入院しているというグラント警部が、病院のベッドの中で、本を読むことを楽しむことのできない時間の中で、差し入れられた肖像画の一枚をきっかけに、資料を使って捜査の感覚で、歴史的な事実の検証を行うというものだ。

悪名高いリチャード三世が穏やかな表情をしているその肖像画は、悪名の高さに疑問をいだかせ、警部は、この「悪名高き」記述が反対勢力による記録であったことを突き止める。しかし、そのことをきっかけに歴史的大発見として世の中が変わることはない。「真実は時の娘」――巻頭に書かれたこの言葉が示すとおり、真実であることが、現実のなにかを変えたりしない。書き換えられない歴史の中で、それでも真実は、そこにある。では、真実を知りたいと思い過去を探求しつづける学問が行われるそのさきに、現実はいったい変容をとげるのか。

歴史というものが、書き残される時に書き残す側の視点で書かれた資料として「客観性を欠くかもしれない」ものとして読み解く必要があること。そして、歴史を題材にした小説というものの仕組みを深く考えさせられたきっか

けだった。この小説を読まなかったら、歴史を題材にした創作は身近に存在していたのに、歴史と歴史を題材にする作品という距離について考えてみることはなかったかもしれない。

　近年のドラマは、そのような歴史的「真実」と、歴史を顧みる物語をつくる側の考えが反映されているのかもしれないが、以前なら、悪役は悪役として描かれていた歴史上の人物が、別の視点から、実は悪であったわけではないと描かれるものが、両方見ることができるぐらいコンテンツの多様性として存在しているように思える。華流歴史ドラマや韓流ドラマでも、歴史的悪女が、実は「悪女」ではなかったというものが、人気を博していたりもする。もちろん、ドラマの主人公の物語のために「悪女」として登場したキャラクターに主人公よりも人気が集まるなんてことも過去にもあったろうが、近年の特徴として「悪役として登場してしまったけれど、私にも事情が」的な物語が、群像劇的に成立する大型ドラマも少なくない。

　天下帰元「扶揺皇后」を原作とする華流ドラマ「扶揺（フーヤオ）～伝説の皇后～（原題：扶揺）」は、後宮ものの華流ドラマが流行る日本で、奴婢から皇后にのぼりつめた女性の物語としてアピールされているが、実態は五州という架空の時代を舞台にした、妖術や武術のあふれるファンタジー作品だ。主人公の扶揺を演じる楊冪は、本誌№77で紹介した「永遠の桃花～三生三世～」の主人公白浅だった女優。白浅も冒頭から男装で修行をしていたり、その細くて色白の姿で、迫力あるアクションシーンが魅力の不思議な女優だ。美人だがどこか少年のように中性的。たくさんの男性に愛されているのに、どの作品も恋愛がすべてではなく、その向こうにもっと大きな「大義」のようなものを抱えている雰囲気のようなものを持っていて、華流ドラマ独特の哲学をささえている女優のように思う。人生で勝つ女は、頭がよくなくてはならない。強くなくてはならない。女性としての価値は美しさだけではない。この稀有な存在感をもった奇跡の女優に、実は周りを彩るハンサムな男優たちよりも私は夢中になっている。

　主人公は、後宮で王の寵愛を得た結果皇后になったわけではなく、冒険の途中で出会ったのが皇太子だったものの、その出自はそもそもが、国を滅ぼす運命を背負った予言の少女で、5つの封印を身に受けている。封印がすべて解かれるとき、千百年前に戦争で破れた帝非天が復活する。それを阻止しなくてはいけない運命を背負った男が天権国の皇太子。宣伝で大きく使われている豪華な赤と黒の衣装は、話の前半でまだ扶揺の正体が明かされていない段階で、婚礼を行うシーンのものだ。

　当然、奴婢から「皇后」になってシンデレラストーリーが終わりではなくて、そこからが冒険の本題ともいえる。なんで「伝説の皇后」になっているのか謎なのだが、徐々にあきらかになる驚愕の秘密の数々。「あなたの本当の姿は」という物語が歴史というギミックで調理され、なんども、なんども、まだ秘密がその奥にあるんですよと、観ているものを引き込んでいく。

　敵討ちにつぐ敵討ち。絶対的な正しさが存在しない。それぞれに、その「行為」を行った理由があり、それぞれの正義がある。聖女が悪女。悪女が聖女。そのどんでん返しの繰り返しがジェットコースターのように訪れる。これを「後宮もの」のように片付けてしまうのはもったいない。歴史ドラマという名前でファンタジーが描かれる。本当はこの手法も、けっして目新しいことではないのだろう。けれど、つぎから次に現れる新作予定に、「タイムスリップ禁止」とか「原作から政治的配慮により設定を変更されて制作された新作」とかのニュースに一喜一憂しながらも華流歴史ドラマが楽しみでたまらない。

　勝てば官軍。官軍が行ったことを滅びた側から描くこと。それは、日本の「判官贔屓」という言葉に現れる物事を一面的に見るのではないという視線の歴史もあるのだが、歴史を多面的にフィクションとして物語るという技法の伝統的技法ともいえるかもしれない。

　しかし、歌舞伎を例にとるまでもなく、歴史を題材に「これは昔の話なんですよー　フィクションですよー」というギミックを使って、現代に潜む問題そのものをとりあげていないふりをして、人に何かを考えさせようという物語の存在は、表面的にも人を惹きつけて魅了する。影響力もある。だからこそ、戦時中にプロパガンダとしての映像作品や文芸作品、絵画作品などが意図的に制作されもしてきた。

　戦争とプロパガンダと言えば、第二次世界大戦中の「ナチス」の存在は、未だ現実の資料そのままでも狂気を感じさせる。弊社から12月に発売された朝松健の「邪神帝国・完全版」は、ナチスの狂気を歴史的な人物や事象を追いながら綴る一方、そこにクトゥルー神話をとりいれて、クトゥルーという存在が「本当にそうだったのかも」と思えるような精緻な物語で再構築してみせた短編集だ。それぞれの短編が発表されたのは一九九〇年代、最初の単行本であるハヤカワ文庫JA版は、一九九九年の発行だった。当時、このアンソロジーの冒頭に位置している短編「〝伍長〟の自画像」は、第二次大戦中のナチスそのものを描いたものでないため、アンソロジー収録当時、正当な評価を得ることがなく批判の対象になったというが、現在この物語を改めて手に取ると、まるで今の日本を予言されているかのような錯覚に陥る。

　だれも戦争を望まないのに、戦争が始まる。そんな狂気の足音。クトゥルーは、その狂気のなぜと狂気の恐怖を具現化する。

　物語は現代の日本。前世の記憶をもち、伍長と呼ばれる男が、超魔術の力を借りて自分の前世を思い出す短編だが、この作品の怖さは、二〇二〇年の現代日本の世相を思わせてもいることだろう。まるで予言。いや、著者は当時、すでに現在のこの状況を物語のちからを借りて記述することで「真実」に近づこうとしていたのではないか？

★朝松健「邪神帝国・完全版」
（発行・アトリエサード、発売・書苑新社）


　奇しくも、二〇二〇年公開予定のナチス題材の作品があるという情報を得た。本誌発売のころには公開の始まっているタイカ・ワイティティ監督がヒットラー役も演じている「ジョジョ・ラビット」、そして、2月21日より公開が予定されているテレンス・マリックが初めて実話を元に監督した映画「名もなき生涯」の二作だ。

　「ジョジョ・ラビット」は、軍国少年の見本のようなジョジョが主人公。その少年の部屋にはヒットラーがジョジョの友人であるかのように具現して、少年を勇気づける。ヒトラー・ユーゲント（ナチス時代の党青少年教化組織）での活動に献身的に参加している模範的な少年なのだ。

　けれど、ひ弱で繊細で、まだ幼い彼は、教練の中でうさぎを殺せと命じられても殺すことができない。その姿を友人たちに「ジョジョはうさぎ」と揶揄される。

　しかし母は言う。うさぎは、本当は勇敢で、その愛らしい姿に似合わない力があると。物語の最後、「うさぎ」の彼は、その勇敢な魂を発揮して、ヒトラーの幻想から自分のちからで抜け出すのである。

　靴の紐を自分でむすぶこともできないような少年が戦争の中で兵士としての訓練を受け、党の活動の一部を担う。

街頭でのポスター貼りや、物品回収。その出来事は、本当に当時行われていたことだったのだろう。

制服を美しく保つ美学、ユダヤ人排斥の場面。屋根裏に隠れたユダヤ人少女。ナチスを少しでも知ることのあった人間には、おなじみでもあるギミックが、少しコミカルに誇張されて描かれ、愚行であったことを強調していく。

★『ジョジョ・ラビット』2020年1月17日(金)より全国公開！ ©2019 Twentieth Century Fox Film Corporation &TSG Entertainment Finance LLC

物語のメッセージは、そのシステムの中で、社会の一員として盲目にヒトラーを崇め、狂信することを警告し、優しい美しい謎の母の死を通じて、少年が自分のちからで靴紐が結べるようになり、「より正しいことをを選び」、次への一歩を「自分のちからで考え」て選び、前に進んだという成長物語として成立しているようにも思える。

だが、本当なんだろうか。朝、靴の紐を結んでくれる母がいなくて靴紐を結ばなくてはならなくなったら、結べるようになるだろう。

でも、この絶望的な世界で、靴の紐を結ぶよりも、難しい「より良く生きること」は、誰かの助けなくたどり着くことのできるものなのだろうか？ 自分がたどりついたと思っている「正しさ」は、それ以前のヒトラーへの盲信同様、母の考えをまた盲信しているにすぎないのではないのか？

そんな危惧を私は感じながら、物語の終わりに流れるデビッド・ボウイの曲を聞いていた。この皮肉な曲の存在こそ、監督のメッセージが一筋縄ではいかないものとして考えさせられるヒントだと思った。

余談だが、10月にEssen に出向いた。その街頭スクリーンで、「ジョジョ・ラビット」の予告編が繰り返し上映されていた。Essen の人たちは、特になにごともないようにその街を通りすぎていった。この作品のメッセージがどのように受け取られていたのだろうか？

予算をかけて、人気俳優が登場する大掛かりな予算のドラマの数々。その物語にふと潜んでいる制作者の明確な意図が読み取れても「この物語はフィクションです。登場する人物・団体・名称等は架空であり、実在のものとは関係ありません」という言葉で「物語である」という免罪符を得た「表現の自由」が、いまの世界では、「メッセージ性」の諸刃の刃を、暴力的な凶器に変えられないことを祈らざるを得ない。

ここ数年の暗いニュースの中で、戦争前夜ともいえる時代と今を比べ、戦争が遠い国の対岸の火事ではないことを薄々感じながら物語が発信続けられている。

戦争を題材とし、反戦をうったえるもの。戦争の愚行を描き、歴史的将軍たちの戦乱での戦いを描き、戦略、政治の影で傷つく民衆が描かれ、ドラマの中で、人々の思いを代弁するかのように、ヒーローが戦争の愚行をうったえる。そのドラマが、愚行を行う政治を変えていくような力をもっているのかもしれないという希望を——明確な反戦メッセージを表に謳わなくてもそのメッセージ性を読み取れる読者や観客の存在を、私は信じて行きたいと思う。

文学フリマ

猿川西瓜・笠井咲希・松島梨恵

スムーズをスムーズにする
～文学フリマの「顔」の裏方～

……猿川西瓜

二〇一九年十一月二十四日（日）、入場者数六〇四四名を記録した文学フリマ東京にて、「本の未来研究会リポートNo.008」という小冊子が事務局本部にて無料配布されていた。二〇一九年九月十七日に文学フリマ事務局代表の望月倫彦氏が「本の未来研究会」で講演した内容がまとめられている。

彼は本冊子にて「文学フリマ」は大塚英志の提案「既存の流通システムの外に文学の市場を作ること」を目指すものであると述べている。

その遺志を継いで彼が立ち上げたのが、全国の有志を募って掲げた「文学フリマ百都市構想」だ。地元で文学フリマを開催したいという人を支援するための事務処理体制を構築したのだ。このプロジェクトは「創作者」「愛好者」「継承者」を育てることを目指しているが、私は大阪文学学校で発行されている老舗同人誌をはじめ、「文学フリマ」がきっかけで息を吹き返して活気づいた例をいくつもあげられる。私の所属する古くからの同人誌「あるかいど」も文フリに出店することで、新体制になって盛り上がった。

新しい文学のインフラの構築に必要なものは、彼が冊子で述べている『山月記』の李徴のような人間を生まないこと、多様なデビュールートのあり方に集約されるだろう。だが、もっとも重要なのは、「開催の手引書や内部規約作りを進め、かなり属人的だった部分をマニュアル化し、誰でも運営できるようにしました」（P.8）という点にあるのではないか。

それぞれの都市の特色を表現するのは出店者や来場者の方なのだが、開催したいと決意した地元の人間はつい自分で都市の色を出したくなる。私自身、文学フリマ大阪に関わっている人間として、何度か陥りそうになった思考だ。例えば大阪なので事務局でたこ焼きを販売してはどうかとか、大阪の著名人を招いて賞を設けてはどうかとか、考えたこともある。しかし、出店者は本を売りたいのであり、来場者は本を買いたいのであり、そこに何かしら「地元らしさ」を運営者が出そうとしても、この二つに本当に貢献できるものとは言えない。

現在、唯一大阪らしさとして文フリ大阪事務局が意識的にしている「地元らしさ」は、大阪は数多の川と橋の根付いた土地であるので、川の見える場所をすべて休憩コーナーにして、景色を眺めながら休んでもらうということだった。最も重要なスタッフの仕事は、事務であり、特色を生み出すことではないのだ。

各ブースは、個々それぞれにやりたいことをする。自分にとって納得のいくものを作ろうとする。それが集まって文フリの「顔」となる。ある思想的な方針に当てはまるかどうかではなく、その各ブースが活動するうえでのPDCAや、これから参加したい人がいかにスムーズに動けるかを準備するのが事務局だ。そして、その「準備の準備」もスムーズにする。「各ブースの運営をスムーズにするためのスムーズ」がなされることが、望月氏の言う「開催の手引書や～」のところに当たるのではないかと思う。

こうした所に、絶えず各事務局の負担を軽くするための、事務処理の自動化を組み立てるプログラマーの努力があることは間違いのないことであり、最小限の事務仕事で、最大限効率的な処理を行えるよう徹底して合理化するコアスタッフには正直脱帽である。文学の新しいインフラは、文学という重く重厚なものを忘れられるくらいの事務負担軽減によって、可能となるのだろう。出版業界も、おそらくは文学フリマを無視はしていないだろうし、日本の文学史という流れというものに文

文学フリマのご案内

「文学フリマ」とは文学作品の展示即売会です。既成の文壇や文芸誌の枠にとらわれず〈文学〉を発表できる「場」を提供すること、作り手や読者が直接コミュニケートできる「場」をつくることを目的とし、プロ・アマといった垣根も取り払って、すべての人が〈文学〉の担い手となることができるイベントとして構想され、全国で開催されています。

【文学フリマ 今後の開催予定】(2020年1月8日現在)

開催日	イベント名	出店者募集期間
2020年 1月 19日	第四回 文学フリマ 京都	募集終了
2020年 2月 23日	第二回 文学フリマ 広島	募集終了
2020年 3月 22日	第四回 文学フリマ 前橋	募集終了
2020年 5月 6日	第三十回 文学フリマ 東京	現在募集中 ～ 2019年 1月 20日
2020年 6月 21日	第五回 文学フリマ 岩手	現在募集中 ～ 2020年 3月 16日
2020年 7月 19日	第五回 文学フリマ 札幌	現在募集中 ～ 2020年 4月 6日
2020年 9月 6日	第八回 文学フリマ 大阪	(調整中)
2020年 10月 18日	第六回 文学フリマ 福岡	(調整中)
2020年 11月 22日	第三十一回 文学フリマ 東京	(調整中)

【文学フリマ 全国マップ】(2020年1月8日現在)

●回数 年間9回
●都市 全国8都市

第五回 文学フリマ札幌 募集中
開催日：2020年 7月 19日 (日)
会 場：北海道自治労会館 4F 5F
出店数：約 200 ブース (予定)
主 催：文学フリマ札幌事務局

第四回 文学フリマ京都
開催日：2020年 1月 19日 (日)
会 場：京都市勧業館 みやこめっせ 1F 第二展示場 CD面
出店数：約 480 ブース (予定)
主 催：文学フリマ京都事務局

第五回 文学フリマ岩手 募集中
開催日：2020年 6月 21日 (日)
会 場：岩手県産業会館 7F 大ホール
出店数：約 120 ブース (予定)
主 催：文学フリマ岩手事務局

第六回 文学フリマ福岡
開催日：2020年 10月 18日 (日)
会 場：エルガーラホール 大ホール
出店数：約 200 ブース (予定)
主 催：文学フリマ福岡事務局

第四回 文学フリマ前橋
開催日：2020年 3月 22日 (日)
会 場：K'BIX元気21まえばし 1F にぎわいホール
出店数：約 120 ブース (予定)
主 催：文学フリマ前橋事務局
共 催：前橋市

第三十回 文学フリマ東京 募集中
開催日：2020年 5月 6日 (水・祝)
会 場：東京流通センター 第一展示場
出店数：約 1000 ブース (予定)
主 催：文学フリマ事務局

第二回 文学フリマ広島
開催日：2020年 2月 23日 (日)
会 場：広島県立広島産業会館 東展示館 第2・第3展示場
出店数：約 200 ブース (予定)
主 催：文学フリマ広島事務局

第八回 文学フリマ大阪
開催日：2020年 9月 6日 (日)
会 場：OMMビル 2F展示大ホール (B・Cホール)
出店数：約 600 ブース (予定)
主 催：文学フリマ大阪事務局

第三十一回 文学フリマ東京
開催日：2020年 11月 22日 (日)
会 場：東京流通センター 第一展示場
出店数：約 1000 ブース (予定)
主 催：文学フリマ事務局

学フリマが一つ刻まれたとするのならば、その一つにSNSの活用と、利用者と運営者双方の事務負担軽減を構築した功績が第一にあげられなければならないだろう。

最後に、TBSラジオ『アフター6ジャンクション』にて、望月氏がVHSを店頭で売っているお店を探訪する本やリスナーのZINEを紹介して、ライムスター宇多丸氏の心を掴んでいたことを取り上げたい。

文学フリマでこれほど広範囲なジャンルと冊数が刊行されている状態で、まるで司書のレファレンスのように同人誌の情報を提供できる彼は、もはや一人の文学研究者であり、比肩しうる人間は少ないのではないか。どういう人物であるか、もう少し考察されてもいいかもしれない。

スタッフと書き手のはざま

……笠井咲希

学部二年生のとき、文学フリマに出会った。文芸研究会に所属していたが、すでに幽霊部員だった。さすがに顔を見せなければまずいと出席した部会で、私は偶然「第二回文学フリマ福岡」の開催を知ったのだ。

高校生の頃から同人系の展示即売会にちょこちょこ参加していた私は、「文芸」に強そうなこのイベントの存在に興奮し、勢いのまま文芸研の出店ブースの売り子に名乗りを上げていた。展示即売会自体はもう慣れたものだったが、当日は他の即売会にはない「文芸」色の強さにちょっと感動したことを覚えている。

スタッフとして運営に関わるようになったのは、その翌年である。そろそろ就職活動について考えはじめる時期で、周囲がインターンシップ云々と言っているなか、私はといえば漠然と、何か変わった経験をすれば就活のアドバンテージになるだろうかと考えていた。そんなところへ、私の通う大学で講師をしていた当時の福岡事務局の副代表から、講義の始まりに第三回の開催告知とスタッフ募集の呼びかけがあった。これだ……なぜか直感した私は、その場でスタッフになりたいと申し出ていた。文学フリマのスタッフになった当初の動機は、こんなものだった。

創作と呼べるものは十年以上続けているし、即売会に対する憧れも昔からあった。ただ、文学フリマというイベントに対して、特別強い思い入れがあったわけではない。そういうところから関わりはじめた文学フリマ福岡も、十月に五回目のイベントを終えた。これで、今まで開催された文学フリマ福岡の半分以上に、運営側として関わっていることになる。絶対向いてないしできないと思っていた種類の仕事を気づけばやっているし、この二年ほどは、唯一と言ってもいい自分の「特技」を活かす仕事の機会も与えてもらった。イベントを運営する側の魅力に、もうどっぷりはまりつつある。

一方で、運営する側と出店する側という、二つの意識の両立に難しさも感じている。

文学フリマは「自分が〈文学〉と信じるもの」を売るイベントだ。スタッフとしての私はそれを前提に考え、出店者に対してもそうであることを自然と（安易に？）期待している。ところが、出店者になりうる書き手としての私はというと、この言葉を前に悶々と頭を抱えてしまう。

ネット上で交流のある創作仲間や憧れのアマチュア作家さんが、ここ一年で続々と文フリデビューを果たしている。それを横目に見ながら、私は私で、書き手としての〈文学〉と〈文学フリマ〉に対する態度を、いまさら決めあぐねている。

これは文学フリマのスタッフになったがゆえの心情の変化だろう。それも、イベント運営にかつてない魅力を見出したからこそ、書き手としての自分に、スタッフとしての自分がふと問いかけたのだ。無論、答えは簡単には出せそうにない。しかしだからこそ、いつか三年前とは全く異なった心持ちで、文学フリマ福岡に再び出店者として参加してみたいとも考えている。

百都市構想前夜（事務局の外側から）

……松島梨恵

文学フリマに出店者として、のちにスタッフとして関わって、かれこれ10年になる。その間に私は成人し、大学を出た。年下のスタッフも増え、そしていつの間にかほぼ全地域の運営に多少なりと関わるポジションについてしまった。しかし最初スタッフに誘われたとき、私はスタッフになることなど微塵も考えていなかったし、むしろなりたくないとさえ思っていた。

　まだ文学フリマが東京と大阪でしか定期開催されていなかった頃のこと。私は東京開催のカメラマンである山本純さんから撮影の代理を頼まれた。私は「撮影」という立場からイベントを見るのはなかなか楽しそうだと思い、二つ返事で引き受けた。その当時、私は単なる一出店者であり、事務局スタッフと文学フリマ後の飲み会で同席することはあったが、彼らと知り合うことに特別の興味はなかった。むしろ勝手に権力めいたものだと思って避けていた。スタッフの側からしても自分は異分子だろうと思っていた。

　しかし、その撮影の日、事務局本部で昼食の弁当をもらっているとき、事務局代表の望月さんに言われた一言が、私の頭にしつこく残ることになった。

　それは「どうやったら文学フリマに来場者を増やせると思う?」というシンプルな質問だった。

　文学フリマは、簡単に説明すると、文学って売れんなあという話から始まった純文学論争の中で、大塚英志氏が「じゃ現実的に文学が売れて生き延びられる方法ってなんだろうかね」と考えた結果、開かれたイベントである。そこに至るまでの概要は「不良債権としての文学」という、今見てもなかなか強烈な題のエッセイにまとまっている(原文は当時の群像本誌ほか、文学フリマ公式サイトでも読める)。

　そういう背景もあるから、文学フリマにとって文学を買う人間、読む人間、見る人間、文学に関わる人間がたくさん集いつづけることは、非常に重要な要素なのだ。しかし当時、文学フリマの来場者はどちらかといえば伸び悩んでいる時期だった。望月さんは言った、「来場者が増えれば出店者は必ず増える。だから来場者を増やしたい」と。とてもシンプルで、とても論理的な言い方だった。

　望月さんは、せいぜい世間話の延長くらいの感覚で問いを発したのだろう。けれどそのときから、私は来る日も来る日もクソ真面目にその問題について考えるようになった。事務局は決まったイベントをやっておしまいという組織ではなく、今後どうしたらいいかと考えて努力を続けているのだ。今思えば当然のことでも、当時の私には新鮮な驚きだった。たぶん今でも私はそれを一番のモチベーションにして活動していると思う。「どうやったら来場者を増やせるか」ということを。

　クソ真面目に考えた結果たどり着いた答えはシンプルで、「情報を獲得する」ことだった。来場者は近くの人が多いのか、遠くの人が多いのか。年はどれくらいか。どこで文学フリマを知ったのか。何が面白いと思うのか。それがわかれば、訴求方法もわかるはず……。経営分野と完全に無縁だった私は、それがいわゆる「データマーケティング」と呼ばれるものだということさえ知らなかった。

　それで私は、あるスタッフさんに「原稿は提供するから、まず来場者にアンケートを取ってはどうか?」と提案してみた(この頃はまだ望月さんに直接メールする勇気はなかった)。するとスタッフさんは、私と会って話してみたいと返事をくれた。まさか相手が実はずいぶん前から自分をスタッフにスカウトする気でいたなんて想像だにせず、私は軽い気持ちでOKの返事を出した。まったく、騙されやすい人間の典型みたいなものである。

　その面談の日、朝から晩までひたすら「これからの文学フリマの話」を聞かされた。朝九時にカフェで話し始め、さびれた中華屋で昼食をとり、最後にスタッフさんのPCのバッテリーが切れるまでずっと悩んだのだが、結局は話を聞くうちに、自分が文学フリマというイベントを好きでいて、これからも発展してほしいと思っているということを再確認して、夜九時を過ぎたころ、その場でスタッフ応募のメールを送った。

　それは二〇一四年の暮れ、やがて全国展開を本格化させることになる「文学フリマ百都市構想」の発表前夜のことだった。

「イラストレビュー」◎絵と文＝三五千波
あいちトリエンナーレ2019
「バッコスの信女ーホルスタインの雌」
作・演出・市原佐都子（Q） 音楽・額田大志
愛知県芸術劇場小ホール（10月14日観劇）
牛の人工授精師がデンマークから日本人の精子を取り寄せて人間ではなく牛に受精させてしまう。
生まれてきたのは上半身が人間下半身が牛の怪物だった
モーモー
モモモーオ・・・
「小賢しいことは知恵ではない」「あなたはあなたの内なるものに耳を傾けていますか」
ミロ・ラウ＋CAMPO
「5つのやさしい小品」（8月4日観劇）
「デュトルー事件」子供が犠牲となった監禁・殺人事件を子役たちが演じる
オーディションやワークショップのシーンや映像など多面的な表現で悲劇をあぶりだす
「表現の不自由展」などで話題を呼んだあいちトリエンナーレ2019
わたしは美術展の他8月と10月に分けてパフォーミングアーツ3演目を鑑賞
ネイチャー・シアター・オブ・オクラホマ＋エンクナップグループ
「幸福の追求」（8月3日観劇）
踊る西部劇 アクションで戦場へ巡業する舞踏団一座？？
これこれ犬っしょ
ハワイパピヨン
犬役は「地底妖精」の永山由里恵さん
この合唱による音楽劇としての魅力だけでも古典として残る
一般公募の「コロス」による劇中曲は凄い
牛役の川村美紀子さんの高速回転におどろく
くるくる
オッフェンバック「天国と地獄」東京二期会
日生劇場（Aキャスト・11月21日観劇）
日本語訳詞上演
指揮・大植英次 東京フィルハーモニー交響楽団
演出・日本語台本・鵜山仁
神さま爆笑歌合戦のこの演目は実は初鑑賞
舞台写真を見ると衣装も美術もホントに秀逸
三階端からでは伝わらなかった？
客の入りが今ひとつだったせいか客席に熱気が足りないのが気になった
だからポップスを作る人もみんな見て欲しいオペレッタ
オリンポスは笑う
酒
ユリディスはフレンチカンカンにまぎれてバッコスの巫女に

グランドオペラ共同製作「カルメン」
神奈川県民ホール（Bキャスト・10月20日観劇）
指揮・ジャン＝レイサム・ケーニック
神奈川フィルハーモニー管弦楽団
演出・田尾下哲

読み替え演出の少ない田尾下氏が
今回は作品をゼロから解釈しなおし
大胆に「ショービズ・カルメン」を
試みた…

プログラムノートによれば
原作のロマ女性への偏見や
闘牛に潜む動物虐待問題を考えた場合
そのままの上演は現在考えられないと

東京芸術劇場コンサートオペラ
ドビュッシー「放蕩息子」&
ビゼー「ジャミレ」（10月26日）
樋口達哉さんの悪い王子演技が濃くて
また演奏会形式なのにドラマを堪能してしまう

下のオリガと同じ人⇩

新人カルメン
加藤のぞみさんも
気になったけど
与那城・嘉目他
芸達者で花のある
Bキャスト組を

又吉オルフェと愛ユリディスの
芸達者はもちろん
吉田連スティクスの妙な哀愁に
性格俳優の一面を見る

音コンでは顔が濃すぎて
歌の印象が薄れてた
大川博ジュピターが
堂々たる浮気大明神として
天界を支配していた

バスのティホミーロフ…
グレーミン伯爵のアリア一曲だけで
徳の高さとオネーギンの
若い愚かさが
にじみ出る

期待してた
レンスキーと
オネーギンの愛憎は
今回は
ぐっと来なかった

新国立劇場
「エフゲニー・オネーギン」
（10月20日観劇）トリケ役の
あぶない感じを見事に演じてた
10月5日の
アンサンブル・ノマド定演では
木ノ脇道元編曲「大地の歌」も

この演目は9回目という
ベルトラン演出は
スタニスラフスキーの
1922年の
プロダクションを
もとにしたという

ソヴィエト
演劇の
正統派…

鳥木弥生さんも
オリガでは
やや怪女優？

紅茶を
受け皿ですする
描写が
小野二郎
ファンには
うれしい

B→C　駒田敏章バリトンリサイタル
オペラシティ・リサイタルホール（12月10日）
ピアノ・居福健太郎

毎年恒例秋の北とぴあ「二期会オペラ研修所コンサート」がリニューアル（11月15日）

字幕に加え宮本益光氏の司会で今までの歌の発表会がオペラ初心者にも楽しめるスタイルに！マスタークラスだけでなく予科の生徒も抜擢

予科の子が宮本さんや鈴木准さんとグリエルモ歌ったのが胸熱！

字幕により現代オペラと現代歌曲がよりドラマティックに届いた

ローレム　アダムズ
不思議の国のアリスとゲイについての歌曲をライフワークとするトレディチ

浜離宮ランチタイムコンサート「10代のモーツァルト」（10月23日）

その宮本が率いるモーツァルト・シンガーズ・ジャパン
前半は少年時代の宗教曲やアリアなど
後半は「バスティアンとバスティエンヌ」抜粋
トークも常に楽しい座長だが演奏も
序曲を「おもちゃの交響曲」風にアレンジしたり
アリア前奏を歌い手が鍵盤ハーモニカで演奏したり
「望月さん　私は一息で吹けましたからね」がじわっとくる

サントリーホール作曲家の個展Ⅱ
細川俊夫&望月京（11月28日）

望月新作「オルド・アブ・カオ」はイサオ・ナカムラの打楽器ソロで「暴力性」を演じきった
好きな曲は細川「抱擁ー光と影ー」

声楽と現代音楽
その他のリサイタル

奏楽堂日本歌曲コンクール30周年記念コンサート（11月30日）

わたしは改修後はじめて

同会場での
「松平頼曉　88歳の肖像　声楽作品を中心として」（10月30日）

厳選された編成により「構造がある」ということがおぼろではあるが感覚的に了解できた？かもしれない

「反射係数」でのオラショ
「アーロンのための悲歌」での亡霊の語り
あくまで素材として扱われている言葉なのに
この世の外の声ゆえか　強く響いた

北とぴあ国際音楽祭2019
ヘンデル「リナルド」(11月29日観劇)
セミ・ステージ形式　管弦楽・レ・ボレアード
指揮・ヴァイオリン・寺神戸亮
演出・佐藤美晴
魔法の結界や
「囚われ」の表現として
バロックオペラに
多用されがちな「額縁」
…上手く使ってた
歌が強かった
魔女アルミーダと
姫アルミレーナが
魔法も強そうだった
ていうか歌は魔法
ロッシーニなら
まかしとけの
小堀勇介
くん
びわ湖
四大テノールの
プリンス
山本康寛くん
12月1日
藤沢市民オペラ
「湖上の美人」
演奏会形式
だけど
ハイC合戦で
大盛り上がり
12月22月　コンサート納めは
お茶の水女子大学音楽科特別演奏会
パーセル「ディドとエネアス」
エネアスは女性
しっかり字幕・演出もあり
魔女集団が
二人を呪う!
2019年は日本音楽コンクール
声楽部門を二次予選から観戦できた
今年はオペラ・アリア
1位は上記の小堀勇介さん
2位は小川栞奈さん
NHKで年末年始
ドキュメンタリーが
放送されたのに
オンデマンド
放送がなくて
見られない
ファイナリストで
一番濃い存在感の
奥秋大樹さんが
番組の
トップページに
最後に番外として
人形劇「ヨハネス・
ドクトル・
ファウストゥス」
アルファ劇場
民衆劇の伝統を引く
悪魔とファウスト
ワーグナー
ヘレネーでなくて
ポルトガルの女王が
絶世の美女として
登場
国際シンポジウム
「ファウストの文化史」
での上演
10月27日
藝大第6ホール
家庭の金物
アンティーク
「つくりもん」か
アルチンボルト!
金物寄せ集め
人形が宙を舞う!

TH特選品レビュー

（池）池田健一
（市）市川純
（岡）岡和田晃
（高）高浩美
（沙）沙月樹京
（関）関根一華
（田）田島淳
（馬）馬場紀衣
（日）日原雄一
（放）放克犬
（三）三浦沙良
（村）村上裕徳
（M）本橋牛乳
（八）八本正幸
（吉）吉田悠樹彦

今道子＋佐藤時啓
覚醒する写真たち

フジフイルムスクエア写真歴史博物館、今道子「蘇生するものたち」19年9月1日～10月29日／佐藤時啓「呼吸する光たち」19年10月30日～12月27日

★異色の写真家として国内外で活躍する今道子と佐藤時啓の写真作品から「写真とは何か」を再考する展覧会。

シュルレアリスム的絵画に憧れ、創形美術学校で版画を学んだ経歴をもつ今道子の制作過程は独特だ。まず魚や果物などの食材を市場から買って帰り、オブジェを作る。それらを撮影して印画紙に焼き付けるのだが、自然光で撮るために撮影は夕方まで。一度死んだ存在である食材たちが今の手によって蘇生し、生き生きと光を放つ。

佐藤時啓の専攻は彫刻で、かつては鉄などを素材にした立体作品を制作していた。作品記録のために使っていたカメラが後に作品を生み出すようになる。代表作〈光―呼吸〉は夜間にペンライトで線状の光を描いたものと、昼間に鏡で太陽の光を反射させて点状の光を映したもの。舞台となるのは時代や社会を反映する場所だ。「この世にないもの」を見せる二人の写真作品には、現実以上の世界が存在している。（馬）

ザザ・ハルヴィシ監督
聖なる泉の少女

★「聖なる泉」と聞くと、即座に「モスラ！」「小美人！」と反応してしまう、しょーもない特撮脳の持ち主である。なのでタイトルに惹かれて観に行った。

物語は、ジョージアの古い民間伝承をもとに、時代を現代に設定したもので、霧に包まれた森と湖に面した小さな村を舞台に、人々の傷を癒す神秘の力を持つ泉の水を守る年老いた男と、その娘の姿を描いて行く。長回しを多様したカメラワークが、次第に観る者の時間感覚をスローダウンさせて行き、心地良い瞑想状態へと誘う。僕は決して宗教的な人間ではないが、スクリーンの明滅を浴びるうちに、身も心も清らかな水に浸されて行くように感じるのだ。

泉を守る者の継承を託された少女ナーメ（マリスカ・ディアサミゼ）はしかし、村を訪れた青年に恋心を抱き、街の娘のような自由な生活を望むようになる。華奢な身体で、過酷な自然と自分を取り巻く状況に対峙する少女の姿が清々しく、そして痛々しい。

少女は、泉の力の源である魚を解き放ち、深まる霧の中に姿を消して行く。

あとに残るのは、水力発電所の建設現場に響くノイズだけだ。

過剰な説明はなく、観客を突き放すように映画は終わる。

だけど、インファント島の聖なる泉が、核実験による放射能汚染から森を守っているように、世界の果てのどこかで、ナーメのような少女が、今も聖なる泉を守っているに違いないと、思えてならない特撮脳なのであった。（八）

大川興業 第43回本公演
暗闇演劇 Show The BLACK

ザ・スズナリ、19年10月3日～10月6日

★全編が暗闇に包まれたまま劇が進行する世界初の「暗闇演劇」は2003年の「Show The BLACK」から始まった。

完全暗転。見るべきものを欠いた観客は裸眼で前方の舞台を見つめるのみ。いや、眼はもはやその機能を放棄せざるを得ない。頼りになるのは聴覚だけだ。それは役者たちもおなじだ。役者は暗闇の中で明るい舞台と同じように台詞を応酬し、自在に動く身体能力を求められる。言葉や音を駆使し、つかの間の光を主役にしたりと演出のアプローチも幅広い。

物語の舞台は、暗闇の部屋。閉じ込められた男女が脱出を試みさまざまな手段を

試す。彼らの心に反応したかのように誰かが音を鳴らし、誰かは沈黙する。リズムにあわせて全員で歌い、眠り、発狂する。視覚が失われているために集中力が高まる（観客は時間すら確認できない）。

　舞台と客席の境界線が溶けて混じりあう。観客は暗闇で自身の不安や恐怖、興奮と向き合うことを強いられているようだった。（馬）

大駱駝艦・天賦典式
のたれ●

世田谷パブリックシアター、19年11月21日～11月24日

★日本の前衛舞踊として知られる「舞踏」。その代表ともいえる土方巽に師事し、唐十郎の「状況劇場」を経て麿赤兒が旗揚げした舞踏集団「大駱駝艦」の『のたれ●』が開幕した。本作は「人類とは」を常に追究してきた麿赤兒が、漂泊の俳人・種田山頭火の世界を描く新作。全てを捨て旅から旅へ行乞の日々を送るも酒は飲むし女も買う人間的な生きざまと、そこから生みだされた句の両面から、山頭火の世界観を表現する。

　舞踏は人間の本質を重視して身体表現で伝えるもの。人間の内面的な葛藤、緊張、後悔…山頭火の多面性を「踊り」へ昇華させた麿の発想力にまず驚かされる。そして、それは見事に成功していると言えるだろう。麿は上演に向けて一句詠む。「道に迷い 土に埋もれ 水に溺れ 死に抱かれ 言の葉一枚拾う そして のたれ● 山頭火は舞頭火」そこから浮かびあがるのは死に場所を探してさまよう、確かな存在感を放つ、まぎれもない一人の人間の姿だ。（馬）

山田洋次ほか
落語とトークと寅次郎

よみうりホール、19年9月28日

★落語。トーク。車寅次郎。ふしぎな並びだが、この三つがかけ合わさると妙に楽しいことになっていた。男はつらいよ五〇周年記念の、「一日限りのお楽しみ会」だという。
　トークコーナーの出演者は、山田洋次監督と、寅さんの妹・さくら役の倍賞千恵子、寅さんマニアとしても有名な立川志らく。正直、まあここまではよく見る組み合わせではある。しかし、プラス柳家小三治とくる。四人のトークはどうなることかと思って行きましたが、小三治師匠も「男はつらいよ」好きだったとは。折に触れ、何度もみかえしていたんだそうだ。

　トークの司会は、いまやテレビで売れっ子の志らく師匠だったから、小三治師匠に質問をなげかける立川志らくという珍しい光景がみれた。「小三治師匠はうちの師匠・談志のきょうだい弟子なので、緊張する」と志らく師匠。小三治師匠の話に何度か、「落語のことを言われてるみたいで」と志らく師が返すと、小三治師「落語のことも言ってるんです」ってやりとりが貴重であった。

　山田洋次監督も落語好きだから、「男はつらいよ」に古典の「笠碁」をモチーフにした話をしたり。五代目柳家小さんに新作落語を書いたりもしていたが、「男はつらいよ」にも小さんをひっぱりだしていたというのは知らなかった。その弟子の小三治師匠にも、「会えてうれしい」と言っていた。倍賞千恵子が小三治師匠に乞われてうたうと、小三治師匠感無量で「きょうは来てよかった…」と。会場もそんな空気であった。

　四人でのトークのまえに、志らく師匠が演じた落語は「紺屋高尾」。高尾太夫にほれる久蔵は、寅さんのように純情な男だ。寅さんの恋はいつも実らないが、久蔵の恋は実る。終演後、カーテンがおりてみんな帰りかけると、だしぬけに「男はつらいよ50 おかえり、寅さん」の予告がながれはじめた。最新作では、寅さんの恋はどうなるのだろうか。志らく師匠も出てるらしいので、そっちも気になっている。（日）

小松左京展
―D計画―

世田谷文学館、19年10月12日～12月22日

★この展示の一年前には同じ会場で筒井康隆展が開催されていた。遡れば二〇一〇年に星新一展が開催されたので、この10年足らずの間に、いわゆるSF御三家の展覧会が行われたことになる。さらに二〇一四年には日本SF展・SFの国も開催されているので、草創期からの日本SFの世界を展望する画期的な展覧会が大きなサークルを描いてひとつの完結を見たように感じられる。世田谷文学館の企画実行力に、敬意を表したい。
　星新一展の時には、その緻密な下書きや創作メモに圧倒された。日本SF展では、古典SFから手塚マンガ、円谷特撮ま

でを視野に入れた展示に、自分の生きた時代とその精神史とを重ねながら感動した。そして昨年の筒井康隆展では、トークショーやオークションにも参加出来、現役作家の溢れんばかりのオーラを浴びて、とても刺激的で、同時に幸福感に包まれた。

そして今回の展覧会は、あらためて、小松左京という作家のスケールの大きさを感じさせてくれた。

子供の頃に親しんだ『宇宙人ピピ』や『空中都市008』、思春期に衝撃を受けた『日本沈没』などは、自分の世界観の基盤となっていると思う。

一九七〇年に大阪で開催された日本万国博では、ブレーンとして参加し、われわれに具体的な未来のヴィジョンを見せてくれた。

『エスパイ』『復活の日』『さよならジュピター』『首都消失』など、映画化された作品も印象的だった。ただし、どの作品も、傑作と呼ぶにはいささかためらわれる出来なのは、ちょっと残念だけれど、それゆえに妙に心に残ったりもするのだが……。

こうして振り返ると、小松左京の活動は、小説家、文筆家という範疇を大きく逸脱したものであり、決して広いとは言えない展示会場を広大で深遠なものに感じさせてくれるのだ。

そして最後に、課題のように残されたのが、未完の大作『虚無回廊』である。

「いったい我々人類はなぜ生まれたのか。宇宙にとって知性とは何なのか。そしてその知性が虜となる『文学』とは何なのか」(『SF魂』)という問いかけは、人間といういびつな生命体に対する究極の問いかけのように思われる。その上で彼は、人間の想像力が届く限界を越えようとしたのではないかと思う。そしてそれが出来るのは、SFしかない、と。

いや、無類の愛猫家だった作家の、お茶目な側面を見せてくれる「猫部屋」にこそ、その回答が隠されているのかも知れない。猫が「吾輩は」と語り出したところから、わが国の近代文学は始まったのだから……。

展示室の中央には、生前作者が使用していた机がでんと据えられて、小松ワールド全体を眺望しているように感じられた。撮影OKのその机と椅子を撮影しながら、少しだけ脳の機能が拡張されたように感じた次第である。(八)

小松左京音楽祭

澤柳記念ホール、19年11月30日

★作家の名前を冠した音楽祭というは珍しいのではないだろうか。ましてやSF作家となればなおさらだ。世田谷文学館で同時開催中の『小松左京展』と連動するかたちで実現したこの稀有なコンサートは、映画監督・樋口真嗣の呼びかけによって、クラウドファンディングによる多くの支援によって実現したものだ。だからこそ、ささやかな支援者のひとりとして、この音楽祭を全身全霊で鑑賞した次第である。

演奏は、『伊福部昭百年紀』シリーズなど、日本の作曲家の作品や映画音楽を積極的に取り上げ、ユニークな演奏活動を続けるオーケストラ・トリプティーク!

まずは、小松左京が大学生時代に作詩・作曲した男性合唱曲「The Slaves of "Los Maricos"」という意表を突いた選曲で、音楽祭の幕は開いた。自身の台本・演出による演劇『暗礁』のために書かれた歌は、戦いに敗れて大洋を果てしなくさまよう軍艦を漕ぎ続ける奴隷たちを歌ったもので、何やら後年の『日本沈没』の世界を予感させなくもない。

露払いのように演奏された伊福部昭『ゴジラ』に続いて、まずは冨田勲の『宇宙人ピピ』主題歌が登場。本格的なシンセサイザー音楽に取り組む前の電子音楽的アプローチがユーモラスな間奏で奏でられる。異国情緒溢れる『エスパイ』の後にステージに現れたのは、小松左京が愛用していたヴィオラだった。これは『小松左京展』で展示されているものを、時間限定で借りて来たものだ。そのヴィオラを、調弦もせずに、そのまま弾こうというのである。演奏するのは、オーケストラ・トリプティークの団長・伊藤美香! 初めての楽器を見事に弾きこなし、優雅な「アイネ・クライネ・ナハト・ムジーク」が一転して「炭坑節」に変化する小松家のファミリー・コンサートの模様を再現してくれた。まるで『題名のない音楽会』のような趣向と言っては失礼かな?

特別ゲストの杉田二郎がギター一本の弾き語りで歌い上げる感動的な『さよならジュピター』主題歌。そして畳みかけるように『さよならジュピター』組曲が演奏される。正直なところ、映画そのものにはあんまり芳しい印象がないのだけれど、こうして音楽だけで聴くと、あらためてその素晴らしさを実感させてくれる。

ここで休憩が入り、第二部は、怒濤の『日本沈没』特集へと突入する。

映画やテレビドラマは有名だけれど、ラジオドラマの音楽まで丁寧に楽譜を復元して演奏してしまうマニアックな執念に圧倒される。現存する放送のテープも一部流され、ノイズまじりのAM放送を固唾を呑んで聴いていた中学生の頃を思い出して、胸がいっぱいになった。

大ヒットを記録した映画版の佐藤勝の

荘厳な音楽の後、本コンサートのハイライトとなったもう一人の特別ゲスト・五木ひろしが登場し、テレビドラマ版の主題歌「明日の愛」と挿入歌「小鳥」を熱唱！ まさかこの二曲を、ご本人の歌唱で生で聴ける日が来ようとは、夢にも思わなかった。そしてテレビドラマ版の組曲では、半年間にわたって観つづけたドラマの映像がフラッシュバックして、思わず涙腺がゆるんでしまった。一般的には、比較的原作に忠実で、大がかりな特撮と豪華な配役で大ヒットした映画版の方が作品の評価は高いと思うのだけれど、日本という国が、そしてわれわれの故郷が、徐々に失われていく哀しみを、六ヶ月という長い時間をかけてじっくりと描いてくれたテレビドラマ版の方に、個人的な思い入れが強いので、より深く心に染みたのである。

　だけど、コンサートはこれで終わったわけではなかった。なんとアンコールで、五木ひろしとともに「明日の愛」と「小鳥」を会場の全員で大合唱するというサプライズが用意されていたのである。

　というわけで、至れり尽くせりの大充実のコンサートに、一言欲を言わせてもらうのは、罰当たりだとは思うのだけれど、もう一曲、あの『空中都市００８』の主題歌を、ヴォーカル入り（中山千夏・歌唱とまで贅沢は言わないけれど）で聴きたかったと思うのであった。ごめんなさい。（八）

常陸坊海尊

ＫＡＡＴ神奈川芸術劇場、19年12月7日〜22日

★常陸坊海尊は、源義経の家来にして、途中で義経を見捨てて消えてしまった人物である。その後、750年生きて自分の罪を悔い、琵琶法師となって語ったという。そしてこの作品では最初に、即身成仏として登場する。

　初演は1964年。第二次世界大戦が終了して20年もたっていない時代だ。

　全三幕の舞台は、終戦前、子どもたちが疎開する東北の寒村で始まる。二人の子どもが疎開先の旅館を抜け出したため、教師と疎開先の旅館の主が森の中を探す。一方、抜け出した子どもたち、啓太と豊は、海尊の妻と称するいたこのおばばとその孫娘の雪乃に会う。そこで、ミイラとなって祀られている海尊を目にする。

　第二幕では、啓太はおばばのもとに通い、東京の空襲で亡くなった母親をたびたび呼び出してもらう。一方、疎開している子どもたちには、両親を失い、引き取り手のいない子どもたちが残される。そうした中、豊を含め3人は農家などに引き取られるが、啓太は行方不明となっている。啓太はおばばのところにいるのではないか、とされる。

　第三幕は一転して、戦後、青年となった豊かが、啓太がいるという神社を訪れる。そこで、巫女となった雪乃、下男となった啓太に出会う。おばばは、啓太の手によってミイラとなり、海尊とともに、男女のミイラとして祀られているという。

　柱となるストーリーは、ざっくりとこんな感じだ。そして、ここにどんなものが織り込まれているのか。

　まず、それぞれの幕で、別個の海尊が登場する。琵琶を抱いた老人、中年の敗残兵、定年退職者のような初老の男性。だれもが、琵琶を持ち（見えない琵琶のこともあるが）、自分の罪を語る。海尊が入定してミイラとなり、祀られているのは、海尊が罪を背負ったまま生き続けてくれる存在だからではないか。そうしたときに、第二次世界大戦にとどまらない、罪が相対化されていく。

　おばばにつきまとう山伏も登場する。冬を越すために、おばばにぬくもりを求めるが、おばばはそれを受け入れない。山伏はおばばのぬくもりを愛おしく思いながら、出ていく。おばばは海尊の妻であると同時に、罪を抱える男性の妻の役割も持つのであろうか。こうした女性の立ち位置は、やはり虎御前、少将と称する二人の娼婦において繰り返される。娼婦であると同時に、歴史に語り継がれる十郎祐成、五郎時政のそれぞれの嫁であり、それは歴史において出家した尼僧である。おばばが、啓太を見初め、啓太を4番目の海尊にしようと決心する場面は、おばばを演じる白石加代子の世界を飲みこむような色気全開であった。

　逆に、雪乃はまた別の神に仕える巫女となる。第三幕では、子どもがいることが示されるが、その父親は啓太ではないという。それは、男性自身に自らの罪を背負うことを求め、世界に君臨する女性という姿をとる。

　舞台は確かに、終戦前の東北の寒村で始まる。けれども、その時代における罪は、より大きな時間のスケールの中、東北という世界においては、戦争という罪は特別なものではなく、どの時代においても、人は罪を背負ってしまう。罪を背負う卑小な存在でしかない男性は、長大なスケールの時間を生きる女性の、自分自身であることに、救いを求めようとする。たかが罪、されど罪、大きな時間のスケールの中で、小さな罪ではあっても、小さな存在だからこそ罪は小さくない。そんな中、神に仕え、あるいは罪を背負い、人は生きて、時間の中に消えていく。そんなスケールの大きな舞台だった。（M）

木村ひさし監督
屍人荘の殺人

★浜辺美波である。

彼女が演じる美人女子大生探偵・剣崎比留子の一言一句、一挙手一投足が、とにかく可笑しくて可愛くて、愛おしい。

今、まさに盛りを迎えようとする女優の圧倒的オーラが、作品全体にみなぎっていて、至福の体験をさせてくれる。これはそんな稀有な映画だ。

眼福とは、こういうことをいうのだということを、しみじみと感じた。

物語は、ゾンビの大量発生と連続殺人事件が同時進行するという、とてつもなく破天荒な状況設定の中、ゾンビの襲撃をかわしながら、ちゃんと本格ミステリとして成立しているのだから、すさまじい。もちろん原作の力もあるのだが、多彩なキャストとテンポの良い演出が、このやりすぎな状況を描き尽くして行く。この心地よさは、以前どこかで味わったことがあるなと思った。そうだ、大林宣彦監督のデビュー作『HOUSE ハウス』を初めて観た時の高揚感に、ちょっと似ている。

ワトソン役として安定した演技を見せる神木隆之介、そして自称名探偵を怪演する中村倫也も楽しかった。

浜辺美波には、今度は是非SF映画に主演してもらいたいものだ。

願わくば、次回、国産で製作されるゴジラ映画のヒロインには、浜辺美波を！（八）

唐組・第64回公演
ビニールの城

猿楽通り沿い特設紅テント、下北沢特設紅テント、雑司ヶ谷・鬼子母神、19年10月5日〜11月4日

★劇団唐組の紅テントが東京都内に出現した。上演するのは80年代の演劇評で№1と評された「三者と一体」の愛憎を巡る観念劇『ビニールの城』。

元腹話術師の朝顔は捨ててしまった人形・夕顔を探してあるバーに辿り着く。そこで出会ったのはアパートの隣人モモ。たまたま目に触れたビニ本に写っていた女だった。そして仮初めの夫を演じる夕一。生身の人間との接触を拒絶する朝顔は、相方の人形（すなわち自分）と語りあう意外に興味がなく、ビニ本のナマの女とも関われない。ビニールの薄い皮膜一枚を隔てて不器用な男と女がすれちがい、見えない何かを求めて会話をくりひろげる。タイトルの「ビニール」とは80年代に流行した「ビニ本」のことだ。

紅テントという虚構の劇場空間が観客を夢の中へと引き込む。しかし、クライマックスの屋台くずしで引きずられるようにして強引に覚醒させられる。冒険した後のような心地良い疲労感に包まれる二時間だった。（馬）

舞台
明日、君を食べるよ

アトリエファンファーレ東池袋、19年11月20日〜12月1日

★『ハイスクール奇面組』や『ギャグマンガ日和』『コジコジ』等数多く の有名人気漫画の舞台化を手掛け、今や2・5次元作品界隈では奇才と呼ばれている脚本・演出家なるせゆうせいが「食育」をテーマに描く、命の食べ方をテーマとした完全オリジナル作品。2014年に杉並演劇祭で優秀賞を獲得し、16年に再演、そして今年満を持して3度目の上演となった。AKB48のチーム8で活躍中の濱咲友菜と、グラビアやミュージカル、バラエティ等幅広く活躍をする寺本莉緒が、W初主演で挑戦。また、今回豊島区が後援名義となり、こまむすび役Wキャストとして豊島区議会議員元谷ゆりなが出演した。

レストランでの母子の食事風景、どこにでもありそうな、いそうな二人。「食べる前にいう言葉」と母親が言っても子供はいうことを聞かず、「いただいてまーす」とふざけた調子でいう。そして場面は変わる。主人公の少年・サナギは親の事情で引っ越しをすることになった。かなり田舎な様子で、「親の都合で僕らの人生は決まる」といい、彼に新しい家族ができ、母親が再婚、連れ子のミゾレが姉となるが、このミゾレ、活発な少女だ。無骨そうな父親とミゾレに連れられて牛小屋に連れて行かれ、そこで図鑑でしか見たことのない牛が一頭いて、びっくりするサナギ。しかも臭い！ そして新しい学校へ。サナギが学校に行く前から生徒たちの間では都会からきた転校生の話題で持ちきりだ。何もかもが新しいことばかり。閉塞感も感じつつ、それでもサナギ

はここで生きて行かねばならない。幼いながらもそんな決意が見え隠れする。

少々偏屈でへそ曲がりなサナギのことは母親もやや手を持て余し気味であるが、母親はちゃんと知っている。内面は素直でナイーヴなのだと。そしてミゾレも実はサナギのことをよく理解しているし、新しい父親もサナギを実の我が子のように気遣っている。

学校で授業参観が実施されることになった。サナギはクラスメイトに父親の職業を聞かれてとっさに嘘をつく。その嘘は心が痛くなる嘘。また父親は子供の頃のクラスメイトのことを話す。その子の父親はバキュームカーの運転手だった。そのことをからかわれ、いじめられていたクラスメイト。サナギの父親は屠殺場で仕事をしている。彼はサナギが学校でからかわれたりするのでは?と考える。そしてサナギは、最初は牛に対しておっかなびっくりだったが、世話をするにつれ、うしのすけと名付けられた牛に対して徐々に愛情が湧いてくる。その過程は愛おしい……が、サナギは大好きなうしのすけが実は食用とは知らなかった。そんなサナギをミゾレ、父、母が見守る。再婚で家族になった4人、ステップファミリーであるが、しっかりとした愛情と理解を示す。

この作品には様々なテーマや問題が含まれている。ステップファミリーのこと、偏見やいじめ、そしてこの作品の骨幹を作っている食育、食物連鎖。それを時にはストレートに、時にはコミカルに、そして歌にして観客に提示する。

家族でちゃぶ台を囲んでカレーを食べるシーン、サナギは相変わらず拗ねているが、そんな彼に過干渉せず、普通な感じで振る舞う家族。そしてあっけらかんとしたミゾレに、口数は少ないが温かい心を持つ父親と、そんな彼と結婚したサナギの母の行動、言動。サナギはそんな家族に囲まれて少しずつではあるが、心を開いていく。

ラストのサナギの行動、うしのすけとの交流、ちょっと胸が痛いが、サナギは「いただきます」の真の意味を知ることになる。生きていくことは何かしらの命を『いただいている』こと。生きとしいけるものすべてがそうやって命をつないでいる。サナギはうしのすけとは永遠に会えなくなるが、うしのすけの命はサナギの中に生きている。

この作品を見終わったあとは、身近なものに気がつくかもしれない。毎日、顔を付き合わせている誰か、そして毎日の食事、そして誰もが持ちうる偏見。かなり濃密な空間、語りつくせないほどのものが詰まっている。（高）

スタシス・エイドリゲヴィチウス：イメージ―記憶の表象

武蔵野美術大学美術館、19年9月2日〜11月9日

★砂をまぶしたようなエッチング。神話的象徴をもつイメージの数々。空想の見たことのない情景からは怒りや不安、ひと掴みの愛とひんやりとした人間の孤独が感じられる。描かれているのは社会不安のなかでも美しくあった故郷リトアニアの原風景。スタシスの記憶の断片だ。

スタシス・エイドリゲヴィチウスは1949年リトアニア生まれ。独自の技法を駆使した幻想的な作風でエクスリブス（蔵書票）、ミニチュアール（細密画）、ポスター、絵本原画など多方面で創作活動を展開してきた。

わたしはスタシスの青色が大好きだ。呆けた人物像も好き。つぶらな瞳の動物や人形も無邪気で可愛らしい。けれど、すこし毒がある。本展では、スタシスの50年以上に及ぶ活動の中から、これまで日本で展示される機会の少なかった最初期の写真作品も見ることができた。奇妙でユーモラス、そして不思議に光を放つスタシスの作品群をぜひ味わってほしい。（馬）

山田稔自選集 I

編集工房ノア、19年7月、2300円

★回顧談を聞くのが好きだ。そして山田稔は、回顧談をするのが好きだと言う。多田道太郎にも書かれている。「山田稔という人は回顧談の好きな人だった。二十歳すぎのころからしきりに回顧談をやっていた」。それを引いて、山田稔自身はこう書く。「何を隠そう、じつはもっと前、十代はじめころから私は回顧談が好きだった」、「どうやら私はごく若いころから人生を思い出として、完了した過去の相の下に反芻することに喜びを感じる、そうした型の人間であったようだ」。

そしてこうも書く。「文章によって親しい人を呼び寄せあるいは甦らせる、この世に呼びもどす、これもまた文学の大事な役目であろう」

だから山田稔の文学は好きだ。「ああ、そうかね」は図書館で何度も読みかえした。古書価は3000円くらいするので、買うのをためらっていたのだが、先日ついに買ってしまった。そしてそのあとで、「山田稔自選集」が刊行中であり、一巻の作品は「ああ、そうかね」からも収録されていると知った。

まあしかたがなく買ってしまったけれ

ども、やっぱり面白い。富士正晴、天野忠、鶴見俊輔といったあたりの人物がでてくれば、どんな話でも聞きたいが。親友の詩人大槻鉄男、退職した編集者、ベンチで隣に座った老人、飛行機で乗り合わせた若い女性が出てきても、そこで味わいぶかいエピソードが語られる。寝る前に、仕事のあいまに一話一話、ゆっくり読んでたのしんだ。巻末のほうには、あの名作「スカトロジア」からの文章もある。私が初めて山田稔の文章にふれたのも「スカトロジア」によってであって、中学生のころ休日に寄った神保町の小宮山書店で……とか、私まで回顧談しなくてもいいんだ。(日)

エトガル・ケレット
銀河の果ての落とし穴

広岡杏子訳、河出書房新社、19年9月、2400円

★著者エドガル・ケレットは1967年イスラエル生まれの作家で、作品は40か国以上で翻訳され、日本でも既に4冊の訳書がある。また映画監督である妻と映像制作にも関わり、こちらも日本で公開されるなど、ジャンルを越え活躍をしている。

本書は2018年に刊行され、本年イスラエルで最も名誉のある文学賞を受賞した短編集。作品はサーカス団員が欠員のため人間大砲に抜擢される「前の前の回におれが大砲からブッ放された時」などナンセンスな風味が漂うもの、過干渉な母親と同居する50歳の男が主人公の「クラムケーキ」のようにどこにでもある日常を描いたもの、メールのやり取りで構成される表題作のようにホロコーストの影が差すもの、と多種多様。その多くが十頁足らずの短編だが、巧みなストーリーテリングや変化に富んだ語り口で、読者を意外な展開に誘う。

特に孤児院の抑圧された少年の辿る運命が暗転する「タブラ・ラーサ」、大麻でトリップするひと時で偶然つながった男女を描いた情感豊かな「パイナップル・クラッシュ」がそれぞれ異なったタイプの傑作だが、作者の特徴がよくあらわれているのが「父方はウサギちゃん」だ。ある日、三つ子の娘がいる家族で、パパがママと喧嘩して家出するが、ウサギになって帰ってくる。しかしママにウサギがパパだと認めてもらえず、追い出すようにいわれ、三つ子は困る。世の中にはウサギを食べてしまう人もいるからだ。可愛らしいウサギと父親を重ねるという奇抜な発想で、動物のイメージを使い、父の不在や家族の軋んだ関係を、ユーモラスにそしてちょっぴり不気味に描く。人間同士の関係を短い作品の中で鮮やかに切り取っていく、それがこの作家の優れた資質だ。(放)

中林忠良銅版画展
腐蝕の旅路

O美術館、19年10月18日〜11月20日

★腐蝕銅版の技法を用いて現代社会の矛盾や問題点を問う作品を制作してきた銅版画家、中林忠良。人間や自然に対しての鋭い洞察から生み出される作品は詩情に溢れ、理知的で文学的な香気に彩られている。

本展では「すべてくちないものはない」という観念から生まれた「Position」「転位」シリーズ、大地や草がモチーフの銅版画、モノクロームの奥深い世界に見る者を誘う「囚われシリーズ」、カラー作品、作者自身によるエッセイの言葉、ミュージシャン・コーネリアスのCDジャケットのほか、実際に使用している道具も併せて展示されており、中林の多面的な魅力をあますことなく味わえる内容になっている。

腐蝕銅版は強力な薬品を使うために体に害を及ぼすこともあるという。中林自身も犠牲になった一人だ。中林は自ら制作するだけでなく、版画の技法開発や後進の指導にも尽力している。その名の通り、命をかけて制作する芸術家の神髄が見られる展覧会だ。(馬)

東京ハイビーム・プロデュース公演
ティーチャーズ 〜職員室より愛を込めて〜

新宿シアターモリエール、19年12月25日〜30日

★冒頭、7年前に死んだ女生徒と門番が登場する。毎年、2時間だけ、学校に舞い降りる。彼女はかつて自殺した生徒だった。そのときの担任に、何かを語りかけたい。

そうした場面から一転し、職員室を舞台にしたブラック・コメディがスタートする。

この日は、校内の合唱コンクールの日。3学年合計6クラスのどこが優勝するのか、先生方の競馬のような賭けが行われている。また、生徒の成績のことで激しく苦情をまくしたてる保護者と対応する教師も登場し、雑然とした、ほぼ日常。そうした中、コンクールを前にして、生徒の自殺予告が伝えられる。校長不在の中、教頭をはじめとする教師たちはなかなか意思

アトリエ・マウリ

目羅健嗣 Information

猫絵師。

千葉県勝浦市出身、同県袖ヶ浦市在住。現在までに描いた猫の数2000匹以上。毎年、各地で個展を開催。都内カルチャーセンター他約20箇所で猫の絵を描く教室も開催している。近年は狂言とミュージカルの紙芝居上演も各地で開催している。円谷プロダクションクリエイティブジャム（TCJ）参加作家。

主な著作に、「メラノ・ジャパネスク～MELANO MUSEUM collection」「MELANO MUSEUM～イタリニャ大公国、猫の名画コレクション」（アトリエサード）、「新装版 色えんぴつでうちの猫を描こう」「新装版色えんぴつでうちの犬を描こう」（以上、日貿出版）。2016年4月には、舞台「ロロとレレのほしのはな」に、やぎのおじいさん役で出演。

目羅健嗣HP http://www.a-third.com/melano_museum/

教室情報

●目羅健嗣アートスクールの概要

隔週土曜　午前の部 11:00～13:00
　　　　　午後の部 13:30～15:30

参加費　1回1コマ　2500円（参加時にお支払い下さい）
※最初の参加の際に、新規登録料（ネームパス作成費）として500円を申し受けます。
（大崎教室からの移行参加者は登録料無料）

※前日までに、パソコンやスマホ、携帯電話を利用し、出欠の登録をお願いします。
（パスワードは登録者にお伝えします）
電話やメールでも、出欠は受け付けます。

★予約・お問い合わせ　アトリエサード担当：**岩田**
megumi@a-third.com　090-2237-1240
〒170-0005　東京都豊島区南大塚1-33-1
Tel.03-6304-1638　（月～金10:00～17:00）

今後の開催予定
2月8日・22日
3月7日・21日
※４月以降の日程はお問い合わせください。

●開催場所／ファミリアガーデン品川 2F 多目的サロン
〒141-0032 東京都品川区大崎3-20-9
JR山手線「大崎駅」下車徒歩8分（約600m）

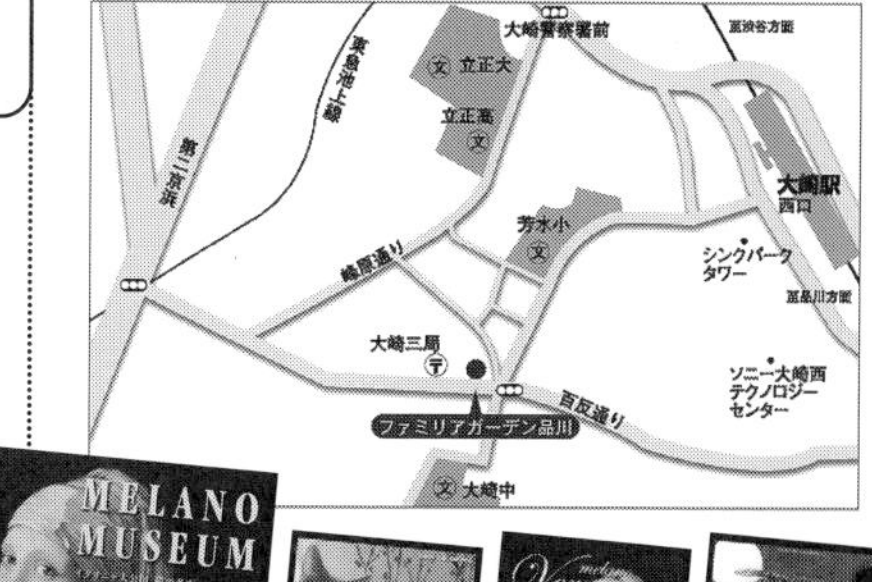

目羅健嗣の本 好評発売中!!

「MELANO MUSEUM
～イタリニャ大公国、猫の名画コレクション」
★古今東西の名画に猫を描き加えた、ユーモアとウィットに富んだ画集!!
（A5判・128頁・カバー装・税別2500円）

「メラノ・ジャパネスク」
★卓越した画力で本物そっくりに描かれた、誰もが知る日本の名画の猫パロディ画集!!
（A4判・48頁・並製・税別1000円）

「メラノ・フェルメーラX/35+」
★フェルメールの他、ルノワールやゴッホなど、皆が知る名画の猫パロディ画集!!
（A4判・48頁・並製・税別1000円）

「ニャンタフェ猫浮世絵
《最強猫doll列伝》コレクション」
★浮世絵や錦絵を題材に、昨今のアイドルを猫で表現したユーモアたっぷりの画集!
（A4判・48頁・並製・税別1000円）

イベント情報

●第22回 来る福、招き猫展
2020年2月8日（土）～27日（木）
【会場】ジュンク堂書店福岡店 B1F MARUZEN ギャラリー
（福岡県福岡市中央区天神1-10-13）

●第16回 Catアートフェスタ 2020
2020年2月12日（水）～25日（火）
【会場】丸善丸の内本店 4F ギャラリー
（東京都千代田区丸の内1-6-4 丸の内オアゾ）

●「ネコマチ商店街」
2020年3月11日（水）～19日（木）
【会場】東急ハンズ名古屋店 10F 催事スペース
（愛知県名古屋市中村区名駅1-1-4
ジェイアール名古屋 タカシマヤ内）

●福ねこ展 at 百段階段 2020
「千の福猫アート展」
2020年4月17日（金）～5月10日（日）
【会場】ホテル雅叙園東京「百段階段」
（東京都目黒区下目黒1-8-1）

●第6回ミューミュー展「ねこ・あるある」展
2020年5月19日（火）～24日（日）
【会場】サロン ド ラー／ギャルリー ラー
（東京都中央区銀座1-9-8 奥野ビル6F）

カレンダー好評発売中!!
◎壁掛け用・A4判（開いてA3サイズに）
2020年1月～2021年1月／税込1400円
◎卓上用・ハガキサイズ
2020年1月～12月／税込800円

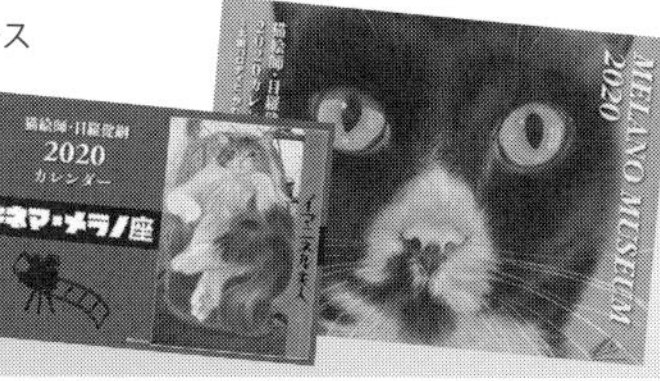

決定ができない。それでも、生徒の安否確認に右往左往。かつて自殺した生徒の担任だった高梨教諭は、ずっと胸の奥に抑えていた感情を、吐き出し始める。

　職場恋愛が明らかになる教師、ミニスカートで上から目線の教育実習生、熱血生徒指導の体育教師、予備校からのスカウトがきている社会の教師。妻を無くした教頭に想いを寄せる教務主任、そして、そうした中にあってトリックスター的な役割の学年主任。その他の職員も含め、キャラクターが確立されていて、コメディとして楽しめる職員室となっているし、人間的な教師たちでもある。

　ただ、ここでのテーマは逆に、人間的すぎるゆえに、生徒の立場にたって考えることができない、そういった教師たちでもある。そして、そのことが、7年前の自殺、現在の不登校や合唱コンクールからの逃走につながっていく。例えば、背景となる合唱コンクールひとつをとっても、音痴の生徒には苦しみでしかない、なのに教師は全員参加と団結を求める、という。

　結論は、教師は生徒の立場に寄り添うこと。そうした職業を選んでしまったのだから。

　確かに、中学校ではクラスに最低一人は不登校の生徒がいるし、毎年のように全国で生徒の自殺が起きている。

　それでも、正直に言えば、学校をテーマとしたドラマのロジックとしては古いと感じた。例えば、不登校の生徒への対応というのは、学校だけで抱えていては解決できないし、そもそも学校に来る必要すらないというのが現在の常識。教師が生徒に寄り添いたくても、教師が忙しすぎてできない、というのが現場の現状。人間的な教師であればまだよくて、それ以前の労働環境である。学校が抱えている問題はずっとあるとしても、それに対する見方は変わってきているし、だから10年も20年も前の見方でドラマをつくると、古いと感じてしまう。

　それでも、そうした古さをカバーする、俳優陣の軽い演技が、この舞台を救っていたといえるだろう。力の抜け具合が、現代的な舞台なんだなあ、と思うのであった。
（M）

ヨン・アイヴィデ・リンドクヴィスト
ボーダー 二つの世界

ハヤカワ文庫NV、19年9月、1280円

★サスペンスホラー映画でありながらファンタジーの要素を盛り込み、テーマの奥深さと北欧の自然の美しい映像で話題を呼んだ「ボーダー 二つの世界」。その原作を表題作にして刊行されたこの短編集は、収録作の大半で生と死、自然と人間などのテーマが掲げられ、ホラー小説という枠を超えた濃厚な一冊に仕上がっている。作者は二度映画化された長編「MORLSE―モールス―」でデビューし、今では「スウェーデンのスティーブン・キング」と言われるほどの人気作家だが、実は元コメディアンという異色の経歴を持つ。「ボーダー」に限らず、今短編集には境界（ボーダー）をテーマにした作品が多く収録されている。主人公たちが〝あちら側〟への一線をそうとは知らず踏み越えていく物語は、読んでいるとうっすらと体を冷気に包まれるような気にさせられる。また、「境界線」というテーマと共に、福祉先進国スウェーデンの「福祉」にすらとりこぼされていくマイノリティへの、作者の優しい視線もいくつかの収録作から汲み取ることができる。
　表題作「ボーダー」は罪や不安を嗅ぎ分けるという特殊能力と醜い容姿によって孤独な人生を歩んできた主人公が、ある旅人と出会って自身の出生の秘密を知り、都市と自然、愛と憎悪、加害者と被害者など、さまざまな領域の狭間で居場所を求め惑う姿を描いた。映画予告でも伏せられていたため詳細は書けないが、主人公の〝本当の姿〟が明かされた時、なるほどこれは北欧でなければ生まれない物語だ！と膝を打った。

　そんな短編集の中、読後感の奇妙さが印象的なのは「臨時教員」だろう。主人公は長年音信不通だった旧友から突然連絡を受け、かつて数ヶ月だけ僕らのクラスを持っていた臨時教員を覚えているかと問われる。この短編ではプログレッシブ・ロックバンド、ピンク・フロイドの名盤「The Wall」が重要な役割を果たす。旧友の記憶によれば、その教員は「ぼくらに教育は必要ない」と子供達が連呼する「Another Brick In The Wall」を代表曲としたこのアルバムを教室で生徒たちに聴かせていた。抑圧的な教育に異を唱える過激な音楽を、とくに教育熱心でもない臨時雇われ教師が生徒に聴かせるだろうか。そんな小さな疑問から作品にどんどん引き込まれていくが、最後に残るのはまるで急に部屋から追い出されたような読後感だ。その穴埋めにきっと多くの人が、答えが隠されていることを期待して「The Wall」を再生したくなるだろう。

　そして私が「ボーダー」よりもむしろこちらの方が映画向きではないかと思ったのが、最後に収録された「最終処理」だ。ゾンビ、特殊能力を持つ少女と冴えない青年、謎の研究所など、もうこれだけで垂涎する人もいるのではないかという要素の数々。しかし、ゾンビへの人体実験という

強烈な題材に隠れて、現実で行われてきた人種差別や虐殺の歴史を顧み、「人間の尊厳」についての問いまでも投げかけてくる。実はこの「最終処理」は未訳の長篇の後日譚として書かれたものだそうだ。そちらの邦訳もぜひとも読みたい。(関)

小川洋子

小箱

朝日新聞出版、19年10月、1500円

★『ことり』(朝日文庫)以来、7年ぶりとなる書き下ろし長編『小箱』は死と生とがひと続きになった世界を描いた物語。

主人公は昔、幼稚園だった建物に住む女性。そこは何もかもが小振りにできており、講堂の棚にはガラスの箱が詰められている。箱の中にあるのは死んだ子供たちの持ち物。主人公はその管理者なのだ。元学芸員の、歌でしか会話ができない男性は、小さすぎる文字で綴られた恋人からの手紙の翻訳を主人公に頼んでいる。元歯科医師は小さな竪琴の製作者、元美容師が遺髪でその竪琴に弦を張る。そうして開催されるのが風の吹く丘での「音楽会」だ。大切な人を失った彼らは各々の作品を耳たぶにつけて、自分にだけ届く調べを待つ。

登場人物の誰もが孤独のさらに奥深くで息を吸い、冥福を祈りながら暮らしている。しかし、絶望しているわけではない。彼らには死者の声を求めるという役割が最後まで残されている。文章は美しく、ささやかな輝きに満ちている。(馬)

イメージの洞窟 意識の源を探る

東京都写真美術館、19年10月1日〜11月24日

★19世紀の科学者・写真発明者ジョン・ハーシェルが光学的器具で写した洞窟のスケッチ。沖縄のガマ(洞窟)を現代の技術と独自の手作業で視覚化したオサム・ジェームス・中川のインスタレーション。人体そのものが洞窟のような存在であることを想起させる北野謙の乳児のフォトグラム。志賀理江子による私は誰なのかと問いかける近作。フィオナ・タンによる洞窟の湾から始まる予言的映像作品。そして私たちのイメージが洞窟のように複雑に構成されていることを考えさせるゲルハルト・リヒターの作品。

そう、本展覧会は「洞窟」をモチーフにしている。哲学者プラトンによると「洞窟」はイメージの認識に潜む「虚像と実在」という根源的な問題を示唆している。宗教学者エリアーデは「洞窟」は自己を体験しなおし、外界と関わりなおす準備をするための場と指摘した。この展覧会の訪問者は、洞窟の多岐にわたるイメージから自己存在を問い直すことになるだろう。(馬)

舞踏舎天鶏

水底孤児

テルプシコール、19年11月2日・3日

★1981年に鳥居えびすと田中陸奥子により設立され、これまで国内外で多くの舞踏作品を創り出してきた『舞踏舎天鶏』が「水底孤児」を上演した。作・振付は「理知と無縁な深層心理の淵へと観客を誘う」と称賛される田中陸奥子によるもので、彼女自身も舞踏家として本公演に参加している。音楽家とのコラボレーションやソロとしても活動するサイトウカオリ、鬼子母神の庭でレッスンを重ねる月丸花欒、バレエやNYでのダンス留学経験のある藤子らによる女性舞踏の饗宴だ。

水面に引きよせられ、水面を覗きながら覗かれている、水面から遠のき、ふたたび水面に引きよせられる。イメージとしての水を一身に浴びながら、彼女たちは踊りの渦のなかに、文字通り沈殿してゆく。時に苦痛に顔を歪ませ、時にくるくると軽快に動き回るようにして、水との交わり合いが観客の眼のまえで展開される。それは水底であがく彼女たちの残像であったにちがいない。(馬)

ダンサー・演出家

及川廣信さんが死去

★ダンサー・演出家として活躍した及川廣信(1925年生)が2019年9月5日、スタジオ・アルトー館がある東京都北区赤羽で逝去された。93歳だった。

及川は青森県八戸出身で西欧演劇と医学を大学で学んだ後にバレエダンサーになる。フランスにバレエ留学中(コンセルヴァトワール)に近代マイムのデゥクルーに学び、そのシステムを日本へ紹介した。土方巽も出演したバレエTOKYOを結成する。戦後のマイム界にも大きく貢献した。

さらに前衛演劇のアルトーの思想に着目し独自なメソッドを開発する。半世紀以上のその活動の中で舞踏の大野一雄・

慶人、三浦一壮をはじめ舞台人や評論家・作家と交流。雑誌の刊行やフェスティバルは日本のパフォーマンスやコンテンポラリーダンスの先駆けともなった。植村秀(Shu Uemura)の芸術監督を務め、ファッション界にも影響を与えた。ヤン・ファーブルをはじめ多くのアーティストを日本へ最初に紹介。晩年は英国や台湾にも紹介されるなど国際的にもその活動は認知されていた。

著作に「シュウ・ウエムラ」がある。(吉)

南阿豆ソロ舞踏公演

ANY DAY NOW

三鷹SCOOL、19年11月3日・4日

★黒い薄着で片腕を白く塗った女がたたずむ。皮膚の表情を灯りが立ち上げる。肉体はゆるやかに動きだし、アブストラクトなムーヴマンを刻みだす。この作品は演出がモノトーンでギャラリー空間の一角でずっと動き続けるアーティストを見続ける事になる。故にこの踊り子が構築してきたボキャブラリーや世界が全て露になる。いわゆる分節化された動きや器官なき身体といった既存のフレームより表現者の意識と衝動は前のめりだ。

「舞踏と心中するつもりはない」というフレーズが晩年の及川廣信の言葉にあった。時代は21世紀から21世紀を生み出す時代にある。そろそろ舞踏もコンテンポラリーも既存の枠を捨てて新しい表現を生み出す季節だ。舞踏・コンテンポラリー田楽と言われた時代を経て南のトライアルが始まっている。踊りと共にこの才能が刻み出すコトバが気になる。そんなことに気がつかせてくれたステージだった。(吉)

須川まきこ個展

妖髪

ヴァニラ画廊、19年10月29日〜11月10日

★須川まきこの描く少女像はどこか危うげだ。あどけない表情をみせながら片手を下着にかける少女の髪は大きくうねり、ドレスのよう。イラストレーションにはレース、リボン、ランジェリー、真珠、植物など様々な素材が含まれる。それらは少女という限定された「生き物」を象徴するモチーフかもしれない。少女の髪については、1本1本息を吹きこむかのように描かれており、刺繍を作るが如く編み込まれている。まさにタイトル『妖髪』にふさわしい作品が並ぶ。

作者は国内だけでなく海外の企画展にも参加し、ヨーロッパのファッション雑誌の表紙を手掛け、さらにはコスチュームデザインまでこなす実力派。本展では原画、プリント含めて40点以上が展示された。身体の一部をどこか欠いた少女たちの眼差しは優しく、線画は優雅。キュートでエロチックな少女たちの物語世界にすっかり魅了されてしまった。(馬)

北上次郎

書評稼業四十年

本の雑誌社、19年7月、1700円

★そうだ、と声が出そうになった。私はそういうものが書きたかったのだ。北上次郎は霜月蒼の文章を読んで、すぐに立ち上がって隣町の書店まで広江礼威「ブラック・ラグーン」全九巻を買いに行ったという。「すぐれた書評は、こういうふうに読者に行動を起こさせる。面白そうだという感慨で終わらせず、直接的な行動を起こさせるものだ。その点で評論と異なる。書評にはそういう熱が必要なのである」と、書評稼業四十年の北上次郎は書いている。

当人のかく書評もそうだ。北上次郎の書評は、リオのカーニバルの踊り子のようにいつも熱に浮かされて踊っているので、こちらもふらふらと踊りたくなる。と、評したネットの文章があったらしい。「私、霜月蒼、村上貴史は『煽り書評』を書く煽動家」。こんなふうに自分でも認めるほどだ。ほか、書評家の分類として、「新保博久と日下三蔵は、書斎派型の研究家」なんてふうにしたり。

そう、私は煽り書評を書きたかったんだ。と、思って自分の文章を読み返してみると、そこそこ煽っているものもあるが、なんだかよくわからないものもある。

そんな気づきもあったりしたが。私は基本的に目黒考二のエッセイが好きなので、書評家としての「北上次郎」も好きだ。その北上次郎の、「エンタメ書評界の回想録」だもの。出て真っ先に読んだ。

先輩にもタメ口で傍若無人な大森望とのやりとりは笑ったし、北上次郎という筆名の由来も、ほうほうと読んだ。しかし、なかですばらしい章は「谷恒生の笑顔」だ。書評を書きにくくなるので、作家と親しげになるのを避けてきた著者である。しかし、谷恒生に関しては、喫茶店で編集

者を交えて雑談したあと「どういうわけか別れがたく」そのまま本の雑誌の事務所でも話したり、結婚式に呼んだり、自宅に行ったり。「気持ちのどこかで彼と友だちになりたかったのかもしれない」。そんな人物でも、或る日からぷつんと会わなくなってしまう……。

さいきんYouTubeで始まった「北上ラジオ」についても触れられている。「書評を書くのは面倒くさい。興奮のまま話すのがいちばんいい」んだそうだ。何回か聞くとやっぱり面白くて、本書刊行記念の特別編もあって、面白いので、ぜひ。(日)

桂福団治の会 芸歴六十周年記念

金王八幡宮、19年9月22日

★東京に生まれ育った人間だから、聴くのは東京落語ばかりだったけれど。NHKテレビの「日本の話芸」では、ちょくちょく上方落語も流してくれる。

そこで福団治師匠の落語にふれた。出てきていきなり、「疲れてまんねん……。噺家も何十年もやってると、疲れてしゃあないで」。これに一発でやられてしまいました。そして落語に入ると、「蜆売り」。すばらしい人情ばなしだった。

いつか、福団治師匠の高座を生で観たいものだと思っていたら、いつのまにか渋谷の神社で定例独演会が始まっていた。今回は十数回目で、「芸歴六十周年記念」。そして「蜆売り」をやってくれるという。会場は金王八幡宮。そういえばここ、昭和の時代には状況劇場のテント興行がおこなわれていたところでもある。その頃も通いたかったが、令和の時代は福団治の会で通えている。

果たしてすばらしかった。トリで演じた「蜆売り」。寒い季節に、川に入って蜆をとって、一生懸命売り歩く子供。その子供の蜆を買ってやる、人情ぶかい親方。

一席目は「疝気の虫」。「ビロウな話で恐縮ですが……」とくりかえして始まったこの古典も、男の背中にとりついた疝気の虫の気味のわるさがつたわってきた。桂福団治七十八歳、芸歴は六十周年。大阪松竹座での記念の会には、桂ざこば・笑福亭鶴瓶なども出るという。そちらにも行きたいところであるが、渋谷での記念の会も、たいへんにすばらしかった。(日)

イエスタデイ

ダニー・ボイル監督

★微妙……。

確かに面白い映画である。だけど諸手を挙げて絶賛するのは、いささかためらわれる。

ザ・ビートルズが存在しない世界に主人公が迷い込んでしまうという物語は、かわぐちかいじ作画／藤井哲夫原作の『僕はビートルズ』を彷彿させる。手法的には『僕はビートルズ』はタイムスリップ、『イエスタデイ』はパラレルワールドで、どちらもSFの手法を核とした物語だが、これらの手法は、すでに一般的な物語に融合して、基本的な物語の話法として認知されているように思われる。それくらいSFの手法が一般の物語にしっかりと根付いたのなら、喜ばしいのだけれど……。

まあ、それはともかくとして、現役時代からのファンではないものの、中学時代から半世紀近く彼等の音楽を愛聴して来た者としては、作中で次々と登場するビートルズの楽曲の扱いに、若干の違和感を感じた。基本的にはコメディ映画なので、笑いのネタにするのは悪くないんだけど、ちょっと不快に感じるところもあったのが気になった。

あと、映画の中の世界で消えていたのは、ビートルズだけでなく、コカコーラやオアシス（イギリスのロック・バンド）やハリー・ポッターも消えているという設定が腑に落ちない。強いてこじつければ、主人公が特別好きだったものと括ることが出来るかも知れないが、ビートルズに一点集中していないので、不徹底というか、余計なことが気にかかってしまう。また、主人公以外にもビートルズを知っている人物が二人登場するところも、ちょっと首をかしげてしまう。設定を上手く説明しきれていないので、素直に楽しめなくなってしまうのだ。

主人公は、交通事故がきっかけでこの奇妙な世界へ来てしまったので、あるいはこれは、彼の臨死体験であったのかとも思うが、そこらへんの解釈もまた、観客まかせということなのだろうか？

ただし、不器用な男女のラヴ・ストーリーとしては、ヒロインを演じたリリー・ジェイムズのキュートさもあり、心地よかったし、七八歳のあの人が登場するシーンには、やっぱグッと来た。(八)

ミュージカル サタデー・ナイト・フィーバー

東京国際フォーラム・ホールC、19年12月13日〜29日

★ミュージカル「サタデー・ナイト・フィーバー」は1998年ロンドンで制作、2003年には大澄賢也主演で新宿コマ劇場で公演されたが、今回新演出版が上演された。映画版の公開40周年を記念して2018年にイギリスで立ち上がった企画で、

演出家のビル・ケンライトがリチャード・ウィンザーありきでスタートしたプロジェクト。新演出の初期段階からリチャード本人もプロジェクトに関わったという。

元は1977年のアメリカ映画、監督はジョン・バダム、ジョン・トラボルタの出世作だ。日本での公開は翌年の7月。音楽と映画を融合した内容で60年代ディスコブームを再燃させ、劇中に挿入されたビージーズのディスコ・サウンドによるフィーバー現象は現在のダンス・ミュージックへつながるという、エポックメイキングな作品。サウンドトラックは24週1位となり、80年代の「フラッシュダンス」「フットルース」「ダーティダンシング」など、ダンス映画のサウンドトラックのヒットの先駆けとなった。

1970年代のアメリカ社会が背景。青春のエネルギーをディスコで踊ることで晴らす惰性の生活を送っていた主人公の青年トニーが、ディスコで出会った女性ステファニーの生き方に心を開かれ、新しい生活へ目覚めて大人へ脱皮していく物語。トニーの生まれたブルックリンは労働者の街であり、所得も低い。ブルックリン橋を渡れば、そこはマンハッタン、都会的な街でブルックリンとは対照的だ。そんな当時のアメリカの格差社会も風刺的に描いている。

★撮影:ヒダキトモコ

ペンキ屋で働いていたトニーは閉塞的な日々にうんざりしていた。父は失業中、母はパートに出ている。当然学歴は低い。だからサラリーの多い職には有り付けず、雇い主が少しだけ賃金をアップしただけで大喜びする。彼の生きがいは土曜にディスコで踊り明かすことだけだった。ここにくればつかの間の幸せがある。ダンスもうまいし、しかもモテモテ(トニーの汗をハンカチで拭い、その匂いを嗅ぐ女性が!)。ある日、そこで年上の女性・ステファニーに出会う。同じブルックリンの出身でありながら努力して勉強するインテリだ。そんな彼女に出会い、トニーの中で何かが変わっていく、物語の流れはだいたいこんな感じだ。

見せ場はダンスシーン、当時の楽曲、そして当時流行ったダンス、ミラーボールが回る。リアルタイムで映画「サタデー・ナイト・フィーバー」を観ていた、そしてディスコで踊っていた世代は瞬間的にタイムスリップできるくらいのリアルさ。あの有名なポーズなど、『これ、踊った、踊った!』と懐かしさに浸れること、間違いなしな動きが満載! ダンスをしている時のトニーの顔は晴れ晴れとしている。ディスコが彼の輝ける場所なのだ。そんな中、ダンスコンテストの話題に。優勝すれば賞金が手に入る! トニーはステファニーと出場することに……。

サイドストーリーも見逃せない。ガールフレンドを妊娠させてしまったトニーの友達は苦悩し続ける。トニーの兄は牧師をやめてしまった。トニーの父は無職でやるせない思いで悶々としている。セリフの中にアメリカの様々な格差を示すものが随所に見られる。華やかなダンスシーンだけではなく、こういったシリアスな場面もしっかり作られており、背景のブルックリン橋が象徴的だ。

また小ネタだが、トニーの部屋の前に貼ってあるポスターは、あの有名な、シルヴェスター・スタローンの出世作「ロッキー」だ。この映画の6年後、スタローンの監督、脚本で「サタデー・ナイト・フィーバー」の続編である「ステイン・アライブ」(1983)が撮られている。そんなところもチェックすると一層、この作品が楽しめる。

トニー役のリチャード・ウィンザーは、月並みな言葉かもしれないが、とにかくうまい! 単純な動き、素人もちょっと練習すれば踊れる動きも、彼が踊れば、キマる!かっこいい!キレイ! かっこいいダンスっていうのはこういうもの、というお手本のようなダンス。もちろんステファニー役のオリヴィア・ファインズもちょっとした仕草がセクシーかつ美しい。群像劇的な要素もあり、水準の高い作品だった。(高)

ゲイル・サラモン

身体を引き受ける

藤高和輝訳、以文社、19年9月、3600円

★トランスジェンダーをテーマとした、クィア理論と身体性に関する本。元はといえば、サラモンの博士論文。

ベースにあるのは、ジュディス・バトラーの『ジェンダー・トラブル』に代表されるクィア理論だ。だがここでは、よりトランスジェンダーに関する身体論について、語られていく。あるいは、『ひとつではない女の性』から『基本的情念』にいたる、リュス・

イリガライに対して、レズビアニズムだけではない性が語られる。

そもそも、ジェンダーというのは、男性と女性に二分されるだけのものではない。そうしたものから疎外されてしまう人たちがいる。というよりも、この単純な二分法が、自分自身を説明するジェンダーではない、というのは、実は多くの人が感じることではないか。にもかかわらず、社会は二分されたジェンダーの一方を選ぶことを強要する。そもそも、選べなかった時代に比べれば、進歩ではあるのだが。

本書をすてきなものにしているのは、第二部の最初に登場する、ほほえましい写真だろう。FTM(女性から男性に性転換)のゲイカップルの仲睦まじい写真だ。では、彼らは誰なのだろうか。というか、ジェンダーとアイデンティティの関係はどうなっているのだろうか。

性転換するというときに、ではどのようなジェンダーを引き受けるというのか。女性から男性になったとして、では男性というジェンダーを引き受けるというのだろうか。そうではないだろうし、引き受けるものも、それぞれ違うだろう。では、FTMというのがジェンダーなのだろうか。

自分自身であるということは、ジェンダーというコンテクストでいえば、セクシュアリティについて、自分にとって自分らしい身体であること、時にそれは、手術を伴うものであること、二分法のジェンダーに対しては空欄で答えること、そういうことが試みられるということ。

トランスジェンダーについて論じることが、とても豊かなことなのではないか、というのが、ぼくの感想。いわゆるオタクがオタクであることを引き受けてもいいし、それはリスペクトされるべきことなのではないか。実際のところ、いわゆるハーレム物の主人公のセクシュアリティは男性だけど、ジェンダーはあえて二分法にすれば女性だ。あるいは、セックスワークにおける身体というのも、その是非とは別に、その外側にいる人から、軽くみられていやしないだろうか。

引き受ける身体というのは、ジェンダーというコンテクストから外れたところにまで及ぶ。例えば、ユダヤ人であることを引き受けようとするジュディス・バトラー。あるいは、気候変動問題に対して怒りをあらわにするグレタ・トゥーンベリ。彼女を貶める人も持ち上げる人も、結局のところ自分の世代について引き受けることができない、そのことが理解できない人たちなんじゃないか、とも思う。ざっくりあと60年とか70年とかそれ以上生きていく身体というのを、先が短い身体しか持たない人が勝手に自分たちの都合を押し付けていいわけがない。

といいつつ、トランスジェンダー・スタディーズの豊かさを、他の分野で勝手に使うのも、どうかって思われるかもしれない。

(M)

ジュディス・バトラー
分かれ道

大橋洋一・岸まどか訳、青土社、19年11月、3800円

★サブタイトルは「ユダヤ性とシオニズム批判」。バトラーはユダヤ系米国人である。しかし、ユダヤ人の文化、ユダヤ的なものをその内側に持ちつつ、それはシオニズムと一致するものではないという。

バトラーなりに、いかにしてユダヤ人であることを引き受けるのか、というのが、本書なのだと思う。その意味で、一貫している。

ユダヤ人といってぼくが思い浮かべてしまうのは、レッドツェッペリンの「移民の歌」にのって登場するブルーザー・ブロディだったりするんだけど。いや、アイザック・バシェビス・シンガーが書くヘルムの民話かな。かつての、ヨーロッパのユダヤ教徒の、田舎の話、というシンガーの作品だけれども、米国に亡命し、なおイディッシュ語で小説を書いた。亡命先でのシリアスな小説。米国にはユダヤ系米国人がいる。バトラーもその一人、ということになる。言うまでもなく、第二次世界大戦前から、ドイツのナチス政権がユダヤ人を虐殺してきた歴史があり、それを逃れるために亡命したユダヤ人がいる。

そうした歴史を持つユダヤ人が、約束の地だとして、英国などの後ろ盾によってパレスチナに移民し、イスラエルを建国する。そこでパレスチナ人が新たな難民となる。

バトラーはエドワード・サイードに同意するように、ユダヤ人とパレスチナ人の共生が望ましいとする。難民をつくりだしてユダヤ人国家をつくるというシオニズムに対しては、ユダヤ人として受け入れられない、というのがバトラーの立場だ。

このことと呼応するのが、ハンナ・アーレント『エルサレムのアイヒマン』において、アーレントはアイヒマンを、ユダヤ人を死においやった極悪人ではなく、平凡な事務官だと見る。アーレントはアイヒマンの死刑を支持するが、それは、多くの人を死に追いやったことではなく、そのことに無自覚な凡庸さに対する罪。シオニズムもまた、人をそうした凡庸さに置くのだろうか。そんなふうに、身体を政治に渡してしまってはいけない。

自分自身であることと政治における戦いというコンテクストにおいては、ジェンダーの問題もユダヤ人であることの問題も、バトラーの中では一貫している。（M）

劇団チョコレートケーキ
治天の君
東京芸術劇場、19年10月3日〜14日

★舞台にあるのは、玉座とカーペットのみ。そして、客席から、女性に支えられて主人公が登場する。スーツを着た主人公は、重い病をかかえていて、今にも死にそうだ。

主人公は大正天皇。彼の人生が、時間を前後させながら語られていく。

大正天皇については、原武史の「大正天皇」という本がある。明治天皇と昭和天皇の間で、15年間、天皇の位置にあったとはいえ、後半は昭和天皇が摂政となり、実質的にはわずかな期間でしかなかった天皇である。かつて、愚鈍であったと伝えられ、国会の開会にあたって紙をまるめて目にあてた、いわゆる遠眼鏡事件は伝説になっている。しかし、原によると、身体こそ弱かったものの、明治天皇と異なり、積極的に外に出ていき、その姿は新聞でも報道されていたという。そして、妻である貞明皇后とは、童話の世界のような仲睦まじさだったといい、最初に側室を持たなかった男性の天皇だという。こうした大正天皇の姿が、大正デモクラシーと無縁であるとは思わない。同時に、それはすぐに潰えて、軍国主義と形容される昭和天皇が統治する時代に向かって行く。

劇では、明治天皇に対し、海外の王室のような開かれた皇室を目指したかったが、病気によってそれが十分になしえないまま、昭和天皇にとってかわられる姿がえがかれる。周囲の人々、侍従や政治家は、彼を利用し、あるいは支えようとする。有栖川宮は彼を勇気づける一方、明治天皇はしばしば亡霊として登場し、大正天皇に君臨する強い天皇を求める。そうした明治天皇の姿は、昭和天皇に引き継がれ、大正天皇の死後、その天皇はいなかったような扱いに向かう。

原の描く大正天皇像が、そのまま演劇になっていると思っていいだろう。それだけストレートな芝居だった。正直、もうちょっとひねってもいいんじゃないか、とは思わないでもないが。とはいえ、2時間を超える舞台だったにもかかわらず、俳優陣の熱い演技が、高いテンションを維持していた。

とはいえ、2019年に大正天皇を主人公とした芝居を上演することには、大きな意味があるだろう。言うまでもなく、平成天皇（といずれよばれる人）が退位し、令和天皇（といずれよばれる人）が即位した年である、ということ。その一方で、日本社会そのものが、昭和天皇が即位した時代に向かいそうな雰囲気となっている。大正天皇の姿は、あらためて思うと、平成天皇の姿と重なっていく。

舞台の最後は、「天皇陛下万歳」という声のもとに、昭和天皇が赤い光に照らされた戦争の時代を思わせる舞台を去っていく場面で終わる。

私たちはどこにいるのか、そのことを示す、そうしたストレートなメッセージ性を持った舞台として、とても意味のある公演だったと思う。（M）

丸山ゴンザレス
地球のカオス展
PARCO FACTORY FUKUOKA、19年11月15日〜12月1日

★中国からの影響を受けて文化を育ててきた日本の中でも、距離的に近い福岡。展覧会などのイベントを巡って見ると、アジアの中継都市として混沌と文化が入り乱れている。丸山ゴンザレスが、初めての展覧会の会場に福岡を選んだのは偶然だろうか？ 彼が取材したのは、所謂闇社会だ。アメリカ、中南米、アフリカ……もちろんアジアなど、気さくな印象を持つ国々だ。と言うのも、マフィアだから悪い事はするのだが、その地域の住人として溶け込んでいる。日本のヤクザやヨーロッパのマフィアが一般社会から一線を引いていたのとは対照的だ。実際、取材に訪れた丸山を彼らは快く受け入れていた。強盗をしている南アフリカのマフィアなどは、カネがある奴からカネを巻き上げて何が悪い！と開き直っていた。

闇社会の定番、ドラッグの先進国には、日本に上陸するとどえらいことになるような、危険度最強クラスのものがあるそうだ。巧みに税関をすり抜けるブローカーの役割が図解してあって、社会勉強になった。怪しい雰囲気を醸し出す照明に照らされて、闇社会のもう一つの代表格、密造拳銃の製造工程の動画も流れていた。違法採掘していた男性の、仕事をする「いい顔」が目に焼き付いている。スラム街では、食事の質も悪く、スープにハエが飛び回っていることなどは当たり前のことだそうだ。丸山は太田胃酸で対応したとのこと。えげつないテーマがてんこ盛りだったが、何故かコミカルに鑑賞できた。ちなみに日本国籍の人が、海外で違法薬物を使用すると日本の法律が適用されるそうですよ。旅行の際はお気をつけて。（池）

ESSAY

百葉箱

高斎 正

私が住んでいる練馬区は練馬大根の名で全国に知られ、東京23区のうちで、農業がもっとも盛んな区、というイメージがあります。

農業は、天候に左右されやすいという性格があります。気象状況を正しく観測し、記録し、それに基づいて、対策をおこなう必要があります。

気温が摂氏4度になると霜がおりるといいます。それは、気温や湿度を測定する百葉箱（ひゃくようばこ）が、地上120cmの気温を測っており、地表の気温との差があるからです。

東京23区の西の地域の気象観測を、練馬区でおこなっています。以前は百葉箱が武蔵大学の構内に置かれていました。ところが、その百葉箱を置いてある場所のまわりに、ビルが次々に建ち、気象観測に適さない条件になってきました。どこかに百葉箱を移す必要がでてきました。

ちょうどその頃に、石神井郵便局の向かいにあった日銀グラウンドを、練馬区の松の風文化公園とすることになり、ここなら気象観測のための百葉箱を置くのに適していると判断されました。

武蔵大学の構内に置いてあった百葉箱は、すぐに移転させる必要があったようです。松の風文化公園のなかの、百葉箱を設置するのに適した場所に、すぐに百葉箱を設置したのでは、松の風文化公園の土木工事をおこなうのに、邪魔になってしまいます。

そこで、松の風文化公園の工事が一段落したら、百葉箱を松の風文化公園のなかのしかるべき場所に移転させることにして、松の風文化公園の土木工事のじゃまにならないように、とりあえず西の端の道路ぎりぎりのところに百葉箱を置いたようです。

百葉箱をとりあえず置いた臨時の場所が、どういうわけか、高さ150cmほどの塚を築いて、その塚の上に百葉箱を設置するようになっていました。これが現在の百葉箱が設置されている位置です。

（写真）

百葉箱というものは、芝を植えた地面の上に設置するものです。箱の中にある気温と湿度を測る寒暖計と湿度計が、地面から120cmから150cmのところに位置するようになるのが、標準的な設置の規格です。

ところが松の風文化公園の百葉箱は、地面に150cmほどの塚を築いて、その上に百葉箱を設置しているので、標準的な設置の規格と合いません。

この状況が、今日までずっと続いています。

松の風文化公園の主要な工事がひと区切りついたら、しかるべき場所に百葉箱を移すことになっていたのでしょうが、それが忘れられていました。

気象庁の担当者と練馬区の担当者の両方が他のセクションに異動になり、両方とも引き継ぎがうまくいかなかったものと推測しております。

そして、「屋上、屋を重ねる」状態にある現在の百葉箱による気象データが、練馬区の気象データとして使われています。

2019年5月10日の気象情報のTVでも練馬区の気温のデータとして載せられていました。

現在なすべきことは、現在百葉箱がある場所から、管理棟のほうへ30メートルほど寄った場所に、芝生の上に新たな百葉箱を設置することです。百葉箱の周囲10メートルほどを、立入禁止として、ごく低い目印の柵を設ける必要があります。

現在ある百葉箱でこれまでほぼ10年間にわたって測定した気温と湿度は、全国統一の規格に合っていない数値です。この数値が正しい数値として記録されていたことが考えられます。この数値を正しい数値に近づけるように修正する必要があります。

この修正は、推測によっておこなってはなりません。1年や2年の短期間の測定結果との比較で修正してはなりません。

現在ある百葉箱の観測結果の数値と、新たに設置する百葉箱の観測結果の数値の違いを、観測した時点を参考にして、修正することが必要です。過去ほぼ10年間の数値を修正するためには、これから10年間の観測結果との比較によって修正することになるでしょうか。

北見隆 作品集「本の国のアリス～存在しない書物を求めて」
978-4-88375-223-5／A5判・64頁・ハードカバー・税別2750円
●本そのものが、「アリス」の物語の、愉快な舞台（ワンダーランド）に！ 本の形をした"ブックアート"を中心に、不思議な物語に満ちた作品集!!

菊地拓史 オブジェ集「airDrip」
978-4-88375-229-4／A5判・64頁・ハードカバー・税別2750円
●「夢と現の境を揺蕩う、幻視の錬金術師」―手塚眞。菊地拓史が贈るオブジェと言葉のブリコラージュ。その世界を本で表現した一冊。

◎杉本一文の本

「杉本一文『装』画集～横溝正史ほか、装画作品のすべて」
978-4-88375-287-4／A4判・128頁・カバー装・税別3200円
●横溝正史といえば、杉本一文。数多く手がけてきた装画作品の中から、横溝作品を中心に約160点を精選して収録した待望の画集!!

「杉本一文銅版画集」
978-4-88375-286-7／A5判・128頁・カバー装・税別2500円
●幻想とエロスの桃源郷――杉本一文のもうひとつの顔、銅版画の代表作を装画作品から蔵書票まで約200点収録！

◎暗黒メルヘン競作集

最合のぼる著×Dollhouse Noah写真「オッド博士のマッド・コレクションズ」
978-4-88375-295-9／A5判・144頁・カバー装・税別2222円
●美少女たちは、なぜ天才博士のもとを訪れる…。エロス＆耽美な写真を満載したフォトノベル！ 黒木こずゑによる少女画6点も収録！

最合のぼる著×黒木こずゑ絵「羊歯小路奇譚」
978-4-88375-197-6／四六判・200頁・カバー装・税別2200円
●不思議な小路にある怪しい店、そこに迷い込んだ者たちに振りかかる奇妙な出来事…絵と写真に彩られた暗黒メルヘン物語。

最合のぼる文×Dollhouse Noah写真・人形「Shunkin～人形少女幻想」
978-4-88375-162-4／A5判変型・128頁・カバー装・税別2200円
●深い森の中にある音楽学校。その寮の管理人と、その寮にひとり住む盲目の少女との禁断の物語。小説と写真との幻想的コラボ！

最合のぼる文×黒木こずゑ絵「真夜中の色彩～闇に漂う小さな死」
978-4-88375-141-9／A5判変型・96頁・カバー装・税別2200円
●奇妙な物語の書き手と幻想的な少女絵画の描き手が互いに触発されて完成された暗黒メルヘン競作集！ かわいくも怖い。

◎幻想系・少女系

たま 画集「Fallen Princess～少女主義的水彩画集V」
978-4-88375-221-8／B5判・48頁・ハードカバー・税別2750円
●お姫様系、エロちっく系、食べ物系など、たまならではのダーク＆キュートな秘密の乙女の楽園がたっぷり！ 待望の画集第5弾！

森環 画集「愛よりも奇妙～ Stranger than love」
978-4-88375-264-5／B5判・64頁・ハードカバー・税別2750円
●なんて奇妙な、ワンダーランド！「ボローニャ国際絵本原画展」入選など、不思議な世界観で人気の画家の幻想的な鉛筆画集！

椎木かなえ 画集「同じ夢～ Same Dream ～」
978-4-88375-252-2／A5判・64頁・ハードカバー・税別2750円
●闇に住まう人の、いびつな愛と、不穏な夢。奇妙で秘儀的な心象風景が、観る者を夢幻の世界へ導く、椎木かなえの初画集!!

安蘭 画集「BAROQUE PEARL～バロック・パール」
978-4-88375-213-3／A5判・72頁・ハードカバー・税別2750円
●哀しみや痛みなどを包み込み、いびつだからこそ心を灯す、安蘭の"美"。耽美画家・安蘭の約10年の軌跡を集約した待望の画集！

◎小説・コミック・評論・エッセイ

◎ナイトランド・クォータリー（ホラー＆ダーク・ファンタジー）

ナイトランド・クォータリー vol.19 架空幻想都市
978-4-88375-383-3／A5判・176頁・並製・税別1700円

ナイトランド・クォータリー vol.18 想像界の生物相
978-4-88375-367-3／A5判・176頁・並製・税別1700円

妖（あやかし）ファンタスティカ2 ～書下し伝奇ルネサンス・アンソロジー
978-4-88375-380-2／A5判・160頁・並製・税別1364円

◎ナイトランド叢書（TH Literature Series）いずれも四六判

E&H・ヘロン「フラックスマン・ロウの心霊探究」
三浦玲子訳／978-4-88375-361-1／272頁・税別2300円

E・H・ヴィシャック「メドゥーサ」
安原和見訳／978-4-88375-339-0／272頁・税別2300円

M・P・シール「紫の雲」
南條竹則訳／978-4-88375-336-9／320頁・税別2400円

キム・ニューマン「《ドラキュラ紀元一九一八》鮮血の撃墜王」
鍛治靖子訳／978-4-88375-327-7／672頁・税別3700円

キム・ニューマン「ドラキュラ紀元一八八八」
鍛治靖子訳／978-4-88375-311-6／576頁・税別3600円

エドワード・ルーカス・ホワイト「ルクンドオ」
遠藤裕子訳／978-4-88375-324-6／336頁・税別2500円

アルジャーノン・ブラックウッド「いにしえの魔術」
夏来健次訳／978-4-88375-318-5／320頁・税別2400円

E・F・ベンスン「見えるもの見えざるもの」
山田蘭訳／978-4-88375-300-0／304頁・税別2400円

サックス・ローマー「魔女王の血脈」
田村美佐子訳／978-4-88375-281-2／304頁・税別2400円

A・メリット「魔女を焼き殺せ！」
森沢くみ子訳／978-4-88375-274-4／272頁・税別2300円

オーガスト・ダーレス「ジョージおじさん～十七人の奇怪な人々」
中川聖訳／978-4-88375-258-4／320頁・税別2400円

クラーク・アシュトン・スミス「魔術師の帝国《2 ハイパーボリア篇》」
安田均他訳／978-4-88375-256-0／272頁・税別2300円

クラーク・アシュトン・スミス「魔術師の帝国《1 ゾシーク篇》」
安田均他訳／978-4-88375-250-8／256頁・税別2200円

◎TH Literature Series

石神茉莉「蒼い琥珀と無限の迷宮」
978-4-88375-365-9／四六判・320頁・カバー装・税別2400円

図子慧「愛は、こぼれるqの音色」
978-4-88375-345-1／四六判・256頁・カバー装・税別2200円

朝松健「邪神帝国・完全版」
978-4-88375-379-6／四六判・384頁・カバー装・税別2500円

朝松健「朽木の花～新編・東山殿御庭」
978-4-88375-333-8／四六判・320頁・カバー装・税別2400円

朝松健「アシッド・ヴォイド Acid Void in New Fungi City」
978-4-88375-270-6／四六判・256頁・カバー装・税別2200円

朝松健「Faceless City」
978-4-88375-247-8／四六判・352頁・カバー装・税別2500円

友成純一「蔵の中の鬼女」
978-4-88375-278-2／四六判・304頁・カバー装・税別2400円

橋本純「百鬼夢幻～河鍋暁斎 妖怪日誌」
978-4-88375-205-8／四六判・256頁・カバー装・税別2000円

ケイト・ウィルヘルム「翼のジェニー～ウィルヘルム初期傑作選」
安田均他訳／978-4-88375-241-6／256頁・税別2400円

◎TH Art series

◎新刊

神宮字光 人形作品集「Cocon」
978-4-88375-378-9／A5判・64頁・ハードカバー・税別2700円
●ビスクなどで作られた愛おしい人形達がさまざまなシチュエーションの中で遊ぶ、かわいくも、ときにシュールでミラクルな世界!

田中流 写真集「Dolls ～瞳の奥の静かな微笑み」
978-4-88375-373-4／A5判・96頁・カバー装・税別2300円
●数多くの人形に接してきた写真家・田中流が、28人の人形作家の作品を撮影し、現代の創作人形の潮流をも浮き彫りにした写真集!

珠かな子 写真集「いまは、まだ見えない彗星」
978-4-88375-371-0／B5判・64頁・ハードカバー・税別2700円
●私にとってセルフポートレートは、〝可愛さと強さの脅迫〟だ。女の子は強くなれる、そう願っている――珠かな子、待望の写真集!

黒木こずゑ絵×最合のぼる文「一本足の道化師～暗黒メルヘン絵本シリーズ1」
978-4-88375-370-3／B5判・64頁・カバー装・税別2255円
●アンデルセンなど、おなじみの童話を元にした《暗黒メルヘン絵本》第1弾。黒木こずゑと最合のぼるによるダークなヴィジュアル物語!

清水真理 人形作品集「Wonderland」
978-4-88375-364-2／B5判・64頁・ハードカバー・税別2750円
●肉体と霊魂、光と闇、聖と俗…それらの狭間で息づく、人形たちのワンダーランド。多彩な活躍を続ける清水の近年の作品の魅力を凝縮!

たま 画集「Calling～少女主義的水彩画集VI」
978-4-88375-357-4／B5判・52頁・ハードカバー・税別2750円
●ダーク＆キュートなたまの少女画集第6弾! 切り取って楽しめる「折り込み塗り絵」や中野クニヒコによる立体作品も収録!

スズキエイミ 作品集「Eimi's anARTomy 102」
978-4-88375-358-1／B5判・64頁・ハードカバー・税別2750円
●"美の本質は肉体、肉体の本質は死"。名画などを巧みに組み合わせて作り上げられた、解剖学的でシニカルな美の世界!

村田兼一 写真集「月の魔法」
978-4-88375-354-3／B5判・96頁・ハードカバー・税別3200円
●禁忌を解く魔法――月乃ルナをモデルに生み出された、マジカルで濃密なエロスに満ちたおとぎの世界。

◎写真集

美島菊名 写真作品集「HOPE」
978-4-88375-308-6／B5判・64頁・ハードカバー・税別2750円
●少女よ あなたは 世界を変える――少女の無垢と欲望を、インパクトあるヴィジュアルで表現してきた美島菊名、初の写真作品集!

トレヴァー・ブラウン×七菜乃「トレコス」
978-4-88375-298-0／B5判変型・80頁・ハードカバー・税別2750円
●トレヴァー描く、かわいくてシニカルな少女に七菜乃が扮した〝トレコス〟全作品! トレヴァーの原画はもちろん、メイキング写真も収録!

村田兼一 写真集「天使集」
978-4-88375-328-4／B5判・96頁・ハードカバー・税別3200円
●天使というタナトスの闇に浮かぶ、エロスの残像。天使や人鳥を受難の女性を見守る死の影として配置した村田ならではの禁断の世界。

村田兼一 写真集「少女観音」
978-4-88375-259-1／B5判・96頁・ハードカバー・税別3200円
●幼少の頃から仏像に魅了されていた村田が長年温めていたテーマが、ついに写真集に! モデルの慈愛のオーラが魅惑的な一冊!

村田兼一 写真集「パンドラの鍵」
978-4-88375-166-2／B5判・48頁・ハードカバー・税別2800円
●禁忌のエロスを探求し続ける写真家・村田兼一が特殊モデル七菜乃の無垢な心と身体を秘密の鍵で解放する―撮り下ろし写真集!

谷敦志 写真集「D. P Collage Series」
978-4-88375-283-6／A4判・64頁・ハードカバー・税別3800円
●妖しく溶け合う、肉体とオブジェ。異型の写真家・谷敦志が、女体のコラージュによって生み出した極北の美の世界。A4サイズの豪華版!

谷敦志 写真集「Flowers and Nudes」
978-4-88375-284-3／A4判・64頁・ハードカバー・税別3800円
●透き通るような静けさをまとう、ヌードと花。進化し続ける孤高のアーティストの「今」が詰まった、最新写真集! A4サイズの豪華版!

谷敦志 写真集「アンビバレンス」
978-4-88375-148-8／A5判・64頁・ハードカバー・税別2800円
●ダークでカオティック、フェティッシュでアヴァンギャルド、そして最高にスタイリッシュ! 異型の写真家の処女写真集!!

堀江ケニー 写真集「恍惚の果てへ」
978-4-88375-139-6／A5判変型・96頁・カバー装・税別2200円
●澄んだ空気感の中で恍惚の果てへ導かれる―湖や廃墟で撮った、堀江ケニーならではの幻影的作品を集めた待望の写真集!

◎人形・オブジェ作品集

ホシノリコ 作品集「蒼燈のばら」
978-4-88375-326-0／B5判・64頁・ハードカバー・税別2750円
●艶かしく息づく球体関節人形、幻想的な物語奏でるオブジェ。ホシノの10年の歩みをまとめた待望の作品集! 写真＝吉田良、田中流

森馨 人形作品集「Ghost marriage～冥婚～」
978-4-88375-236-2／B5判・64頁・ハードカバー・税別2750円
●妖しい美しさと、哀しいエロスを湛えた、森馨の球体関節人形。その蠱惑的な肢体を写真家・吉成行夫が撮影した、闇の色香ただよう写真集!

森馨 人形作品集「眠れぬ森の処女(おとめ)たち」
978-4-88375-108-2／A5判・64頁・ハードカバー・税別2800円
●聖なる狂気、深淵なる孤独、硝子の瞳が孕むエロス。独特のエロスに満ちた、秘密の玉手箱のような球体関節人形写真集!

清水真理 人形作品集「Wachtraum(ヴァハトラウム)～白昼夢」
978-4-88375-217-1／A5判・64頁・ハードカバー・税別2750円
●映画「アリス・イン・ドリームランド」に提供した人形(田中流撮り下ろし)や、吉成行夫撮影の吸血鬼シリーズなど満載の人形作品集。

林美登利 人形作品集「Night Comers ～夜の子供たち」
978-4-88375-288-1／A5判・96頁・ハードカバー・税別2750円
●異形の子供たちは、夜をさまよう――「Dream Child」に続く、人形・林美登利、写真・田中流、小説・石神茉莉のコラボ、第2弾!

与偶 人形作品集「フルケロイド FULLKELOID DOLLS」
978-4-88375-265-2／A5判・68頁・ハードカバー・税別2750円
●園子温推薦! 多くの人の心に突き刺さっている、凄みのある作品たち。20年の作家生活をここに総括。横4倍になる綴じ込み2枚付!

木村龍 作品集「光速ノスタルジア」
978-4-88375-245-4／B5判・96頁・ハードカバー・税別3500円
●ボックスアートから彫像的作品、球体関節人形、絵画などまで、妖美で奇橋、かつ純真な世界を濃密に凝縮した、待望の初作品集!!

芳賀一洋 作品集「錠前屋のルネはレジスタンスの仲間」
978-4-88375-331-4／A5判・224頁・並製・税別2222円
●パリの街並みや日本の昭和的風景などを精巧なミニチュアで再現した驚異の作品群。その40作以上を郷愁あふれる写真に収めた作品集。

No.73 変身夢譚～異分子になることの願望と恐怖
A5判・224頁・並装・1389円(税別)・ISBN978-4-88375-299-7
●miyako(異色肌ギャル)インタビュー、トレヴァー・ブラウン×七菜乃"トレコス"、別人化マニュアル、変身譚としてのギリシア神話、バルテュスと鏡～少女の変身を映すもの、変装から変身へ～怪盗から見る映画史、女性への抑圧が生み出す〝変身〟～『キャット・ピープル』とその系譜、佐々木喜善の「蛇の嫁子」ほか。

No.72 グロテスク～奇怪なる、愛しきもの
A5判・224頁・並装・1389円(税別)・ISBN978-4-88375-289-8
●林美登利～異形の子供に、惜しみのなく注がれる愛情、立島夕子～瀬戸際から発せられた生命の賛歌、たま～可愛らしい少女の中に秘められた、不気味な何かを暴く、黒沢美香～既成の価値観に収まらない、名前のない景色の豊満さ、畔亭数久とその時代、芸術における崇高とグロテスク、謎のバンド ザ・レジデンツ ほか。

No.71 私の、内なる戦い～"生きにくさ"からの表現
A5判・224頁・並装・1389円(税別)・ISBN978-4-88375-273-7
●生きにくさから生まれてきた表現を垣間見る―。渡辺篤(現代美術家)～ひきこもり体験を、アートを通じて「生」につなげる／若林美保(ストリッパー)インタビュー／与偶(人形作家)～人形によって人に何かを与え、それが自身の〝生〟も支えている／石塚桜子(画家)～一筆一筆に感じられる、祈りのような叫び ほか。

No.70 母性と、その魔性～呪縛が生み出す物語
A5判・224頁・並装・1389円(税別)・ISBN978-4-88375-260-7
●母性は、ときとして呪縛となる。そうした呪縛がなにをもたらし、また、どんな物語を生んだのか―。「母がしんどい」などで多くの共感を呼ぶマンガ家・田房永子や、ラブドールを妊娠させた作品が話題になった菅実花のインタビューのほか、「三島由紀夫の同性愛と母性の不在」など、神話や文学等多様な見地から俯瞰します。

No.69 死想の系譜～いま想う、死と我々の未来
A5判・240頁・並装・1389円(税別)・ISBN978-4-88375-251-5
●死を想うことで育まれる想像力。釣崎清隆×笹山直規によるメキシコ死体合宿レポ、LOVSTARのエッセイ漫画「死体愛好家」、「死の舞踏絵画からブリューゲル、ボス、そしてヴァニタス」、「ショーペンハウアーの『自殺について』」、「ボルタンスキー巡礼」、「即身仏から集合精神データへ～SFにみる近未来の死生観」ほか。

No.68 聖なる幻想のエロス
A5判・208頁・並装・1389円(税別)・ISBN978-4-88375-244-7
●エロスとは、幻想だ。木村龍、村田兼一、甲秀樹、七菜乃、林良文などの作品を幻想のエロスの見地から解題・紹介したほか、「戦争とエロティシズム」、カナザワ映画祭「昼下がりの前衛的エロ映画特集」ルポ、「イケメンゴリラから日活ロマンポルノまで」など、さまざまなエロスを逍遥。

No.67 異・耽美～トラウマティック・ヴィジョンズ
A5判・240頁・並装・1389円(税別)・ISBN978-4-88375-234-8
●トラウマを植え付けるほどの強度を持つ「異・耽美」=「異端・美」を特集。対談・沙村広明×森馨、インタビュー[林良文、劇団態変・金滿里、舞踏家ケンマイ]、図版構成[森馨、衣、真条彩華、安蘭、夢島スイ、七菜乃×GENk他]、写真物語・一鬼のこ、『禁色』とその周辺ほか。

No.66 サーカスと見世物のファンタジア
A5判・208頁・並装・1389円(税別)・ISBN978-4-88375-230-0
●サーカス・見世物には光と影がつきまとう。われわれを惹きつける、夢と禁忌の国。「映画 少女椿」、道化的知性は復権するか、現代道化考、らくだ・ランカイ屋・オリンピック、見世物としての公開処刑、舞踏と見世物考、フランスのサーカス、奇異なるものへの憧憬ほか。

No.65 食と酒のパラダイス!
A5判・224頁・並装・1389円(税別)・ISBN978-4-88375-222-5
●食と酒で愉しむアート&フィクション! 現代海外アーティストによる食をモチーフにした一風変わった作品を数多くピックアップ。また、フィクションに登場する奇妙な食や酒の光景を解題&紹介。料理研究家・上田淳子インタビューもあり。他に国際人形展「Fusion Doll」レポ等も。

No.64 ヒトガタ／オブジェの修辞学
A5判・224頁・並装・1389円(税別)・ISBN978-4-88375-216-4
●ヒトガタとオブジェのはざまについて考える。対談・三浦悦子×吉田良、映画「さようなら」～石黒浩教授インタビュー、綾乃テン、上原浩子、清水真理、菊地拓史×森馨、伽井丹彌、七菜乃、敗者の人形史、生人形の系譜、ゴーレム伝説、人造美女、レム&クエイ兄弟版「マスク」比較ほか。

No.63 少年美のメランコリア
A5判・224頁・並装・1389円(税別)・ISBN978-4-88375-208-9
●短い期間の輝きでしかない少年の美には、メランコリア=憂鬱がつきまとう。図版&紹介[七戸優・甲秀樹・neychi・カネオヤサチコ・神宮字光・清水真理]、「ベニスに死す」、タルコフスキーの少年、グレーデン男爵とタオルミナ、阿修羅像と『少年愛の美学』、維新派「透視図」ほか。

No.62 大正耽美～激動の時代に花開いたもの
A5判・240頁・並装・1389円(税別)・ISBN978-4-88375-201-0
●好景気に米騒動、関東大震災…激動の大正時代を、耽美を切り口に俯瞰する。図版構成[橘小夢、高畠華宵]、異国への憧憬/谷川渥、大正の幻想映画、大正オカルトレジスタンス、鈴木清順・大正浪漫三部作とパンタライの時代、大正年表など。

No.61 レトロ未来派～21世紀の歯車世代
A5判・232頁・並装・1389円(税別)・ISBN978-4-88375-193-8
●スチームパンクと、アナクロな未来を幻視する。小説・映画等の厳選40作品紹介「エッジの利いたスチームパンク・ガイド」、二階健ディレクション「STEAM BLOOD」展、造形作家・赤松和光、歯車・オートマタ・西部劇映画、日本のアニメにおけるスチームパンク表現の特質など満載。

No.60 制服イズム～禁断の美学
A5判・240頁・並装・1389円(税別)・ISBN978-4-88375-181-5
●「座談会・学校制服のリアルとその魅力」森伸之×西田藍×りかこ×武井裕之、小林美佐子～制服は社会に着せられた役割、村田タマ～少女に還るためにセーラー服を着る、すちうる～小学生にも化けるセルフポートレイト、現代の制服ヒーロー・ヒロインたちなど満載。ヨコトリレポも。

No.59 ストレンジ・ペット～奇妙なおともだち
A5判・224頁・並装・1389円(税別)・ISBN978-4-88375-178-5
●虫などとの共生を描く西塚em、新田美佳や架空の動物を木彫で作る石塚隆則、奇妙な生き物「ぬらりんぼ」のHiro Ring、イヂチアキコ、蟬丸などからSMの女王様まで、さまざまな「ペット」的存在を愛でてみよう。やなぎみわ×唐ゼミ☆合同公演なども。

No.58 メルヘン～愛らしさの裏側
A5判・224頁・並装・1389円(税別)・ISBN978-4-88375-173-0
●たま、深瀬優子、長谷川友美などのほか、村田兼一による写真物語「長靴をはいた猫」、ペローとマザー・グース、「黒い」マスコット動物、Sound Horizonとハーメルンの笛吹き男、ウクライナの超美女など、いろいろな側面からメルヘンの裏側を覗き見る。

No.57 和風ルネサンス～日本当世浮世絵巻
A5判・256頁・並装・1429円(税別)・ISBN978-4-88375-165-5
●和を礎に挑発的作品を描く空山基と寺岡政美のインタビュー、人形作家・三浦悦子、日本伝統技法から新しい表現に挑む若手・中堅作家、野口哲哉展、大英博物館の「春画」展、「切腹」の精神史、村田兼一「鳴子姫」、東北歌舞伎など「和」に刺激される1冊。

No.56 男の徴(しるし)／女の徴(しるし)～しるしの狭間から見えてくること
A5判・240頁・並装・1429円(税別)・ISBN978-4-88375-159-4
●なぜ性別を越えようとするのか、なぜ性器をモチーフに作品を作るのか―。ペニスモチーフの作品を作る増田ぴろよや村田タマ、トランスジェンダー・アーティスト坂本美蘭、あやはべる、タイのレディボーイ事情、女性器アート、ヴァギナ恐怖表現の歴史など。

◎ExtrART(エクストラート)〜異端派ヴィジュアルアート誌

file.23◎FEATURE:秘めた、この思い
A4判・112頁・並装・1200円(税別)・ISBN978-4-88375-385-7
●池田ひかる、新宅和音、谷原菜摘子、野原tamago、井桁裕子、朱華、日野まき、菊地拓史・森馨、田中流、渡邊光也、千葉和成、TOKYO 2021 美術展 ほか

file.22◎FEATURE:隠されていた"美"
A4判・112頁・並装・1200円(税別)・ISBN978-4-88375-372-7
●蛭田美保子、スズキエイミ、椎木かなえ、たま、Kamerian.、ディナ・ブロツキー、井上洋介、生熊奈央、衣(はとり)、垂狐、ベルリン・悪魔の山 ほか

file.21◎FEATURE:うつろう、イメージ
A4判・112頁・並装・1200円(税別)・ISBN978-4-88375-360-4
●菅澤薫、大河原愛、有坂ゆかり、大塚咲×七菜乃、夜乃雛月、ニコライ・バタコフ、亜由美、櫻井紅子、吉田有花×ある紗、大島哲以 ほか

file.20◎FEATURE:夢幻の国を逍遥する
A4判・112頁・並装・1200円(税別)・ISBN978-4-88375-346-8
●佐久間友香、木村了子、中村キク、永井健一、長谷川友美、P.ファーガソン、池島康輔、須川まきこ、立島夕子、こやまけんいち、松下まり子 ほか

file.19◎FEATURE:その存在の、ミステリアス
A4判・112頁・並装・1200円(税別)・ISBN978-4-88375-338-3
●藤井健仁、棚田康司、モリケンイチ、後藤温子、中井結、トロイ・ブルックス、ホシノリコ、新竹季次、中川ユウヰチ、宮本香那、江村玲 ほか

file.18◎FEATURE:イノセンスが見る夢
A4判・112頁・並装・1200円(税別)・ISBN978-4-88375-323-9
●美島菊名、Risa Mehmet、泥方陽菜、雨宮沙月、月夜乃散歩、ローズ・フレイマス-フレイザー、松永賢、勝野眞言、高松ヨク ほか

file.17◎FEATURE:説話的世界へようこそ
A4判・112頁・並装・1200円(税別)・ISBN978-4-88375-315-4
●夢島スイ、フォレスト・ロジャース、深瀬優子、ある紗、渡辺つぶら、ごとうゆりか、佐藤久雄、大江慶之、安蘭、ドイツのグラフィティ ほか

file.16◎FEATURE:心の中の原初の光景
A4判・112頁・並装・1200円(税別)・ISBN978-4-88375-304-8
●白野有、髙木智広、ANNEKIKI、塩野ひとみ、シマザキマリ、シチョルドル、磯村暖、清水真理、西牧徹、澁澤龍彦 ドラコニアの地平 ほか

file.15◎FEATURE:異形の世界に住まう者
A4判・112頁・並装・1200円(税別)・ISBN978-4-88375-297-3
●椎木かなえ、熊澤未来子、根橋洋一、土田圭介、林美登利、愛実、カテリーナ・ベルキナ、町田結香、中島祥子、大澤晴美、真木環 ほか

---

file.12◎FEATURE:愛しき、ヒトガタ
A4判・112頁・並装・1200円(税別)・ISBN978-4-88375-257-7
●中嶋清八、木村龍、宮崎郁子、清水真理、神宮字光、ジュール・パスキン、池田俊彦、「第20回岡本太郎現代芸術賞(TARO賞)展」ほか

◎トーキングヘッズ叢書(TH Seires)

No.80 ウォーク・オン・ザ・ダークサイド〜闇を想い、闇を進め
A5判・224頁・並装・1389円(税別)・ISBN978-4-88375-376-5
●新たな想像力は闇から生まれる。[図版構成]濵口真央、C7、新宅和音、紺野真弓、宮本香那、萌木ひろみ、谷原菜摘子。タスマニアの美術館MONA、書肆ゲンシシャの驚異のコレクション、日本の闇を感じさせるゲゲゲスポット紀行、闇の文学史〜連鎖する自死、萩尾望都が描き始めた「楽園の裏側」、カタコンブという世界の裏ほか。

No.79 人形たちの哀歌
A5判・240頁・並装・1389円(税別)・ISBN978-4-88375-363-5
●[図版構成]田中流写真作品(人形=日隈愛香・SAKURA・ホシノリコ・舘野桂子)・清水真理・野原tamago・神宮字光、現代の〝生き人形〟〜中嶋清八・井桁裕子・衣・森馨・佐藤久雄、菅実花とリボーンドール、ロボット・アンドロイド演劇の一〇年、映画『オテサーネク』と『マジック』ほか。追悼・遠藤ミチロウなども。

No.78 ディレッタントの平成史〜令和を生きる前に振り返りたい私の「平成」
A5判・256頁・並装・1389円(税別)・ISBN978-4-88375-350-5
●私たちが感じ取ってきた「平成」を振り返る。TH的・平成年表、極私的平成の三十年間(友成純一)、平成ゾンビ考〜「終わりなき日常」から「サバイバル」へ、舞踏の平成、アニメ『どろろ』に見る内実の変容、死体ビデオと90年代悪趣味ブーム、SNSという「ネオ世間」の出現、IT盛衰、「今日の反核反戦展」、酒見賢一論ほか。

No.77 夢魔〜闇の世界からの呼び声
A5判・224頁・並装・1389円(税別)・ISBN978-4-88375-340-6
●不穏さに満ちた夢の世界へようこそ。mizunOE、飴屋晶貴、亜由美、林良文、タイナカジュンペイ、「メアリーの総て」と『フランケンシュタイン』の悪夢、《夢》は現実を超えるか〜古代記紀神話から『君の名は。』まで、ラース・フォン・トリアー「ヨーロッパ」、『エルム街の悪夢』、『鏡の国の孫悟空』、『ルクンドオ』ほか。

No.76 天使/堕天使〜閉塞したこの世界の救済者
A5判・224頁・並装・1389円(税別)・ISBN978-4-88375-330-7
●天使や堕天使から発した想像力。村田兼一、ホシノリコ、『ベルリン・天使の詩』、ボカノウスキー『天使』がいたころ、天使と日本人、イスラムの堕天使たち、「天使の玉ちゃん」と〈失われた子供時代〉、『デビルマン』飛鳥了、熊楠の天使/天子と男色ほか。ジャ・ジャンクー論(藤井省三)、アジアフォーカス2018レポなども。

No.75 秘めごとから覗く世界
A5判・256頁・並装・1389円(税別)・ISBN978-4-88375-316-1
●秘めごとが生む物語。ステュ・ミード、中井結、宮本香那、『檸檬』『四畳半襖の裏張り』などに見る秘めごとの諸相、文学における「告白」、J・T・リロイの事情、自販機本の原稿書きが「映画芸術」の編集長に教えられたこと ほか。小特集としてマッケローニと映画「スティルライフオブメモリーズ」、追悼・ケイト・ウィルヘルム。

No.74 罪深きイノセンス
A5判・224頁・並装・1389円(税別)・ISBN978-4-88375-309-3
●無垢への信奉とそれが持つ残酷さ。美島菊名、村田兼一、蟲川ギニョール、Hajime Kinoko、ドストエフスキーと無垢なるもの、わたなべまさこ『聖ロザリンド』と萩尾望都『トーマの心臓』、『悪童日記』と『フランケンシュタイン』、『小さな悪の華』と『乙女の祈り』、少女ポリアンナ、村上華岳、うろんな少年たち ほか。

トーキングヘッズ叢書（TH series） No.81

野生のミラクル

編　者　アトリエサード
編集長　鈴木孝（沙月樹 京）
編　集　岩田恵／望月学英・徳岡正肇
協　力　岡和田晃

発行日　2020 年 2 月 4 日

発行人　鈴木孝
発　行　有限会社アトリエサード
東京都豊島区南大塚 1-33-1 〒 170-0005
TEL.03-6304-1638 FAX.03-3946-3778
http://www.a-third.com/
th@a-third.com
振替口座／ 00160-8-728019
発　売　株式会社書苑新社
印　刷　株式会社平河工業社
定　価　本体 1389 円＋税
ISBN978-4-88375-389-5 C0370 ¥1389E

出版物一覧

アトリエサード

AMAZON

http://www.a-third.com/

ご意見・ご感想をお寄せ下さい。
Web で受け付けています。
新刊案内などのメール配信申込も
Web で受付中!!

●Facebook　http://www.facebook.com/ateliertthird

●編集長 twitter　https://twitter.com/st_th

A F T E R W O R D

■私はなんつーか、人を教育したりとか躾けたりとかそういうことにはやる気が起きなくて、まぁ、成長する人はするししない人はしないだろうし、成長すればいいのかというとよくわからないし、そんなとこです。なので、犬にお手をさせるとかあんま興味なくて、その点、勝手にしてるネコの方が性に合っているのかなぁ……野生は野生のまんまがよいんです、基本的に。そんなふうに適当に流されて今もTHは続いてるわけ。だけどロボット犬買ったら、躾ける快楽に目覚めちゃったりね。次はExtrARTが3月下旬、THが4月末です！（S）
★弦巻稲荷日記一元擬態美術協会の展示情報が風の便りで届いた。WALD ART STUDIO（博多）2/5～22、WHITE（神保町）3/31～4/11をチェック。ここを書く作業をしている頃、舞踏家の大野慶人先生の訃報が届いた。ただただ、安らかなお眠りを心よりお祈り申し上げます。以下次号（め）

■展覧会・個展や上映・上演等の情報は、編集部あてにお送りください（なるべく発売の1カ月半前までに。本誌は1・4・7・10の各月末発売です）。
■絵画等の持ち込みは、郵送（コピーをお送りください）またはメール（HPがある場合）で受け付けています。興味を持たせて頂いた方は、特集や個展など、合うタイミングでご紹介させて頂きます。
■巻末の「TH特選品レビュー」では、ここ数ヶ月の文学・アート・映画・舞台等のレビューを募集中。1本400字以内で、数本お送り下さい。採用の方には掲載誌を進呈します（原稿料はありません）。THの色にあったものかどうかも採否の基準になります。投稿はメール（th@a-third.com）でOK。
■詳しくはホームページもご覧ください。
※応募の際には、本名・筆名・住所・TEL・E-mail・年齢・職業・趣味の傾向等簡単な自己紹介・本書のご感想を必ずお書き添え下さい。
※恐れ入りますが、原則的に採用の方にのみご連絡を差し上げています。ご了承ください。

アトリエサードの出版物の購入のしかた・通信販売のご案内

● TH series（トーキングヘッズ叢書）の取扱書店は、http://www.a-third.com/ へ。定期購読は富士山マガジンサービス及び小社直販にて受付中！（www.a-third.com のトップページにリンクあり）●書店店頭にない場合は、書店へご注文下さい（発売＝書苑新社と指定して下さい。全国の書店からOK）。●ネット書店もご活用下さい。

●アトリエサードのネット通販でもご購入できます。

■各書籍の詳細画面でショッピングカートがご利用になれます。■郵便振替 / 代金引換 / PayPal で決済可能。

■インターネットをご利用になれない方は、郵便局より郵便振替にて直接ご送金いただいても結構です（送料の加算は不要！ 連絡欄に希望書名・冊数を明記のこと）。入金の通知が届き次第お送りいたします（お手元に届くまで、だいたい 1 週間～10 日ほどお待ち下さい）。振込口座／00160－8－728019　加入者名／有限会社アトリエサード
■また TEL.03-6304-1638 にお電話いただければ、代金引換での発送も可能です（取扱手数料 350円が別途かかります）